D0992982

10
18
12, AVENUE D'ITALIE. PARIS XIIIe

Sur l'auteur

Augusten Burroughs est né en 1965 en Pennsylvanie. Écrivain et journaliste, il puise son inspiration dans sa propre vie, qui tutoie depuis l'enfance des sommets de tragi-comédie. Il est l'auteur de six ouvrages dont *Courir avec des ciseaux*, *Déboire*, *Pensée magique*, *Un loup à ma table*. Augusten Burroughs vit aujourd'hui à New York.

AUGUSTEN BURROUGHS

DÉBOIRE

Traduit de l'américain
par Christine BARBASTE

10
18

Du même auteur
aux Éditions 10/18

COURIR AVEC DES CISEAUX, n° 3955
PENSÉE MAGIQUE, n° 4273
UN LOUP À MA TABLE, n° 4376

Ouvrage précédemment paru
dans la collection « Domaine Étranger »
créée par Jean-Claude Zylberstein

Première traduction parue
au Passage du Marais en 2005.

Titre original :
Dry

ISBN 978-2-264-04377-1

Note de l'éditeur

Ce livre contient, naturellement, une multiplicité de références – pour la plupart intraduisibles – propres à la culture américaine et à l'époque des années 80 et 90. Nous en avons volontairement gardé beaucoup – en anglais – dans l'espoir qu'une telle démarche favorise le dépaysement du lecteur. Notre souci constant a néanmoins été de bien veiller à ce qu'elles ne constituent en aucun cas un obstacle au plaisir de la lecture.

À la mémoire de George Stathakis
Pour mon frère
Et pour Dennis

Première Partie

Just do it

Quand on travaille dans la pub, il arrive qu'on tombe sur un produit archinul auquel il faut donner l'apparence d'un truc fantastique, essentiel, censé vous changer la vie. Une fois, par exemple, je devais pondre une annonce pour un après-shampooing. La stratégie était la suivante : *Plus de souplesse et de douceur au toucher, plus de volume à l'œil nu.* C'était un mauvais produit. Il rendait le cheveu collant, et les femmes qui l'avaient testé dans les groupes-témoins l'avaient tout simplement détesté. En plus, il puait. Il dégageait une odeur qui hésitait entre le chewing-gum et le désinfectant. Malgré ça, je devais me débrouiller pour donner aux consommatrices l'impression qu'il s'agissait du meilleur après-shampooing jamais créé. Je devais lui donner une image alliant beauté et séduction, en faire un produit accessible, mais néanmoins prestigieux.

La publicité embellit tout. C'est pour ça que ce métier me convient parfaitement. Son principe de base consiste à tromper les attentes des consommateurs. Et cela, peu de gens s'y entendent aussi bien que moi, vu que, depuis des années, c'est à ma vie que j'applique ces principes de base.

Ma folle de mère s'est débarrassée de moi en me refilant, à l'âge de treize ans, à son cinglé de psychiatre qui m'a adopté. Ma vie a alors basculé dans un univers sordide de pédophiles, de dope et d'école buissonnière.

Lorsque j'ai fini par m'en échapper, j'ai démarché des agences publicitaires en me présentant comme un jeune homme autodidacte, sans doute excentrique, mais passionné et débordant d'idées. J'ai passé quelques faits sous silence – entre autres que je n'avais pas la moindre notion d'orthographe, et que je taillais des pipes depuis l'âge de treize ans.

Peu de gens entrent dans la pub à dix-neuf ans sans avoir poursuivi leurs études au-delà de l'école primaire, et sans aucune relation. Ce n'est pas à la portée de n'importe qui de pousser la porte d'une agence, de devenir concepteur-rédacteur, et d'être convié à s'asseoir autour d'une table de laque noire pour dire : « Et si on prenait Molly Ringwald, pour la voix off ? » ou : « Ça va être super branché, tout a fait dans l'esprit MTV ». Pourtant, à dix-neuf ans, c'était exactement ce que je voulais, et c'est exactement ce que j'ai obtenu – ça m'a donné l'impression de pouvoir contrôler le monde.

Je n'arrivais pas à croire que j'avais décroché si jeune un job de rédacteur junior sur le budget du National Potato Board, et que j'étais payé dix-sept mille dollars par an, une fortune incroyable comparée aux neuf mille dollars que je m'étais faits deux ans auparavant en bossant comme serveur dans un Ground Round.

C'est ça qui est génial, dans la pub. Peu importe d'où vous venez, qui étaient vos parents. Il peut bien y avoir des squelettes de gamines planqués sous le plancher de votre cuisine, du moment que vous êtes capable d'améliorer le scénario d'un spot pour Chuck Wagon, vous restez dans la course.

Aujourd'hui, j'ai vingt-quatre ans et j'essaie de ne pas penser à mon passé. Il me semble important de me focaliser uniquement sur mon travail et mon avenir. Et ce d'autant plus que dans ce milieu, on est toujours jugé en fonction de son dernier boulot. On retrouve ce thème du dynamisme, de la fuite en avant, dans de nombreuses campagnes de pub.

A body in motion tends to stay in motion[1]. (Reebok, agence Chiat/Day.)

Just do it[2]. (Nike, agence Weiden et Kennedy.)

Damn it, something isn't right[3]. (Moi, devant le miroir de ma salle de bains, à quatre heures et demie du matin, quand je suis vraiment, vraiment bourré.)

C'est mardi soir. Je suis rentré chez moi depuis vingt minutes et je consulte mon courrier. Quand je tombe sur une facture, je flippe. Pour une raison qui m'échappe, j'ai du mal à rédiger des chèques. Je diffère l'acte jusqu'au tout dernier moment – en général, quand l'affaire est déjà entre les mains d'une agence de recouvrement. Non pas que je n'aie pas les moyens d'honorer mes factures, mais simplement, quand je dois faire face à des responsabilités, je panique. Je n'ai ni l'habitude des règles ni celle des structures, aussi ai-je un mal fou à conserver ligne téléphonique et abonnement électrique. Je range toutes mes factures dans une boîte, près de la cuisinière. Je glisse le courrier personnel et les cartes postales entre l'ordinateur et l'imprimante, sur mon bureau.

Le téléphone sonne. Je laisse le répondeur prendre l'appel.

« Salut, c'est Jim… C'était pour savoir si tu voulais aller t'en jeter un petit. Rappelle-moi, mais essaie de venir et de me… »

Je décroche et le répondeur couine comme un chat qu'on étrangle.

1. Un corps en mouvement tend à rester en mouvement. *(Toutes les notes sont de la traductrice.)*

2. Faites-le, c'est tout.

3. Bon sang, y a un truc qui cloche.

— Bien sûr, lui dis-je. Mon alcoolémie est dangereusement basse.

— Neuf heures à la Cedar Tavern.

— Ça marche.

La Cedar Tavern est située à l'angle de University et de la Douzième Rue. J'habite à quelques blocs de là, sur la Dixième Rue, au niveau de la Troisième Avenue. Jim, lui, habite plus haut, sur la Douzième Rue, à proximité de la Deuxième Avenue. Ce bar nous sert donc de pivot. C'est une des raisons pour lesquelles je l'aime bien. L'autre raison tient à la taille de leurs martinis – d'énormes bols de soupe à la vodka.

Jim est un mec génial. Il est croque-mort. Enfin, techniquement parlant, je crois qu'il n'est plus croque-mort, il a pris du galon. Il est devenu représentant en cercueils ou, pour présenter la chose selon ses termes, spécialiste en « arrangements préparatoires ». Dans ce milieu, les euphémismes abondent. Personne ne « meurt » : les gens « partent ailleurs », comme s'il s'agissait d'entreprendre un voyage vers un autre fuseau horaire.

Jim porte des chemises hawaiiennes *vintage*, été comme hiver. En le voyant, vous le prendriez pour un travailleur italien lambda, un flic, peut-être, ou un patron de pizzeria. Mais non, il est croque-mort, jusqu'au bout des ongles. L'an dernier, pour mon anniversaire, il m'a offert deux fioles, l'une remplie d'une lotion d'un joli rose, l'autre d'un fluide ambré. Permaglow et Restorative : des produits d'embaumement. Ce n'est pas dans une brocante qu'on pourrait dégotter ce genre d'article qui fait jaser. Je ne suis pas superficiel au point de choisir mes amis en fonction de leur gagne-pain, mais dans le cas de Jim, je dois dire que l'argument a pesé de tout son poids.

Quelques heures plus tard, je débarque à la Cedar Tavern, et je me sens immédiatement dans mon élément. Sur la droite, il y a un comptoir monumental, vieux d'un siècle, sculpté à la main, pour lequel on a dû sacrifier plusieurs chênes centenaires. Un véritable doigt d'honneur à tous les défenseurs de l'environnement. Derrière, le mur lambrissé est décoré de miroirs gravés. À côté des miroirs, des appliques en cuivre terni avec des abat-jour en vitrail. Ici, aucune ampoule électrique n'excède les vingt-cinq watts. Au fond de la salle, il y a de jolis box en bois et des peintures à l'huile représentant des chiens d'arrêt anglais et des grands-pères anonymes dans des fauteuils en cuir bourgogne. L'établissement sert également à manger : des steaks de poulet, des *fish & chips*, des cheeseburgers et une salade consternante à base de laitue iceberg et de croûtons en sachet. Je pourrais vivre ici. Si ce n'était déjà le cas.

En dépit de mes cinq minutes d'avance à notre rendez-vous, Jim est installé au bar et a déjà descendu la moitié d'un martini.

— Quel poivrot tu fais ! Il y a longtemps que t'es là ?

— J'avais soif. Depuis une minute.

Il est en train de mater une femme attablée seule près du juke-box. Elle porte un pantalon en toile, une chemise à rayures roses et blanches en oxford et des Reebok blanches. Je la catalogue immédiatement : une infirmière entre deux gardes.

— C'est pas ton genre, Jim.

Il me décoche un regard qui semble dire : *Qu'est-ce que t'en sais ?*

— Et pourquoi pas ?

— Regarde ce qu'elle boit. Du café.

Il grimace, détourne les yeux de la femme et avale une gorgée de martini.

— Tu sais, je ne peux pas traîner ce soir, car je dois être au Met demain à neuf heures.

— Au musée ? s'étonne-t-il, incrédule. Mais pourquoi ?

Je lève les yeux au ciel et agite la main pour attirer l'attention du barman.

— Mon client Fabergé crée un nouveau parfum et ils veulent que l'agence visite avec eux l'expo des œufs de Fabergé. Histoire d'y puiser l'inspiration.

Je commande un martini-vodka, sec, avec une olive. Ici, leurs olives vertes sont minuscules et ça me plaît bien. J'ai horreur des grosses olives. Elles prennent trop de place dans le verre.

— Donc, je dois passer toute la matinée là-bas, en costard, à regarder ces putains d'œufs. Et on se réunit tous à l'agence après-demain avec leur direction. Un vrai cauchemar. Tout ça pour avoir une « vision globale ». Encore une de ces réunions abominables qui te foutent les boules des semaines à l'avance. (Je goûte mon martini. Il est parfait, comme s'il faisait partie intégrante de ma physiologie.) Putain, je déteste mon boulot.

— Tu devrais t'en trouver un vrai, lâche Jim. La pub, ça pue. Tu passes tes journées à te balader au Met pour regarder des œufs Fabergé, tu gagnes des tonnes de thunes et tout ce que tu sais faire, c'est te plaindre. Et t'as pas encore vingt-cinq ans…

Il plonge deux doigts dans son verre pour repêcher l'olive qu'il expédie dans son gosier. En le voyant faire, je ne peux pas m'empêcher de me dire : *Quand on sait où ces doigts-là ont traîné…*

— Pourquoi t'essaies pas autre chose ? reprend-il. Du genre fourguer un cercueil au fin fond du Bronx à une veuve de soixante-dix-huit piges ?

Nous avons déjà eu cette conversation plein de fois. Le croque-mort se sent supérieur à moi et il l'est, en fait. Il est le Janitor in a Drum[1] de la société. Il rend service. En ce qui me concerne, j'essaie de piéger les gens, de les manipuler pour les amener à se séparer de leur fric. L'inverse d'un service, en somme.

— Ouais, ouais, commande-nous une autre tournée. Faut que j'aille pisser.

1. Décapant ménager très puissant.

Je pars aux toilettes, le laissant au comptoir.

Nous buvons encore quatre verres à la Cedar Tavern. Peut-être cinq. Juste assez pour me sentir détendu et bien dans ma peau, comme un gymnaste. Jim suggère d'aller faire un tour dans un autre bar. Je regarde ma montre : bientôt dix heures et demie. Je devrais rentrer maintenant et dormir pour être frais et dispos demain matin. Mais je me dis : *Bon, à quelle heure je peux me coucher, dernier carat, sans être complètement naze, demain ? Si je dois être là-bas à neuf heures, il faudrait que je me lève à sept heures et demie, ce qui veut dire qu'il faut pas que je me couche plus tard que...* (je compte sur mes doigts parce que je suis nul en calcul, surtout en calcul mental)... *minuit et demi.*

— Où veux-tu aller ? je demande.

— J'en sais rien, on marche, on verra.

— OK.

Nous sortons. Sitôt que je fais un pas à l'air libre, quelque chose s'oxyde dans mon cerveau et je me sens très légèrement éméché. Pas soûl, cependant, ni même près de l'être. Cela dit, je n'essaierais certainement pas de manœuvrer une égreneuse de coton.

Nous finissons par atterrir deux blocs plus loin, dans cet endroit où il y a parfois des concerts de jazz. Jim est en train de me raconter que le pire des trucs, pour un croque-mort, c'est un défenestré.

— Deux martinis-vodka, sans glace, avec olives, dis-je au barman avant de me tourner vers Jim. C'est quoi, le problème, avec les défenestrés ?

J'adore ce type.

— Quand tu leur déplaces un bras ou une jambe, comme les os sont en mille morceaux, ils se baladent sous la peau et font un genre de... (Nos verres arrivent. Jim boit une gorgée avant de poursuivre.)... gargouillis.

Je suis aux anges.

— C'est carrément atroce. T'en as d'autres ?

Jim boit une autre gorgée et cogite, le front plissé.

— Attends… celle-là, tu vas adorer. Les mecs, on leur ficelle le bout de la queue pour éviter les fuites de pisse.

— Nom de Dieu !

Nous buvons chacun une gorgée de martini. Moi, c'est plutôt une bonne rasade que je m'envoie, et il me faudra bientôt un autre verre. Leurs martinis sont honteusement riquiqui, ici.

— Vas-y, raconte-moi d'autres horreurs.

Il me raconte donc qu'une fois, il a eu droit à un corps de femme décapité et que la famille insistait pour des obsèques à cercueil ouvert.

— Tu imagines le truc ?

Alors, il a cassé en deux un manche à balai qu'il a enfoncé dans le cou et jusque dans la chair du buste. Puis il a empalé la tête à l'autre extrémité et a poussé, comme il a pu.

— Waouh…

Y a que des types qui attendent dans le couloir de la mort, pour avoir fait les mêmes trucs que Jim.

Il sourit avec ce qui me semble être une espèce de fierté.

— Je lui ai enfilé un pull à col roulé en cachemire blanc, et au final, elle était pas mal du tout.

Il me fait un clin d'œil et plonge deux doigts dans mon martini pour me faucher l'olive. Hors de question que je prenne une autre gorgée de ce verre-là.

Nous en buvons cinq autres, peut-être, avant que je regarde de nouveau ma montre. Une heure et quart. Là, il faut vraiment que j'y aille. Au stade où j'en suis, je vais être une vraie loque, demain. Mais ça ne se passe pas comme ça. Ce qui se passe, c'est que Jim nous en commande un dernier pour la route.

— Juste une petite Cuervo, cul sec…

Mon tout dernier souvenir, c'est d'être sur la scène d'un karaoké, quelque part dans le West Village. Le visage illuminé par les spots, j'essaie de lire les paroles du thème du *Brady Bunch*[1] qui défilent sur l'écran en face de moi. À moins de fermer un œil, je vois double, mais quand je ferme un œil, je perds l'équilibre et titube. Jim se marre comme une baleine au premier rang, en frappant des mains sur la table.

Le sol se dérobe et je me casse la figure. Le barman quitte son comptoir pour m'aider à descendre de la scène. C'est bon de sentir son bras autour de mes épaules et j'ai envie de lui faire un câlin amical, ou peut-être de l'embrasser sur la bouche. Heureusement, je m'abstiens.

Une fois sur le trottoir, tout en m'appuyant sur l'épaule de Jim pour ne pas trébucher – le trottoir est traître –, je regarde ma montre.

— Impossible, je bafouille.

— Quoi donc ? demande Jim en souriant.

Il a glissé une paille derrière chacune de ses oreilles – des pailles rouges, mâchonnées à une extrémité.

Je lève le bras et lui colle ma montre sous le nez.

— Regarde.

Il repousse mon bras pour pouvoir lire le cadran.

— Ça alors ! Comment est-ce possible ? T'es sûr qu'elle est à l'heure ?

La montre indique 4:15. C'est impossible. Je me demande tout haut si elle ne donne pas l'heure européenne au lieu de celle de Manhattan.

1. Série télévisée mettant en scène une famille recomposée, diffusée de 1969 à 1974. Cf. *Courir avec des ciseaux*.

CES PUTAINS D'ŒUFS

J'arrive au Metropolitan Museum of Art à neuf heures moins le quart. Avec quinze minutes d'avance. Je porte un costume Armani gris anthracite et des mocassins Gucci sang-de-bœuf. J'ai comme un battement sourd dans le crâne, derrière les yeux, mais c'est devenu habituel. Ça s'atténue en fin de journée et disparaît complètement avec le premier verre de la soirée.

Techniquement parlant, la nuit dernière, je n'ai pas dormi : j'ai fait la sieste. Même dans mon état d'ébriété avancé, j'ai compris que je ne pouvais pas me pointer au Met complètement défait, alors j'ai réussi à appeler le réveil téléphonique *(Si tu roupilles, t'es foutu !)* avant de m'allonger sur le lit, tout habillé.

À six heures, j'étais réveillé, et je me sentais encore ivre. Je me racontais des blagues dans la salle de bains, en faisant des grimaces. C'est là que j'ai compris que j'étais toujours pété. J'avais bien trop d'énergie pour six heures du matin. Et beaucoup trop de motivation. On aurait dit que l'hémisphère alcoolisé de mon cerveau déployait des trésors de pitreries pour que son homologue professionnel ne s'aperçoive pas qu'il était l'otage d'un ivrogne.

Je me suis douché, rasé, et j'ai lissé mes cheveux en arrière avec du gel Bumble & Bumble Hair Grooming. Un petit coup de séchoir par-dessus, puis je me suis coiffé de façon à donner à mes cheveux un aspect naturel et sans apprêt. Une mèche rebelle dégringolait sur mon front ; je l'ai fixée avec de l'AquaNet. Pour avoir assisté à d'innombrables séances de photo de mode, j'ai appris que la meilleure laque, c'est l'archi-ringarde AquaNet. Au final, ça donnait une coiffure décontractée, comme ébouriffée par le vent – à condition de ne pas y toucher. Dans ce cas, ç'aurait certainement produit un son dur, comme du bois.

Je me suis aspergé de Donna Karan for Men dans le cou et sur la langue, pour masquer tout effluve d'alcool. Puis j'ai marché jusqu'au restaurant ouvert vingt-quatre heures sur vingt-quatre, à l'angle de la Dix-Septième Rue et de la Troisième Avenue, pour prendre un petit déjeuner – des œufs brouillés, du bacon et du café. La graisse, me suis-je dit, absorberait les toxines.

Et, par mesure de sécurité supplémentaire, en plus de ma cravate criarde qui distrayait l'attention, j'ai avalé une poignée de Breath Assure.

Tout le monde est arrivé en même temps, quoique d'endroits différents. J'ai pris mentalement note de me plonger dans Jung. J'ai besoin de comprendre cette histoire de synchronisme. Ça pourrait peut-être me servir un jour, pour une pub.

Je serre les mains et salue la compagnie avec une énergie et un excès d'enthousiasme insolites pour neuf heures du matin. Devant chacun de mes interlocuteurs, je retiens mon souffle, n'exhalant qu'une fois que je me suis détourné. Je veille à garder au moins dix pas d'avance sur tout le monde. Nous sommes en petit comité : ma cliente Fabergé – une jeune femme menue qui porte des gilets brodés au petit point –, le responsable du budget, et ma directrice artistique, Greer.

Greer et moi formons une « équipe de création » depuis cinq ans. Ces derniers temps, elle m'a lancé pas mal de piques à propos de ma consommation d'alcool.

« Tu es en retard... Tu es débraillé... Tu es tout bouffi... Tu n'as aucune patience. » Que j'aie raté quelques présentations importantes n'a rien fait pour arranger la situation. Alors, récemment, je lui ai dit que j'avais considérablement réduit ma consommation. À trois fois rien. Greer ne m'a toujours pas pardonné d'avoir appelé un de nos clients à deux heures du matin pour une séance de baise par téléphone. Comme j'étais en plein black-out au moment où ça s'est passé, je n'ai par bonheur pas gardé le moindre souvenir de cet épisode.

Nous entrons dans la première salle d'exposition. J'avance jusqu'à la vitrine centrale et feins de m'intéresser à l'objet illuminé par quatre spots. Il est hideux : un œuf bleu cobalt, entièrement recouvert de circonvolutions dorées des plus vulgaires et parsemé de diamants. Je tourne autour de la vitrine, j'observe l'œuf sous toutes ses coutures, comme si j'étais intrigué, ou inspiré. Mais ce qui me turlupine, en réalité, c'est : *Comment ai-je pu oublier les paroles du* Brady Bunch ?

Greer vient vers moi. Elle a un air bizarre, mais pas bizarre dans le sens de « curieux », bizarre dans celui d'« incrédule ».

— Augusten, il faut que je te dise que toute la salle empeste l'alcool. (Elle marque une pause et me décoche un regard courroucé.) Et que ça vient de toi. (Elle croise les bras.) Tu pues autant qu'une distillerie.

Je coule un regard vers les deux autres membres de notre groupe. Ils se sont réfugiés dans un coin, au fond de la salle, et contemplent le même œuf. On dirait qu'ils chuchotent.

— Pourtant, je me suis même brossé la langue. Et j'ai avalé la moitié d'une boîte de Breath Assure.

— Ce n'est pas ton haleine. Ça sort de tes pores.

— Oh.

Je me sens trahi par ma chimie corporelle. Pour ne rien dire de mon déodorant, de mon eau de toilette et de mon dentifrice.

— Ne t'inquiète pas, dit-elle en levant les yeux au ciel. Je vais te couvrir. Comme d'habitude.

Elle s'éloigne. Ses talons martèlent le dallage de marbre comme des pics à glace.

Tandis que la visite se poursuit, j'éprouve deux choses. De la déprime, d'une part – je me sens nul de m'être fait pincer en flagrant délit de pochardise –, mais un soulagement infini d'autre part. Maintenant que Greer est au courant, je n'ai plus à déployer d'efforts surhumains pour me planquer. Des deux sensations, c'est cette dernière qui domine et, sur le moment, ça m'ôte un poids. Greer se débrouille pour tenir les deux autres à distance le restant de la matinée, ce qui me laisse le loisir de ne pas vraiment m'intéresser aux œufs, et de me concentrer sur l'étonnante maîtrise des éclairagistes du Met, et sur la beauté des planchers. Ça me donne envie de rénover mon appartement et je fais le plein d'idées. Ensuite, nous allons déjeuner à l'Arizona 206, un restaurant sudiste rigolo, qui élève la préparation du maïs au rang de la gastronomie.

Greer commande un verre de chardonnay, ce qu'elle ne fait jamais d'habitude. Elle se penche et me chuchote à l'oreille :

— Tu devrais aussi prendre un verre. Au cas où personne d'autre ne se serait encore aperçu que tu empestais. Comme ça, s'ils t'approchent d'un peu trop près, ils penseront que c'est à cause du déjeuner, que tu sens l'alcool.

Greer. Elle court quarante-cinq minutes tous les jours sur un tapis roulant, ne jure que par les graisses non saturées, et rabâche : « l'alcool-est-mauvais-pour-la-santé ». Greer est la championne de la raison. Moi, à l'inverse, je suis la preuve vivante de la théorie du chaos. Pour lui faire plaisir, je commande un double martini.

Quelqu'un dit :

— Oh, puisque vous vous lâchez…

La cliente et le responsable du budget commandent chacun une bière légère.

Le reste de la journée passe sans heurts, comme des marchandises sur le tapis roulant d'une caisse de supermarché, et je suis bientôt rentré chez moi.

C'est un tel soulagement de passer ma porte, et je suis si heureux d'être chez moi, où je n'ai ni souffle à retenir, ni explications à fournir, que je me sers aussitôt un verre de Dewar's. *Un seul*, me dis-je. Juste pour me calmer les nerfs après cette journée.

Quand j'ai terminé la bouteille, je décide qu'il est temps d'aller au lit. Il est minuit passé, et demain à dix heures, je dois être à la réunion sur la stratégie globale de la marque. Je règle deux réveils sur huit heures trente et rampe sous les couvertures.

Je me réveille le lendemain étreint par la panique. Je saute du lit et titube jusque dans la cuisine où je regarde l'horloge du micro-ondes : 12:04.

Le voyant du répondeur clignote avec une frénésie inquiétante. Bien à contrecœur, j'enclenche la touche Marche.

« Augusten, c'est Greer. Il est dix heures moins le quart. J'appelais juste pour savoir si tu étais parti. Bon, tu dois être en route. »

Biiiiiiiiip.

« Augusten, il est dix heures et tu n'es pas là. J'espère que tu es en chemin. »

Biiiiiiiiip.

« Dix heures et quart. Je pars en réunion. »

Le ton de ce dernier message est cassant, avec une pointe de sous-entendu. Le genre de pointe qui sous-entend : J'en-ai-ras-le-bol-de-toi-enculé.

Je me douche et j'enfile le costume que je portais hier aussi vite que j'en suis capable. Je ne me rase pas, mais je me dis que ça passe – je suis quasiment imberbe et, par ailleurs, un léger débraillé donne un petit air je-bosse-à-Hollywood. Je sors et hèle un taxi. Naturellement, on se paye tous les feux rouges pour remonter *Uptown*. Et lorsque j'arrive dans le hall de l'immeuble où se trouvent les locaux de l'agence, j'ai le front moite, en dépit de la température clémente de ce mois de mai. Je m'éponge d'un revers de manche, j'entre dans l'ascenseur, j'appuie sur le bouton du trente-cinquième étage. Le bouton ne s'allume pas. J'appuie à nouveau, plus fort. Rien. Une femme pénètre à son tour dans la cabine et appuie sur le bouton du trente-huitième étage qui, lui, s'allume. Les portes se referment, et la femme se tourne vers moi.

— Pff, souffle-t-elle avec dégoût. Vous avez bu cinq martinis au déjeuner, ou quoi ?

— Non, je n'ai pas entendu le réveil.

À l'instant même où les mots sortent de ma bouche, je me rends compte à quel point ma réponse fait mauvais effet. Le sourire de la femme s'évanouit et elle s'abîme dans la contemplation du plancher.

L'ascenseur s'arrête à mon étage. Je vais déposer ma mallette dans mon bureau et croque une poignée d'Altoids tout en essayant d'imaginer une excuse. Je me plante devant la fenêtre qui domine l'East River. Je donnerais n'importe quoi pour être le conducteur de ce remorqueur qui pousse une benne à ordures à contre-courant. Je parie qu'il n'a pas à gérer ce genre de stress, lui. Il se contente de barrer, cheveux au vent, visage offert aux rayons du soleil. Peut-être songe-t-il à l'époque où il sillonnait l'Atlantique Nord, des photos jaunies de ses petits-enfants scotchées sur le pare-soleil. Soit ça, soit il écoute Howard Stern à la radio, une bouteille de Coors tiédie coincée entre les cuisses. De toute façon, sa vie est certainement plus agréable que la mienne. C'est pas lui qui serait en retard à une réunion de stratégie globale.

Je décide de ne fournir aucune excuse, de me montrer juste le plus amical possible et de m'investir de mon mieux dans la discussion. Je vais me faufiler discrètement dans la salle, m'asseoir, et lâcher des remarques qui laisseront croire aux gens que je suis là depuis le début.

Merde ! La porte de la salle de conférences est fermée à clé : je dois frapper. Quelqu'un va devoir se lever pour me laisser entrer. Mon projet d'invisibilité tombe à l'eau. Alors je frappe, très doucement, de façon à n'être entendu que de la personne assise près de la porte.

La porte s'ouvre. Et c'est Elenor, ma patronne, la directrice de création de l'agence, qui l'ouvre. Elle est surprise de me voir.

— Augusten ? Tu es légèrement en retard.

Je constate que la salle est remplie de costumes. Une vingtaine, une trentaine de costumes. Tout le monde est en train de se lever, de ranger des dossiers dans des mallettes, de jeter les canettes vides de Coca Light dans la corbeille.

La réunion vient juste de se terminer.

Dans un coin de la salle, j'aperçois Greer qui discute avec notre cliente Fabergé. Non seulement ma cliente, mais aussi le patron de ma cliente, le chef de produit, le chef de marque et le responsable marketing. Greer capte mon regard et ses yeux s'étrécissent en deux fentes minuscules remplies de haine.

— Elenor, je sais, je suis désolé d'être en retard. J'ai eu un petit problème perso. Une urgence.

Elle grimace, comme si elle venait de flairer un pet. Elle avance d'un pas et se penche vers moi en reniflant.

— Augusten, serais-tu… ivre ?

— Quoi ? je m'exclame, scandalisé.

— Tu sens l'alcool. Tu as bu ?

Je rougis.

— Non, bien sûr que non. J'ai pris quelques verres hier, mais…

— Nous reparlerons de ça plus tard. Dans l'immédiat, je crois que tu devrais aller t'excuser auprès de ta cliente.

Elle passe devant moi pour quitter la salle et, à chacun de ses pas, j'entends le *shhh shhh* du frottement de son collant sur ses cuisses.

J'avance pour rejoindre Greer et les clients. Ils cessent de parler au moment où j'apparais. Je réussis à sourire.

— Salut tout le monde. Je suis vraiment navré d'avoir loupé la réunion. J'ai eu un petit problème à régler d'urgence à la maison. Je suis terriblement désolé.

Tout d'abord, personne ne me répond ; ils se contentent de me dévisager.

— Joli costume, observe Greer.

Je m'apprête à la remercier, mais il me vient à l'idée qu'elle est peut-être sarcastique, car c'est celui que je portais déjà hier, et qu'il n'est pas impossible qu'il ait l'air d'un costume qui aurait dû être au pressing depuis des semaines.

Un des clients s'éclaircit la gorge et consulte sa montre.

— Bon, faut qu'on parte pour l'aéroport.

Ils passent devant moi en groupe – une masse compacte de costumes à fines rayures, de mallettes et de destinations programmées. Greer les salue individuellement, en leur tapotant l'épaule.

— Au revoir ! lance-t-elle tandis qu'ils s'éloignent. Bon voyage ! Faites un coucou pour moi au bébé, Walter ! Sue ? ajoute-t-elle avec un grand sourire. La prochaine fois qu'on se voit, n'oubliez pas de me donner le nom de cet acupuncteur !

Quelques instants plus tard, Greer et moi avons une « petite conversation » dans mon bureau.

— Ça ne concerne pas que *toi*. Ça *me* concerne *aussi*. Ça déteint sur *moi*. On forme une équipe. Et, parce que tu n'honores pas ta part du contrat, j'en pâtis. *Ma* carrière en pâtit.

— Je sais. Je suis vraiment désolé. Je suis juste super stressé, ces derniers temps. Je te promets que j'ai réduit ma consommation d'alcool. Mais de temps en temps, je merde.

Brusquement, Greer attrape un Addy Award sur mes étagères et le balance à travers la pièce en direction du mur.

— Putain ! Tu ne comprends donc rien ? hurle-t-elle. Je te dis que tu es en train de nous couler. Tu ne détruis pas seulement ta carrière, mais aussi la mienne.

Sa rage est comme une force qui emplit la pièce et me réduit complètement au silence. Je fixe le sol.

— Regarde-moi ! ordonne-t-elle.

Je m'exécute. La colère fait saillir des veines bleues sur ses tempes.

— Écoute, Greer, je t'ai dit que j'étais désolé. Mais là, tu es ridicule. Cette histoire ne coule la carrière de personne. Ça arrive, qu'on soit en retard aux réunions. Ça arrive, qu'on fasse l'impasse. C'est le genre de merdes qui arrivent.

— Pas en permanence, crache-t-elle.

L'irréprochable perfection de sa coupe au carré, avec sa blondeur glaciale, m'irrite. Il n'y a pas un seul cheveu qui ne soit à sa place, et parfois, je me dis que c'est carrément dingue.

Maintenant, moi aussi, j'ai envie de balancer un Addy. Sur Greer.

— Calme-toi, t'es complètement cinglée ! C'est quand même incroyable ! Explique-moi pourquoi on réussit aussi bien, si je suis une telle cata.

Je fais un geste ample de la main, comme pour dire : « Regarde tout ça ! » Greer lance un coup d'œil vers l'étagère, contemple le sol. Elle inspire profondément, puis vide ses poumons.

— Je ne dis pas que tu n'es pas bon, déclare-t-elle plus calmement. Je dis que tu as un problème. Et que ce problème nous affecte tous les deux. Et je me fais du souci à ton sujet.

Je croise les bras et fixe le mur derrière elle. J'ai besoin d'un break. C'est étrange à quel point j'ai l'esprit vide, soudain. Je déteste les affrontements, bien que j'aie grandi dans un univers où ils étaient monnaie courante. Le psy de mes parents était un grand fan de la confrontation, et encourageait hurlements et empoignades verbales. On pourrait penser, du coup, que j'excelle dans l'art de la prise de bec. Mais non, ça me paralyse. Alors je regarde fixement le mur. Je ne suis pas vraiment perdu dans mes pensées : je crois plutôt que je me sens coupable. Comme si je m'étais fait prendre la main dans le sac. Je sais que je bois trop – du moins, aux yeux des autres. Mais boire fait tellement partie de moi. Autant me reprocher d'avoir les bras trop longs. Comme si je pouvais y remédier… Et l'autre détail qui commence à m'agacer, tandis que je fixe le mur, c'est qu'on est à Manhattan, et qu'ici, tout le monde boit, et que la plupart des gens ne ressemblent pas à Greer. La plupart des gens s'amusent davantage.

— D'accord, il m'arrive parfois de boire un peu trop. Je bosse dans la pub. Les publicitaires boivent parfois un peu trop. Nom d'un chien, regarde chez Ogilvy. Ils ont carrément un bar, dans leur cafétéria ! (Je braque mon index vers elle.) À t'entendre, on me prendrait pour un clodo du Bowery.

Les clodos, ai-je envie de lui rappeler, n'ont pas de salaires à six chiffres. Et ils ne collectionnent pas les Addy Awards.

Greer me dévisage sans paraître le moins du monde ébranlée. Mes commentaires la laissent de marbre.

— Augusten, tu es en train de sombrer. Et je ne sombrerai pas avec toi.

Elle fait volte-face, sort de mon bureau et claque violemment la porte derrière elle.

Seul dans mon bureau. C'est fini. Elle est partie. Elle a sans doute raison. Suis-je pire que je ne le pense ? Tout à coup, je sens monter la colère. J'ai l'impression d'être un gosse qu'on oblige à arrêter de jouer pour l'expédier au lit. Quand j'étais petit, mes parents recevaient souvent, et je détestais qu'on m'envoie au lit juste au moment où tout commençait. Je détestais cette impression de tout rater. C'est pour cette raison que j'ai fini par venir vivre à New York – pour ne rien rater. Cette maudite garce m'a gâché la journée. Je vais être incapable de me concentrer sur mon travail. Si Greer et moi sommes aussi bons, c'est en partie en raison de notre rapidité. Nous ne supportons ni l'un ni l'autre de laisser quelque chose en plan – du coup, on bosse avec frénésie et concentration pour régler rapidement chaque problème et pondre une bonne campagne. Il y a des créatifs qui rêvassent pendant des jours, ou même des semaines. Nous, à peine le briefing terminé, on s'attèle immédiatement à la tâche, et on se démerde pour trouver au moins quatre idées par jour. Ensuite, on peut relâcher la pression.

Sa petite scène n'a rien réglé. Je sens qu'elle va me laisser mariner. Alors, du coup, je la hais. Et comme j'ai du mal à le supporter, j'ai envie de picoler.

Ce soir-là, chez moi, je regarde une cassette des pubs sur lesquelles j'ai bossé. Après toutes ces années, même celle pour American Express tient la route, bien qu'aujourd'hui je regrette le choix des costumes. Malgré nos petites altercations, Greer et moi, on a fait du super bon boulot ensemble. Je ne peux pas être si mauvais que ça, me dis-je en vérifiant le niveau de la bouteille de Dewar's. Il reste un tiers de whisky. Ce qui veut dire que j'en ai déjà bu les deux tiers. À mes yeux, cela ne constitue nullement un « problème ». Les gens boivent souvent une bouteille de vin à dîner. Rien d'exceptionnel à ça. Et de toute façon, je suis du style grand format : un mètre quatre-vingt-neuf. Par ailleurs, j'ai presque vingt-cinq ans. Qu'est-on supposé faire, entre vingt et trente ans, sinon la bringue ? Non, le problème, c'est que Greer, en bonne psychorigide, a la manie de vouloir tout contrôler et que rien n'échappe à ses jugements catégoriques.

Un autre problème, c'est que je réfléchis à tout ça perché sur le bord de la table de la salle à manger, que je n'utilise jamais pour dîner mais comme bureau. Et lorsque je tends le bras vers la bouteille de Dewar's pour remplir mon verre, je perds l'équilibre, je me casse la figure et mon front va heurter le socle d'un baffle.

Je me fais une entaille, et ça saigne. Bien plus, franchement, que ne l'exige la dimension de la coupure. Les blessures à la tête sont toujours spectaculaires.

J'achève la bouteille, mais je n'éprouve toujours pas cette sensation d'apaisement dont j'ai besoin. Un peu comme si, ce soir, mon cerveau faisait la forte tête. Je m'attaque alors à quelques bouteilles de cidre brut, et peu à peu, ça marche, je l'atteins, cet apaisement. Je m'égare ensuite sur Internet, sur des sites porno. C'est bizarre, quel que soit mon état d'ébriété, je me souviens toujours de mon mot de passe pour accéder aux sites réservés aux adultes.

Le lendemain, je suis convoqué chez Elenor. Son bureau est situé au quarante et unième étage. Baie vitrée du sol au plafond, plancher ciré en bois blond, table en verre biseauté sur empiètement chromé. L'ensemble serait austère, sans ce fauteuil à imprimé léopard qui signale que ce bureau est celui d'un « créatif ». J'ai une vue époustouflante sur la flèche du Chrysler Building. Comme Elenor est assise à son bureau, en train de parler au téléphone, on dirait que la flèche émerge du sommet de son crâne, telle une corne. Ce qui ne manque pas d'à propos. Elle me fait signe d'entrer.

Une fois dans la place, je découvre qu'elle n'est pas seule. Debout contre le mur de gauche, comme s'ils avaient voulu se dérober à ma vue, se trouvent Greer, ce connard de Rick, l'associé d'Elenor, et la directrice des ressources humaines.

Elenor raccroche et m'indique le fauteuil en face d'elle.

— Assieds-toi.

Je regarde Elenor, je regarde le fauteuil, puis le trio. Il règne dans la pièce un calme sinistre. J'ai l'impression de me retrouver dans la salle d'audience du procès de Nuremberg.

— Qu'est-ce qui se passe, ici ? je demande avec circonspection.

— Ferme la porte, dit Elenor.

Ce n'est pas à moi qu'elle s'adresse, mais à Rick.

Je crois deviner ce dont il s'agit, mais en même temps, je me dis : *Non, c'est impossible*. Ce à quoi je pense est bien trop impensable. Il ne peut pas s'agir de mon penchant pour l'alcool.

Elenor me répète de m'asseoir. Je finis par obtempérer, tandis que Greer, Rick et la bonne femme des ressources humaines se déplacent comme un seul homme pour s'installer sur le canapé.

— Greer ? dis-je.

Je veux l'entendre prononcer la formule magique : « Cette présentation de projet, ça va être un vrai cauchemar », ou, encore pire : « Devine quel est le budget qu'on a perdu ? » Sauf que je sais pertinemment qu'elle ne dira rien de tout ça. D'ailleurs, elle ne le dit pas. Elle contemple ses pieds, chaussés de ballerines Chanel vernies et ornées d'un double C doré. Elle ne dit rien.

Elenor se lève, contourne son bureau, se plante devant moi, puis s'appuie sur le bord de la table en joignant les mains.

— Augusten, nous avons un souci… On croirait presque une pub pour des assurances, tu ne trouves pas ? poursuit-elle d'un ton badin. « Nancy, nous avons un souci. Ces primes exorbitantes et toute cette paperasserie… Si seulement il existait un moyen de tout simplifier… » (Son sourire s'efface, et elle continue.) Non, sérieusement, Augusten, nous avons *vraiment* un souci.

Si elle plaisante, peut-être me fais-je du mauvais sang pour rien ? J'ai l'impression d'être dans un grand magasin, où je viens de faucher un porte-clés-lampe de poche, et je vois le type de la sécurité foncer sur moi et me demander l'heure. Vais-je passer entre les mailles du filet ?

— Il s'agit de ton rapport à l'alcool.

Merde. Greer, espèce de salope. Mais je ne la regarde pas. Je continue à fixer Elenor, sans ciller. Quelqu'un qui aurait un problème avec l'alcool nierait, protesterait à cor et à cri, ou ferait un esclandre. Je me contente d'afficher un petit sourire, comme quand j'écoute les commentaires idiots d'un de nos clients sur une pub.

— Tu as un problème avec l'alcool, et cela affecte ton travail. Tu vas devoir y remédier immédiatement.

Bon. J'ai intérêt à calmer le jeu.

— Elenor, est-ce à cause de mon retard à la réunion d'hier matin ?

— De ton *absence*, corrige-t-elle. Et il n'y a pas que ça. Je peux te citer une foule d'autres exemples où ton penchant pour l'alcool a eu des retentissements sur tes performances à l'agence. Des clients m'en ont parlé. (Elle marque une pause pour me laisser le temps de digérer l'information.) Et tes collègues se font du souci à ton sujet. (Elle tourne la tête vers le canapé, en direction de Greer.) J'ai moi-même remarqué de nombreuses fois que tu sentais l'alcool.

Je me sens piégé. Ces gens n'ont-ils rien de mieux à faire que se prendre la tête à propos de ma « consommation » de cocktails ? Cette Greer, il faut vraiment qu'elle contrôle tout, qu'elle régente tout. Elle n'aime pas que je boive, du coup, ça devient une affaire d'État. Greer veut que je boive des sodas light, alors on va m'obliger à boire des sodas light.

— En ce moment même, et pour ne prendre que ce seul exemple, poursuit Elenor, tu sens l'alcool. Mais ce n'est pas l'unique problème : souviens-toi, l'an dernier, à Londres, quand tu t'es volatilisé pendant ce tournage, et que tu as pris le train pour Paris en laissant l'équipe en plan.

Oh, ça... Mon Week-End de Perdition à Paris. Je m'étais employé de mon mieux à oublier le peu de souvenirs que j'en avais gardé. Néanmoins, je me souviens vaguement d'un jeune professeur de sociologie avec une petite touffe de poils sous la lèvre inférieure, ce que je n'avais jamais vu auparavant. C'est à peu près tout ce dont je me rappelle. Mais franchement, où est le problème ? Le spot a été tourné.

— Il ne s'agit pas seulement d'incidents occasionnels, poursuit Elenor, mais d'une escalade dans ton comportement qui porte également préjudice à nos clients. Plus d'un m'en a fait la remarque. Tu vois, Augusten, la publicité, c'est une question d'image. Et ça ne fait pas très bonne impression que le créatif en charge d'un budget zappe des réunions, arrive en retard, soûl, ou bien empestant l'alcool. C'est tout simplement inacceptable.

Sur le mur derrière elle est encadré un article du *Wall Street Journal* qui lui a été consacré, intitulé MADISON AVENUE SELON ELENOR.

C'est horrible, mais je songe aussitôt qu'il me tarde de raconter cette scène à Jim, quand nous irons boire un coup ce soir. Et cette pensée m'arrache accidentellement un sourire bêta.

Greer quitte son canapé pour rejoindre Elenor.

— Ce n'est pas une plaisanterie, Augusten. C'est très sérieux. Tu es dans une mauvaise passe, tout le monde s'en aperçoit. Il fallait que j'intervienne.

Je vois qu'elle tremble. Le casque de ses cheveux coupés au carré tremble lui aussi imperceptiblement.

La bonne femme des ressources humaines prend la parole.

— Nous pensons qu'il est dans votre intérêt de vous faire admettre dans un centre de désintoxication.

Je la regarde et m'aperçois que je la reconnais à peine, sans sa liasse de chèques de salaire. À côté d'elle, Rick déploie tous ses talents de comédien pour essayer d'avoir l'air normal. À le voir me dévisager avec inquiétude et compassion, j'ai envie de le cogner. Rick est le type le plus hypocrite que je connaisse, prêt à vous poignarder dans le dos à la moindre occasion. Mais il trompe bien son monde. Tous se laissent berner par son affabilité. C'est ahurissant de voir à quel point les gens qui bossent dans la pub sont superficiels. Rick est mormon, et bien que cela ne constitue pas un motif de haine en soi, le fait de connaître Rick me porte à haïr tous les mormons. Qu'est-ce qu'il fout dans ce bureau ? ai-je envie de demander. Mais je m'abstiens, parce que Rick est l'associé d'Elenor, qu'ils forment une équipe, à l'instar de Greer et moi, à ce détail près qu'ils sont également mes patrons.

La bonne femme des ressources humaines poursuit d'un ton monocorde :

— Il existe toutes sortes d'options de traitement, mais il nous semble qu'un programme en résidence serait la formule la mieux adaptée, vu les circonstances.

Alors là, c'est le pompon.

— Êtes-vous en train d'insinuer que je dois faire une cure de désintoxication ?

Silence, mais hochements de tête généralisés.

— De désintoxication ? je répète, juste pour m'assurer qu'il n'y a aucun malentendu. Écoutez, je peux réduire ma consommation. Je n'ai pas besoin d'arrêter de travailler pour partir dans un centre à la con.

Nouvelle série de hochements empreints de gravité. Une tension palpable s'installe dans le bureau. Comme s'ils se préparaient à me fondre dessus pour me contenir, au cas où je me mettrais à protester trop énergiquement.

— C'est l'affaire d'un mois, ajoute la femme des ressources humaines, comme si la précision était censée m'apporter un quelconque réconfort.

Je suis assailli par une incroyable panique, et en même temps, je suis certain de n'avoir aucune marge de manœuvre. Le truc, c'est que je reconnais parfaitement ce qui est à l'œuvre ici, pour l'avoir déjà vécu lors de certaines réunions, quand il s'agit d'essayer de vendre à un client une campagne que jamais, jamais il n'achètera.

Ou bien je démissionne sur-le-champ et il faut que je me trouve un nouveau boulot, ou bien je la fais, leur cure de désintox à la con. Si je quitte l'agence, je suis certain de pouvoir me recaser ailleurs. Sans problème. Mis à part que le monde de la pub est vraiment tout petit. Et je sais pertinemment que si je claque la porte, Rick décrochera aussi sec son téléphone pour raconter à tout le monde que je suis un alcoolo qui préfère démissionner plutôt que d'accepter de suivre une cure. Que pourrait-il se passer alors ? En fait, je pourrais parfaitement me retrouver au chômage. Et j'ai beau gagner des tonnes de fric – bien trop de fric –, comme je n'ai jamais mis un sou de côté, je me retrouverais parfaitement fauché. Comme le clodo dans la peau duquel Greer me voit déjà.

C'est bien simple, j'ai perdu.

— Okay, dis-je.

Tout le monde se relaxe. C'est comme si on avait ouvert une vanne. Elenor prend la parole.

— Est-ce à dire que tu es d'accord pour une cure de trente jours dans un centre ?

Je coule un regard vers Greer qui semble impatiente d'entendre ma réponse.

— J'ai l'impression de ne pas avoir le choix.

Elenor me sourit et frappe dans ses mains.

— Parfait. Je suis heureuse de l'entendre.

La femme des ressources humaines se lève.

— Il y a le Centre Betty Ford à Los Angeles, mais celui d'Hazeldon est également très bien. On a pas mal de gens qui y sont allés.

Quand les cafards s'installent quelque part, ils n'en repartent jamais, ai-je envie de lui répondre. Et là, je me souviens du prêtre. C'était il y a environ trois ans, et il me faisait une pipe à l'arrière de sa Crown Victoria. J'étais ivre mort et n'arrivais pas à bander. Il m'avait dit alors : « Tu devrais vraiment aller faire un tour au Proud Institute. C'est un centre de désintox gay dans le Minnesota. »

Peut-être devrais-je choisir celui-là ? Les mecs seront sans conteste plus canon dans un centre de désintoxication gay.

— Et le Proud Institute ? dis-je.

La femme des ressources humaines opine poliment.

— Pourquoi pas ? C'est un centre… gay, vous savez.

Je regarde Rick, qui a détourné la tête parce qu'il hait le mot « gay ». C'est le seul qui puisse faire craqueler son vernis.

— Ce pourrait être plus indiqué, je souligne.

Un centre de désintox dirigé par des pédés sera branché. Sans compter que la musique y sera meilleure, et qu'il y aura des opportunités, question sexe.

Brusquement, à partir de là, l'affrontement ne diffère plus vraiment d'une réunion ordinaire à l'agence. Nous sommes parvenus à un accord. C'est décidé : je prends le reste de la semaine pour procéder aux arrangements nécessaires, et je vais coordonner les détails avec le service des ressources humaines. Je suis censé revenir dans un mois, sobre et désintoxiqué. Peut-être même que quelqu'un va pondre un rapport mentionnant les principaux points abordés au cours de cette réunion.

En sortant, Greer embrasse l'air de part et d'autre de mes joues.

— Bonne chance, Augusten. (Elle me serre les épaules.) Un jour, tu me remercieras.

De quel film a-t-elle sorti ça ?

Au moment de quitter l'agence, je me sens quasiment euphorique. Le bon côté de la situation fait des progrès dans mon esprit : j'ai réussi à me sortir indemne de cette épreuve, j'ai gagné un mois de vacances et il n'est que deux heures de l'après-midi.

Je n'ai pas à aller travailler demain, ni après-demain, ni après-après-demain. J'ai la sensation de voler. Le soleil tape fort, dans un ciel lourd de nuages. Et ce soir, je peux me péter consciencieusement la gueule sans avoir à me soucier d'empester le matin venu.

Je plane carrément, comme si je venais d'apprendre une super bonne nouvelle.

Mais ce qui me fait vraiment envie, là, c'est de rentrer picoler chez moi, histoire de me calmer les nerfs et de lever mes inhibitions, puis de finir dans un rade quelconque et discuter avec des mecs. On ne sait jamais qui on va rencontrer, ni où on va finir. Tout peut arriver, dans un bar, c'est comme un incroyable tourbillon d'infinies possibilités. À l'inverse de Greer, j'aime bien les options, j'aime bien ne pas savoir ce qui va se passer. Les résolutions, c'est tout de même barbant.

Et soudain, ça me tombe dessus. Il m'arrive une tuile épouvantable. Si inconcevable que le seul fait d'en prendre conscience semble m'envelopper d'un voile noir qui me laisse hébété. Pour m'en sortir, je serai peut-être obligé de faire quelque chose de si effroyable que c'est à peine si je peux me l'avouer.

Oui, il se pourrait bien que je sois obligé de la faire, cette cure de désintox.

Ce soir-là, j'appelle mon meilleur ami, Pighead, et je lui raconte ce qui m'arrive. Pighead n'est pas un pote de comptoir comme Jim, le croque-mort. Pighead est plutôt – comment dire ? – mon ami normal. De plus, il est mon aîné, il a trente-deux ans. Alors peut-être que dans certains domaines, je lui reconnais plus de sagesse.

— Très bien, me dit-il. Je suis content que tu fasses une cure. Tu es une véritable épave.

Je prends la mouche.

— T'exagères. Je suis juste un peu excessif, excentrique.

Je cherche à donner l'impression du type qui mélange rayures et carreaux, et rit trop fort dans les restaurants.

— Le but de ce séjour, c'est juste d'apprendre à me comporter un peu plus normalement.

— Augusten, tu sais comment tu es, quand tu as picolé ? Tu deviens méchant. Tu n'es ni drôle, du genre à faire l'andouille avec un abat-jour sur la tête, ni spirituel, tu ne te lances pas dans d'interminables laïus philosophiques… Non, tu deviens grossier, sinistre, infect. Je ne t'aime pas, quand tu bois. Je ne t'aime pas du tout.

Je repense à l'épisode du karaoké. Ça n'avait rien d'horrible ni de sinistre mais relevait tout au plus de l'humiliation publique.

— Si je suis aussi grossier et infect que tu le prétends, pourquoi être mon ami ?

Je déteste les gens qui ne boivent pas. Ils ne comprennent pas grand-chose.

— Parce que tu es quelqu'un de bien, m'explique-t-il. Malheureusement, pour profiter de ton bon côté, je dois aussi composer avec la part de toi qui est alcoolique. Cette cure pourrait vraiment te transformer, si tu la suis sérieusement.

D'une certaine façon, sa réponse me pique au vif, comme s'il se rangeait dans leur camp, et non dans le mien. J'ignore à quelle réaction je m'attendais de sa part. Peut-être qu'il me dise : « Mais pourquoi ? Pourquoi toi ? »

J'ai rencontré Pighead la première semaine où je me suis installé à New York. Cela fait de lui mon repère officiel dans cette ville. L'élément qui m'y enracine.

Je suis également son repère, même s'il ne l'admettra jamais. Il me dirait : « Foutaises. Je suis mon propre repère. » Pighead est banquier d'affaires, et pour lui, admettre la vérité n'est envisageable que dans un cadre juridique.

Si je sais tout ce que nous représentons l'un pour l'autre, c'est que nous nous disputons abondamment – pour ne pas dire constamment –, même pour les motifs les plus futiles. Une fois, nous ne nous sommes pas parlé pendant toute une semaine parce qu'il n'avait pas apprécié ma façon de charger le lave-vaisselle.

« Augusten, c'est juste une question de bon sens. Tu ne poses pas une grosse poêle sur le panier supérieur, à côté des verres. Ils vont se casser ! »

Et moi qui trouvais que c'était déjà exceptionnellement attentionné de ma part de charger ce putain de lave-vaisselle…

« Comment veux-tu que je le sache ? Je n'ai pas de lave-vaisselle. Je mange dans des assiettes en plastique, moi. »

Je n'arrive pas à décider si nous sommes aux antipodes l'un de l'autre ou exactement identiques, à quelques différences mineures près. Je n'ignore pas que tous ses amis me détestent, et que tous les miens le détestent autant. Nous avons une propension à nous faire mutuellement tourner en bourrique avec laquelle personne ne peut rivaliser. Mais jamais nous ne nous ennuyons ensemble. Et nous savons l'un et l'autre combien cela est rare. Ce qui m'épate, c'est que, bien que je ne boive jamais d'alcool en sa compagnie, nous puissions nous entendre – ou plutôt, *ne pas* nous entendre – si parfaitement.

Pighead est séropositif. Ou, comme il dit simplement : « Je suis un bébé du sida. » Il a tiré cette phrase d'une émission de télévision. Diane Sawyer faisait un reportage sur des bébés africains nés avec le virus, transmis par leur mère. Nous étions tous les deux installés sur son canapé blanc, en train de boire du jus d'airelles, quand le défilé d'enfants squelettiques est apparu à l'écran. C'était sinistre et déprimant. « C'est moi, a alors pleurniché Pighead d'une voix de fausset. Je suis un bébé du sida. Tu me prends dans tes bras ? »

Mais comme il est en bonne santé et n'a quasiment pas de symptômes depuis six ans – ce qui déconcerte ses médecins –, aucun de nous deux ne pense jamais vraiment à la maladie. Ni n'en parle. Pighead est parfaitement normal et en bonne santé, à tout point de vue. Et je suis tellement habitué aux flacons de médicaments qui encombrent le comptoir de sa cuisine que je ne les remarque même plus. Il doit y en avoir une cinquantaine, tous groupés. La seule chose que je vois, c'est le plan de travail spacieux et les petites notes sur les Post-it. Je ne remarque même plus les seringues qu'il utilise pour s'injecter un truc qui booste ses globules blancs.

— Quand pars-tu ? me demande-t-il.

— Dans trois jours.

— Pour combien de temps ?

— Un mois.

— Tu as déjà prévenu l'agence ?

— Eh bien, c'est un peu eux qui m'y envoient. Elenor m'a annoncé que soit je me désintoxiquais, soit j'étais viré.

— T'as du bol qu'ils ne t'aient pas viré purement et simplement. Que vas-tu faire, pour t'y préparer ?

Sur la table devant moi, il y a une pochette d'allumettes de la CEDAR TAVERN, NEW YORK CITY.

— Boire.

— Devine ?

— Quoi ? fait Jim en buvant une gorgée.

— Ils me sont tombés dessus, à l'agence. Une véritable opération commando. Ils m'expédient en cure de désintox pendant un mois.

Jim éclate de rire, puis s'étrangle et se met à tousser au-dessus de son gin tonic. Quelques postillons m'éclaboussent. Je m'essuie le front avec une serviette, en souriant de sa réaction. Nous sommes dans un rade de l'East Village, sur l'Avenue A.

— Tu déconnes ! s'écrie-t-il, le visage congestionné.

— Pas du tout. Je ne vais pas bosser pendant un mois. Ni le reste de cette semaine.

Je tape une cigarette dans son paquet et je l'allume.

— Putain, c'est génial, mec. Félicitations.

Je bois une longue rasade de martini.

— Je sais. Plus j'y pense, plus je trouve ça cool. Au début, j'étais un peu horrifié, et puis, finalement…

À présent, je pense que la cure pourrait s'avérer géniale. Je vais me mettre au régime sec pendant trente jours et ça équivaudra à un séjour dans un centre de remise en forme. À mon retour, je serai capable de boire comme les gens normaux. Pourquoi ai-je autant flippé ? Il y a un certain glamour à partir en cure de désintox. Et j'en suis presque à me dire : *Qu'est-ce qui m'a pris de résister ?*

Jim est sur la même longueur d'onde.

— Mais non, c'est super. Pense à tous les gens célèbres que tu vas croiser. En plus, tu auras des trucs géniaux à raconter. (Il vide les dernières gouttes de son verre et broie quelques glaçons entre ses dents.) On aura de quoi rire pendant des années.

— Bien vu.

— Et ton pote Pighead, il en dit quoi ? Tu le lui as déjà annoncé ?

Je fais signe au barman de nous remettre une tournée.

— Ouais, je le lui ai dit. Il trouve que c'est une bonne idée. Mais une bonne idée dans le mauvais sens du terme. Lui s'imagine qu'on va me *guérir*, par opposition à me *désintoxiquer*.

Quand je dis « désintoxiquer », je lève le menton, comme si je parlais des Oscars.

— Quelle mauviette ! fait Jim.

— Ouais, tu l'as dit.

J'ai un peu honte d'acquiescer. Mais pour moi, c'est impossible d'expliquer Pighead à Jim. Tout comme c'est impossible de présenter mes amis les uns aux autres. Je dois cloisonner. Tous trouvent ça un peu curieux, mais pour une raison qui m'échappe, à mes yeux, c'est normal.

— Pighead est un pisse-froid, si tu veux mon avis. Un vrai rabat-joie, décrète Jim en poussant son verre vide vers le barman, faisant de la place pour la nouvelle tournée.

Je ne peux pas vraiment dire à Jim que c'est justement ce que j'aime bien chez lui, son côté rabat-joie. Je ne peux pas lui expliquer que ça me rassure.

— Ouais, peut-être, je réponds platement.

— En tout cas, tu vas te marrer. À ta cure ! ajoute-t-il en levant son verre.

— À ma cure ! dis-je en trinquant. Hé, pourquoi ne viendrais-tu pas avec moi ?

— Impossible, dit Jim en avalant. Faut que je bosse. Je ne suis pas un planqué, moi.

Je quitte le bar gonflé à bloc, tout excité par la perspective de la cure. De retour à l'appartement, je me déshabille, j'enfile un survêtement et ouvre une canette de bière blonde que je descends en deux temps, deux gorgées. Je mets de vieux tubes de Blondie sur la platine. Plus j'y pense, plus cette idée de cure me séduit. Sait-on jamais qui je risque de croiser là-bas ? Et Jim a raison : c'est le genre d'histoire dont on peut rigoler pendant des années.

J'appelle les renseignements pour avoir les coordonnées du Proud Institute. Je griffonne le numéro sur ma paume et vais chercher une autre canette dans le frigo. Je passe les quarante minutes suivantes à discuter avec quelqu'un du centre et mon enthousiasme prend un coup dans l'aile. Je réponds à une kyrielle de questions : Quelle quantité d'alcool consommez-vous ? À quelle fréquence ? Avez-vous déjà essayé d'arrêter ?

Bla-bla-bla. Je leur dis que je bois tout le temps, que ce n'est devenu un souci que récemment et que je pourrais très probablement m'arrêter tout seul mais que, sur les insistances de mon employeur, j'ai choisi d'entrer en cure de désintoxication plutôt que de fréquenter des réunions du genre Alcooliques Anonymes.

À mi-conversation, j'ouvre une troisième bière. Je pose ma main en coupe sur le micro pour que mon interlocutrice n'entende pas le bruit de la canette qu'on décapsule. Il me vient à l'esprit qu'il y a là une légère contradiction. Comme s'arrêter chez Baby Gap avant d'aller avorter.

Après avoir raccroché, je vais m'étudier dans le miroir de la salle de bains.

— Qu'est-ce que tu fais ? Putain, mec, mais t'es cinglé ! (Je m'observe en train de boire une gorgée de ma canette.) Tu n'aimes même pas la bière, dis-je à mon reflet.

Mon reflet boit une autre gorgée et repart vers le frigo.

Je suis attendu au Proud Institute dans trois jours. J'ai une réservation, tout comme si j'allais séjourner à Santa Monica au Shutters on the Beach.

Je reviens au salon et m'installe sur le canapé. Je fixe le mur blanc en face de moi. Brusquement, la perspective de cette cure me semble un peu moins marrante. L'austère bonne femme que j'ai eue au téléphone m'a complètement déprimé. S'il a jamais existé quelqu'un qu'on n'aurait pas envie d'inviter à une soirée sympa et décontractée, c'est bien elle.

Soudain, je ne supporte plus d'être assis sur le canapé. Je me lève et commence à faire les cent pas, mais où que j'aille, mes réticences me poursuivent. J'ai l'impression qu'il me faudrait ressortir, alors que je viens juste de rentrer. Je regarde la canette que je tiens à la main, et les autres, vides, dans l'évier.

C'est en étant pété que j'ai reçu plusieurs Pulitzer et des Academy Awards, que j'ai rencontré des gens formidables et vécu des histoires d'amour équilibrées – tout ça en imagination. Comment en suis-je arrivé là ? Il faut que je tire ça au clair avant d'entamer ma cure, si je ne veux pas me ridiculiser une fois sur place.

Est-ce parce que, lorsque j'avais onze ans, j'ai économisé mon argent de poche trois semaines d'affilée pour acheter un service en faux cristal à neuf dollars chez J.C. Penney, et que j'ai rempli la carafe de *cream soda* en prétendant que c'était du scotch ? Je me souviens que ce service était devenu une véritable obsession jusqu'à ce que, un samedi, je puisse finalement l'acheter et le rapporter à la maison. Je l'ai installé sur mon bureau. Mais ça n'allait pas, alors j'ai remonté du cellier un des vieux plateaux en argent que ma grand-mère avait offerts à mes parents pour leur mariage. Ma mère, qui détestait cette argenterie tape-à-l'œil, l'avait reléguée dans un carton à la cave, à côté du congélateur bourré de steaks hachés. Plus terre à terre, elle préférait le bois à l'argenterie. Elle aimait aussi le jazz et la poésie. J'ai donc remonté un des plateaux dans la cuisine et je l'ai astiqué tout en regardant des dessins animés.

Ensuite, j'ai emporté le plateau étincelant dans ma chambre et j'y ai disposé la carafe et les quatre verres. C'était parfait. J'ai braqué ma lampe de bureau sur la carafe remplie de *cream soda*. Je trouvais ça incroyablement beau, digne de rivaliser avec l'un des cadeaux du *Juste Prix*. Mais en quelques semaines, le *cream soda* s'est recouvert d'une pellicule de moisissure verte et duveteuse.

Est-ce cela qui a tout déclenché ? Ou alors, peut-être est-ce la faute de mon père.

Je me souviens encore de celui-ci me disant de ne « jamais, sous aucun prétexte », toucher à ses bouteilles. Il en avait de toutes sortes, et elles n'avaient pas le temps de prendre la poussière. Elles étaient belles, multicolores, on aurait dit des bijoux, surtout en fin d'après-midi, quand le soleil rasant entrait dans la maison et les faisait miroiter. Je me souviens de l'une d'elles, de forme carrée, en verre givré. Ce devait être du gin.

Quand il était au travail, ou bien en bas, au sous-sol, en train de boire, assis dans le noir, je débouchais un de ces flacons intouchables, je posais la paume sur son goulot et renversais la bouteille. Ensuite, je me dépêchais de la reboucher et je me léchais la main. Je n'avais pas plus de huit ans.

À vrai dire, c'est même étonnant que je boive, compte tenu de l'exemple de mon père. Lui buvait tellement que je ne le remarquais même pas. De même que certains pères portent la moustache et d'autres une casquette de base-ball, le mien avait en permanence un verre vissé à la main. Cela n'avait rien de bizarre à mes yeux. Je ne me disais pas : *Oh, mon papa est un alcoolique*. Je pensais juste qu'il avait tout le temps soif.

Mais c'est peut-être aussi la faute de *Ma Sorcière bien-aimée*.

Gamin, j'étais accro à ce feuilleton. Je vénérais Darren Stevens Junior. Quand il rentrait à la maison après sa journée de travail, Samantha lui demandait : « Darren, veux-tu que je te serve un verre ? » Il déposait invariablement sa mallette sur la console du hall d'entrée, s'épongeait le front d'un mouchoir brodé à son chiffre et répondait : « Sers-m'en donc plutôt un double. »

Je vais m'asseoir sur le bord du lit, et je m'enfonce dans la double épaisseur du gros édredon ventru et de la couette. Je sens une démangeaison de satisfaction, j'ai conscience de ma chance d'avoir un lit si confortable sur lequel m'asseoir pendant ma crise d'angoisse. Pourquoi suis-je aussi angoissé ? Et là, je comprends : je ne suis pas angoissé, je me sens seul. Horriblement et profondément seul. Le temps d'un flash, je mesure l'ampleur de cette solitude, je vois à quel point ce sentiment est enraciné en moi, et c'est la sensation d'une catastrophe imminente – comme quand on voit la voiture au moment où elle va vous percuter – qui nourrit cet accès de panique. Mais ensuite, tout s'évanouit d'un coup, et je me sens vidé. Comme si une porte s'était entrouverte pour me laisser apercevoir la loque que je suis à l'intérieur – trop brièvement pour me permettre de l'examiner vraiment et de m'imprégner de tous les détails, mais juste assez longtemps pour me faire comprendre que la pièce a besoin d'un sacré nettoyage de printemps.

Je me soûle, et j'appelle mon père.

— Je vais entrer dans un centre de désintoxication, je serai absent pendant un mois.

Silence. Et puis :

— Alors, comment va le boulot, fiston ?

Je lui réponds que je travaille dans la pub, comme si cela expliquait tout et, au lieu d'ajouter que c'est à cause de mon travail que je dois partir en cure, je lui dis :

— C'est ta faute, si je pars en cure. Je tiens ça de toi.

J'entends un gros soupir, et je devine mon père qui grimpe dans notre arbre généalogique et fait illico cavalier seul pour se transformer en parent éloigné.

— Je ne veux pas discuter de ça avec toi. Tu fais ce que tu as à faire. Je suis juste inquiet à propos de ton boulot. Tu le tiens pour acquis, mais tu as tort, on va te le reprendre. Et, bon sang, il faut que tu tournes la page, que tu surmontes ton passé. Tu es adulte, maintenant, tu n'es plus un petit garçon blessé.

La part animale de mon cerveau prend les commandes et mon sang se met à charrier de pures molécules de haine.

— Tu te souviens de la fois où on était en voiture et où tu as dit que tu allais tuer ce qui comptait le plus pour ma mère, et que tu m'as fusillé du regard en accélérant ? En fonçant vers un rocher ? Tu te souviens que j'ai dû sauter de cette putain de voiture ? Et que j'avais neuf ans à tout casser, espèce d'enculé !

Nouveau silence. Puis il grogne :

— Je n'ai jamais fait un truc pareil, et tu le sais pertinemment. Tu inventes des sornettes et j'en ai vraiment, vraiment marre.

Je sais qu'il s'en souvient.

— Et la brûlure de cigarette sur l'arête de mon nez, entre les yeux ?

Silence – à l'exception de la discrète pulsation de l'artère de son cou contre le combiné. Je jurerais l'entendre.

— Je ne sais pas de quoi tu parles.

Mais le ton de sa voix contredit sa réponse. Son ton, lui, dit : « Oui, je m'en souviens. »

Quand j'étais très jeune, six ans peut-être, un jour où j'étais assis sur ses genoux dans le canapé La-Z-Boy, il a approché très lentement sa Marlboro allumée de mon visage, il a visé l'espace entre mes yeux et appuyé.

J'avais oublié cet épisode. Je ne m'en suis souvenu qu'à vingt ans, lorsque j'ai eu de l'eczéma. À cause des démangeaisons, je suis allé consulter une dermatologue.

— Qu'est-ce que c'est, ça ? a-t-elle demandé en touchant la cicatrice.

J'ai eu un blanc. Le genre de blanc qui n'a rien à voir avec un souvenir oublié, et tout avec le fait que votre esprit vous refuse la permission de vous souvenir. C'est un blanc plus opaque, une sorte d'engourdissement. Comme essayer de courir sous l'eau en rêve.

— Je ne sais pas, un grain de beauté ou une imperfection quelconque, ai-je répondu, sur la défensive.

Elle a approché son visage, si près que je pouvais distinguer chaque pore de sa peau.

— Non, c'est une brûlure. C'est incontestablement une cicatrice de brûlure.

J'ai protesté que c'était impossible. Du même ton que si elle m'avait annoncé que j'étais enceinte. Mais ce soir-là, je suis rentré chez moi et j'ai bu comme un trou. Et c'est une fois ivre mort que j'ai vu le bout incandescent de la cigarette. Je savais que ce n'était pas un tour de mon imagination parce que j'étais ivre, mais que, parce que j'étais ivre, mon esprit était comme neutralisé et me permettait de me souvenir. Peut-être est-ce là une des meilleures choses qui soient jamais sorties de mes nuits d'ivresse. À moins que ce ne soit l'une des pires.

Je dis à mon père :

— Je sais que tu t'en souviens. Peut-être étais-tu toi-même soûl quand tu l'as fait. Mais je sais ce que c'est, d'être soûl. Il y a certaines choses que tu ne peux pas oublier.

Je crois l'entendre renifler. Cependant, avant que je puisse décider s'il s'agit d'un reniflement d'acquiescement ou du signe d'une allergie, sa femme s'empare du téléphone.

— Ça suffit, me dit-elle, et elle raccroche.

Deux mots, et je suis éjecté.

J'appuie sur la touche Bis, mais la ligne est occupée. Je m'assieds, et je réfléchis. *Elle ne sait pas, c'est tout. Elle l'a épousé après qu'il a arrêté de boire, elle n'a rien vu de tout ça.*

Je vais pisser, et ce faisant, je me demande : *Ai-je tout inventé ? Tout ça n'est-il qu'une histoire à deux balles de souvenir refoulé ?* Ça semble plausible.

Maintenant, je me sens vidé. Et triste, j'imagine. Accablé.

Le lendemain matin, je me réveille recroquevillé contre la baignoire, une serviette roulée en boule sous la tête. Une fois debout, je me passe la main dans le dos, là où il a été en contact avec la baignoire, et il est tout froid, comme celui d'un mort.

Rien dont on puisse être fier

Quelqu'un est censé venir me chercher à mon arrivée à l'aéroport du Minnesota. Tandis que l'avion, mis en attente, décrit des cercles avant de pouvoir atterrir, j'essaie d'imaginer à quoi peut bien ressembler la personne qui m'accueillera, puisque au téléphone, l'administrateur n'a pas pu me fournir de description.

« Ce sera l'un des assistants de l'équipe, j'ignore encore lequel. Il vous reconnaîtra, soyez sans crainte. »

Je me demande bien comment il va me trouver. Les alcooliques émettent-ils un genre de phéromone parfumée au daïquiri que seuls les autres alcooliques peuvent percevoir ? Dans ma tête, je vois un homme plus âgé que moi, une figure paternelle avec une barbe freudienne et un regard complice d'alcoolique repenti, adouci par des années d'abstinence et d'épanouissement intérieur. Peut-être citera-t-il le *Yi King* dans la voiture.

Tandis qu'il se prépare à atterrir, l'avion donne l'impression de tanguer violemment, à cause du vent de travers, je crois. D'abord, une aile va heurter le tarmac, et le réacteur va exploser. Ensuite, l'autre côté de l'appareil heurtera à son tour le sol, et son réacteur explosera à son tour. Puis, la boule de feu dévalera la piste, éparpillant sur son passage débris de carlingue et morceaux de corps, avant de s'immobiliser dans un champ au-delà des pistes – un tas fumant, méconnaissable.

L'appareil se pose sur la piste sans ménagement, refait un bond en l'air, puis touche à nouveau terre. Au début, je me sens soulagé, puis, ce soulagement cède le pas à une peur bleue.

Une fois dans l'aéroport, je m'efforce de prendre des poses de New-Yorkais afin que l'alcoolique repenti qui va me servir de chauffeur puisse me repérer plus facilement. En dépit d'un ciel couvert, je porte des lunettes noires pour masquer mes yeux injectés et bouffis. J'essaie de ne regarder personne. Je me comporte comme si j'étais au Gotham Bar & Grill, lassé de croiser la sempiternelle bande de mannequins et d'acteurs. Je me poste à côté du carrousel à bagages, mes deux sacs pleins à craquer à mes pieds. Ce sont les mêmes sacs qui m'ont suivi sur tous les tournages à travers le monde, et que j'embarque maintenant en cure de désintox. Une vraie trahison.

J'attends dix minutes. Tous les gens que je vois me font l'effet d'être des alcooliques repentis à la recherche de quelqu'un.

Je décide de laisser tomber mes poses de New-Yorkais et d'essayer de ressembler davantage à quelqu'un sur le point d'être hospitalisé. Je tape du pied avec nervosité, tout en lançant des coups d'œil dans toutes les directions. Je me mordille la lèvre. Je me dis : *Devrais-je m'asseoir, là, sur le carrousel 7, et me mettre à trembler jusqu'à ce que quelqu'un vienne me prendre dans ses bras en me disant : « Tout va bien, je suis là, je suis là. Venez avec moi à l'institut » ?*

J'attends encore quatre minutes. Il est temps de déguerpir avant que les chiens des douaniers ne me repèrent. Un sac de voyage ne peut pas avoir passé un an dans mon placard sans avoir récolté au moins un gramme de poussière de cocaïne.

Je hisse mes deux sacs sur les épaules et me dirige vers la porte automatique située en face de la station de taxis. Le chauffeur me demande où je vais. Je lui indique le nom de la rue, sans préciser ma destination.

Je ne lui dis pas : « Proud… Vous connaissez ? Le centre gay de désintoxication à Duluth, ah, et au fait, je m'appelle Augusten, et je suis alcoolique… » Non, je me contente de lui indiquer l'adresse – une information anonyme, factuelle : 3131 North Drive, Duluth.

Qu'il démarre sans hésitation pour s'engager sur l'autoroute ne me mortifie pas plus que ça. Apparemment, il sait où il va. Je suis content qu'il s'abstienne de commentaires. « J'ai encore trimballé un pédé alcoolique, aujourd'hui, racontera-t-il à sa femme en s'attablant ce soir devant du jambon braisé et des pommes de terres sautées. Bon Dieu, ce qu'il était bouffi ! », ajoutera-t-il en secouant la tête.

Tandis que des kilomètres d'un morne paysage défilent interminablement derrière la vitre, j'essaie d'imaginer à quoi peut bien ressembler l'institut.

Dans ma tête, j'ai visionné un nombre incalculable de fois mes cassettes « Tourisme dans les centres de désintoxication ». Voici ma préférée : une propriété discrète, dans l'esprit de Frank Lloyd Wright, protégée de la curiosité du public par une élégante haie de buis taillés. C'est Ian Schrager, naturellement, qui en a conçu l'aménagement intérieur. Des chambres d'amis inondées de soleil, équipées de matelas fermes et de luxueux draps blancs en coton égyptien. Il y a une table de chevet (probablement un plateau d'acier galvanisé sur piètement en bouleau) sur laquelle sont disposées *Chicken Soup for the Recovering Soul*[1] et un pichet d'eau fraîche avec des quartiers de citron. J'imagine des sols en lino ciré. (Autoriser cet unique détail clinique à participer à mon fantasme me laisse croire que j'aurai droit à toutes les autres fantaisies.) Les infirmières seront bien trop classe et attentionnées pour porter du polyester blanc ; elles auront peut-être des blouses en chanvre sur mesure et, à contre-jour

1. Ouvrage de Theresa Peluso, destiné à soutenir les alcooliques dans leur combat vers la sobriété.

devant les innombrables baies vitrées surplombant le bassin aux nénuphars, je distinguerai les contours de leurs jambes minces et athlétiques.

Il y aura une grande piscine. Je tolérerai le fort dosage de chlore. Je serai compréhensif. Après tout, il s'agira d'un hôpital.

Les longueurs de bassin seront complétées par des exercices personnalisés dans une salle de sport dotée d'équipements dernier cri. C'est là que je perdrai les dix kilos qui, grâce aux cocktails, se sont accumulés autour de ma taille.

Je ne mangerai que de petites portions raisonnables de leur truite vapeur pêchée dans la région et accompagnée de légumes verts de saison. Je refuserai poliment le dessert – des baies rouges dans un nid de pâte d'amandes.

Mais quand les plaines désolées cèdent la place à une zone industrielle, je commence à m'inquiéter. Dans ma vision, il n'y avait pas la moindre trace de parkings encombrés de minivans. Ma cassette « Tourisme dans les centres de désintoxication » a dû faire des nœuds dans mon magnétoscope interne.

Où est le paysage luxuriant ? Le bassin avec les poissons rares japonais ? Les petits sentiers qui serpentent ?

Le chauffeur bifurque à gauche sur Maiden Lane. Le Centre est censé se trouver à l'angle, mais tout ce que je vois, c'est un magasin d'usine Pillsbury, parmi d'autres hangars. Au-delà, il y a un bâtiment de bureaux style années soixante-dix, marron, avec un toit en saillie auquel manquent des tuiles. La pelouse est pelée à force d'avoir été piétinée. Et l'enseigne a perdu quelques lettres. On lit : P OU INS T TE.

Les enseignes auxquelles il manque des lettres ne peuvent être que de mauvais augure. Quand j'étais gosse, sur celle de la supérette locale Price Chopper, le « e » qui était tombé n'a pas été remplacé avant des années. Étant donné que le logo de Price Chopper représentait un homme brandissant une hache, ce « Pric Chopper[1] » m'adressait un menaçant message de castration qui, à douze ans, m'affectait profondément.

Oh, merde.

L'activité qui règne à l'intérieur du bâtiment évoque celle d'un cabinet médical de banlieue. Une réceptionniste prend un appel tout en mettant un autre correspondant en attente. Deux personnes, séparées par un siège vacant, sont plongées dans la lecture de magazines périmés. Un gros ficus artificiel aux feuilles poussiéreuses se profile près de la fenêtre, inquiétant.

— Puis-je vous aider ? demande la réceptionniste, une jeune femme d'une vingtaine d'années au menton fuyant et aux cheveux ternes.

Elle n'est qu'yeux globuleux, nez et dents qui semblent dégringoler directement dans son cou. Je l'informe que je suis là pour une admission. Elle me regarde d'un air avenant, comme si j'avais rendez-vous pour un détartrage.

— Asseyez-vous, on va s'occuper de vous tout de suite.

Je sens le sang battre dans mes oreilles, et mon visage devenir brûlant. Brusquement, et de manière inattendue, toute la scène flirte dangereusement avec la réalité.

Je pourrais m'en aller tout de suite. Je pourrais dire : « J'ai oublié quelque chose dans le taxi… », ressortir sur le parking, me donner cinq bons mètres de marge et détaler ventre à terre. De retour à New York, je raconterais à tout le monde : « J'ai eu une révélation dans l'avion… C'était presque d'ordre spirituel… Plus jamais vous ne me verrez boire une goutte d'alcool. »

C'est alors que je la vois.

1. En argot, *prick* désigne le pénis et *to chop* signifie couper.

— Saluuuuuuut, chantonne-t-elle en m'abordant. Vous êtes sans doute Augusten. Je m'appelle Peggy. Suivez-moi.

C'est une petite femme replète, entièrement vêtue de polyester blanc. Elle a des cheveux blonds frisés jusqu'aux épaules, mais avec des racines noires sur la moitié de leur longueur. Elle me parle, mais je suis trop sonné pour comprendre un traître mot de ce qu'elle raconte. Tout ce dont je suis sûr, c'est d'avoir accidentellement basculé dans un trou noir de l'univers et de me retrouver, par hasard, dans une vie glauque qui n'est pas la mienne.

Nous descendons un escalier qui débouche sur un long couloir, flanqué de portes de chaque côté, toutes ouvertes. En passant, je regarde à l'intérieur des pièces, ce qui n'est pas difficile, vu qu'elles sont toutes violemment éclairées au néon. Je remarque trois lits dans chaque chambre, où flotte une vague odeur de désinfectant, de talc et de Magic Markers. Sur certains lits, des gens assis fixent le couloir d'un regard vide. Ma première impression, c'est qu'ici, les peignes sont bannis. Un homme me regarde avec des yeux emplis d'effroi tout en se rongeant les ongles. Sa chevelure n'est qu'une masse désordonnée de mèches poivre et sel.

Un arrière-grand-père émacié traverse devant nous, vêtu d'une chemise bleue d'hôpital entièrement ouverte à l'arrière, ficelles pendantes. La vue de ses fesses décharnées me fait ciller.

Ce n'est pas bon, tout ça. C'est même très, très mauvais.

J'inspire à pleins poumons, avant de me souvenir que les odeurs sont des molécules. Du coup, je me contente d'inspirations plus modestes. Et afin de contrôler ce qui est en train de virer à la crise de panique, je me concentre sur ce qui est devant moi, sur Peggy. Elle tangue légèrement d'un bord sur l'autre. Les talons de ses chaussures sont inégalement usés – il me semble qu'elle penche vers la gauche. Cela signifie-t-il qu'elle passe beaucoup de temps debout, à faire de nombreux mouvements imprévus ? Comme se fendre telle une escrimeuse, avant de s'écarter d'un bond ?

Elle m'introduit dans une pièce meublée de quatre bureaux en métal gris et d'une pléthore de classeurs assortis. Un des murs de la pièce, entièrement vitré, donne sur la salle commune. Le verre semble renforcé de grillage, du genre susceptible de tenir le choc en cas de lancer d'un projectile de la taille d'un gros fauteuil, par exemple.

Peggy me dirige vers une femme assise à l'un des bureaux.

— Sue, voici Augusten, qui arrive de New York. Il est là pour une admission.

Sue relève la tête de ses paperasses et me sourit. Immédiatement, je lui trouve un visage amical et intelligent. Elle me fait l'effet d'une personne à même de comprendre pourquoi, finalement, je ne vais pas pouvoir rester.

— Donnez-moi juste une petite seconde, *Augusteïn*, dit-elle en écorchant mon prénom, tout en empilant des tas de papiers.

Elle boit une gorgée de café. La tasse affiche des traces indélébiles et proclame, dans une typographie aux ondulations joyeuses, ALLEZ-Y, FAITES-MOI PLAISIR.

— Bien alors… Vous êtes donc *Augusteïn.*

Brusquement, je bénéficie de toute son attention. Son visage semble demander : *Que puis-je faire pour vous ?*, tandis que ses yeux, eux, disent : *Attends un peu, mon gaillard !*

Ne sachant pas quoi répondre, je me contente de répéter mon prénom avec la prononciation exacte, pour la corriger sans en avoir l'air. Première manifestation d'une conduite passive-agressive – un détail qui ne manquera pas de figurer dans mon dossier.

Elle me demande si j'ai trouvé sans problème la personne qui m'attendait à l'aéroport. Quand je l'informe que j'ai pris un taxi, elle semble troublée.

— Mais Doris était censée vous accueillir ! (Elle plisse le front et regarde le téléphone.) Combien de temps avez-vous attendu ?

Craignant de créer des problèmes à cette Doris, je fais ce qui me vient le plus naturellement quand je me trouve dans une posture délicate : je mens.

— Je n'ai pas attendu. Je croyais que j'étais censé me débrouiller par mes propres moyens, alors j'ai pris un taxi. Les taxis sont tellement moins chers qu'à New York, j'ajoute par souci d'authenticité. J'ai été agréablement surpris.

Je souris comme quelqu'un qui vient de faucher une paire de boutons de manchette en rubis chez Fortunoff.

Elle me dévisage pendant ce qui me paraît un temps interminable. Et, allez savoir pourquoi, c'est à ce moment-là que je me souviens d'avoir oublié d'emporter du déodorant.

— Bon, peu importe. Nous allons procéder à l'admission et vous installer.

Avant même que je puisse dire : « J'ai changé d'avis », elle m'a fait remplir un formulaire, m'a photographié avec un Polaroïd (pour de curieux motifs « légaux »), puis m'annonce qu'on doit fouiller mes bagages.

— Pour les eaux de toilette, les bains de bouche, et tout produit susceptible de contenir de l'alcool.

— De l'eau de toilette ? je demande, incrédule.

— Oh, vous seriez surpris par toutes les ruses dont sont capables les alcooliques…

Dans mon esprit, cela règle le problème. Jamais je ne boirais d'eau de toilette. Par conséquent, je ne suis pas « alcoolique » et ma place, de fait, n'est pas ici. Cet établissement s'adresse manifestement aux alcooliques purs et durs qui sifflent de l'eau de Cologne. Pas aux alcooliques qui loupent une réunion de stratégie globale, comme c'est mon cas. Je m'apprête à lui répondre, j'ai même déjà ouvert la bouche, mais la voilà qui se lève et se saisit de mes sacs.

— J'emporte les bagages dans votre chambre pour l'inspection pendant que vous en terminez avec la paperasse, d'accord.

Ce n'est pas une question. Une fois de plus, je suis assailli par ce sentiment d'impuissance, comme si on me poussait de l'avant contre ma volonté. Je me sens paralysé.

Je regarde les papiers devant moi : formulaire d'assurance, dispenses, parent le plus proche – des pages et des pages à parapher, et des tas de cases où apposer ma signature. Mon écriture est brouillonne, presque illisible, et ma signature différente à chaque fois. J'ai le sentiment d'être un imposteur. Comme si quelque esprit dérangé avait pris possession du corps d'Augusten et était, en ce moment même, déterminé à le faire admettre dans un centre de cure.

Le vrai Augusten ne supporterait jamais ça. Le vrai Augusten dirait : « Puis-je avoir un Bloody Mary, bien relevé, et l'addition ? »

Je signe tout ce que je dois signer, puis je regarde fixement devant moi. Mes yeux se posent sur un classeur à tiroirs, à côté de la fenêtre, sur lequel trônent, dans un moule jetable en aluminium, les restes d'un gâteau d'anniversaire. C'est un vrai carambolage de glaçages rose pétard et bleu, de granulés de sucre vert, et de génoise jaune canari. Il a été dévoré à la hâte, avec gloutonnerie. À croire qu'entre deux interventions de crise, des infirmières affolées se sont précipitées comme des furies pour le manger à pleines poignées, histoire de s'envoyer une bonne dose de sucre avant de filer ficeler un patient sur la machine à électrochocs – qui, j'en suis certain, se trouve à deux pas d'ici, à l'abri des regards.

Je prends mentalement note de vérifier si Peggy a des miettes sur la blouse et le menton.

Sue réapparaît.

— Vos bagages sont OK. Tous les formulaires sont remplis ?

— Je crois, réponds-je avec soumission.

Elle y jette un coup d'œil.

— Ça m'a l'air bon. On va vous installer dans votre chambre. Suivez-moi.

Je fais très exactement douze pas. Ma chambre est située pile en face du bureau des infirmières. Il s'agit de la « chambre de sevrage » que j'occuperai pendant soixante-douze heures ; après quoi, je migrerai dans l'une des chambres de long séjour. Le plan de l'étage a *grosso modo* la forme d'un V : l'un des couloirs est réservé aux hommes, l'autre aux femmes, et à la confluence des deux se trouve le bureau des infirmières, avec sa fenêtre renforcée par du grillage donnant sur la salle commune, ses trois canapés, ses chaises dépareillées et son immense table basse. Le mobilier est taillé dans des planches de chantier et les sièges tapissés de tissu écossais. Un design dont le but manifeste n'est pas le raffinement mais une résistance à toute épreuve. Ian Schrager n'a, à l'évidence, aucune responsabilité dans tout ça. Lui, après un seul regard, remonterait dans son Aston-Martin Volante gris métallisé en ordonnant d'arroser le bâtiment d'essence. Ici, c'est l'anti-Royalton.

Ma chambre, comme toutes les autres, comporte trois lits à une place.

— Nous y voilà, mon chou, dit Sue.

Elle me tend une serviette blanche en éponge sur laquelle est posé un gros bouquin aux faux airs de Bible, et finement intitulé *Alcooliques Anonymes*. Elle me donne également une paire de mules en papier.

— Je vous laisse cinq minutes pour vous rafraîchir et ensuite, nous commencerons, annonce-t-elle en quittant la chambre. Ah, au fait, cette porte ne doit jamais être fermée – *jamais*. (Je perçois une menace dans sa voix.) À tout de suite, ajoute-t-elle cependant avec enjouement.

J'enlève ma veste en cuir, je la suspends au crochet à côté du miroir du lavabo et je m'assieds sur le lit. Les draps sont fins comme du papier, et sentent la javel. Mais pas la javel Fraîcheur d'Après l'Ondée ou Agrumes d'Été – non, ils sentent la javel utilisée dans les collectivités.

Il n'y a qu'un seul oreiller, en mousse et raplapla. La photo d'une empreinte de pied dans le sable, d'où part un arc-en-ciel, est accrochée de guingois au-dessus de la tête du lit. Sous l'empreinte, une maxime : UN VOYAGE DE MILLE KILOMÈTRES COMMENCE PAR UN SEUL PAS.

Je me lève pour regarder par la fenêtre. Vue sur l'arrière-cour de l'institut : de la terre battue, une table de pique-nique, et des mégots de cigarette. Au loin, je distingue un petit ruisseau, et au-delà, une autre zone industrielle.

Pas de danger que je tombe sur Liz Taylor, ici.

Je remarque que l'un des deux autres lits est défait ; un tas de bagages est abandonné en vrac à côté de lui. Génial. J'ai un camarade de chambrée, et la menace plane d'en voir débarquer un troisième.

— Toc, toc, dit Sue sur le seuil.

Je pivote, paniqué.

— Installé ?

Je hoche la tête, puisque je suis devenu muet.

Elle me conduit dans la salle commune qui est déserte. Les autres patients, m'explique-t-elle, sont en haut, en « Groupe », et devraient descendre d'ici une dizaine de minutes pour se rendre au réfectoire.

Elle m'indique une chaise pliante installée à côté d'un meuble bizarre. Ça ressemble vaguement à un de ces chariots à boissons comme on en voit au Kitty Hawk Lounge de l'aéroport de Fresno. En fait, il s'agit d'une unité d'infirmerie mobile.

L'infirmière Peggy fait son apparition, surgie de nulle part, et sa blancheur aveuglante me fait plisser les yeux. Avec une bonne humeur factice, elle me demande de relever ma manche pour prendre ma tension. Tandis que je m'exécute, elle me glisse un thermomètre dans la bouche et m'observe, sourire aux lèvres. Le thermomètre émet un bip, elle le retire, enroule le brassard autour de mon biceps et se met à pomper. Lorsqu'elle relâche la poire, celle-ci émet un sifflement. Peggy plisse le front.

— Mmm, c'est un peu élevé, alors je vais recommencer, d'accord ? Cette fois, j'aimerais que vous fassiez quelque chose. Appuyez-vous contre le dossier, fermez les yeux et détendez-vous. Essayez de penser à quelque chose d'apaisant.

Je pense à un verre de martini bien glacé, dans lequel on laisse tomber une olive, une seule. La surface du liquide frissonne, mais rien ne déborde.

Elle me reprend la tension.

Elle est très élevée, m'explique-t-elle en repliant le brassard pour le ranger dans la poche de sa blouse.

— J'aimerais vous donner un Librium pour vous calmer. Nous voulons éviter un choc physique dû au sevrage d'alcool, qui pourrait s'avérer dangereux. Dans ce cas, nous serions obligés de vous envoyer aux urgences de Saint-Jude en ambulance.

Dès qu'elle se lève pour aller chercher le comprimé, ma tension monte en flèche.

Et puis je me dit : *Hé, attends une seconde ! Du Librium ? Cette pilule connue sous le sobriquet de* Mother's Little Helper ? Si j'avais choisi d'aller dans un centre de désintoxication normal, hétéro, je suis certain qu'on ne m'aurait pas filé un tranquillisant pour faire baisser ma tension. On m'aurait laissé en baver.

J'entends du remue-ménage à l'étage. Puis, brusquement, un tonnerre de pas et d'éclats de rire dans l'escalier derrière moi. Je sens que tous ces gens me regardent.

Peggy me tend la pilule en même temps qu'un gobelet d'eau, puis elle tourne la tête en criant « Bonjour ! » aux pensionnaires.

Je les regarde s'éloigner vers la salle commune. L'un d'eux approche.

— Salut, Kavi, dit Peggy.

Kavi ne sourit qu'à moi seul, comme si j'étais une nouveauté au menu. Il porte un jean noir, une ceinture cloutée et une chemise blanche. Ses sourcils sont épais et se rejoignent – ça me fait penser à ces brosses qu'on utilisait à l'école pour effacer le tableau. Il a l'air d'un Indien, mais excessivement gay-américanisé. Cela me fait l'effet d'une sorte de sacrilège. Une boucle luisante de ses épais cheveux noirs retombe avec une précision étudiée sur son front.

— Je m'appelle Kavi. T'es là pour… ?

— Trente jours.

Il a un rictus ironique et pose une main sur sa hanche.

— Non, je voulais dire, c'est quoi, ta came ?

Je ne comprends rien de ce qu'il me dit. Brusquement, j'ai l'impression de parler une langue différente, une langue que seules les chaises et les appliques lumineuses peuvent comprendre.

Il attend ma réponse.

J'attends également ma réponse.

Il lève les yeux au ciel.

— Alors, c'est quoi ? L'alcool ?… le crack ?… les amphètes ?…

Je capte au vol un mot que je suis en mesure de comprendre.

— Oh, l'alcool. Excuse-moi.

Kavi paraît trouver ma réponse ennuyeuse.

— Je suis accro au sexe, c'est pour ça que je suis là. Mais aussi à la cocaïne. Je n'ai jamais bu beaucoup. Je viens de Corpus Christi. Je suis steward.

Je pense : *Dorénavant, c'est pour Amtrak*[1]*, que tu vas bosser.*

Peggy regarde Kavi. On dirait qu'elle vient d'avoir une idée.

— Tu veux bien être sympa, Kavi, et faire visiter le centre à Augusten ?

La suggestion semble le ravir.

— Pourquoi pas ! répond-il en enroulant sa mèche sur un doigt avec une nonchalance étudiée.

— Génial. Vous êtes libre, ajoute-t-elle à mon intention.

Si seulement...

Me voilà dans la salle commune avec Kavi. Les autres patients me dévisagent, puis approchent. Ils me tendent la main en me parlant. Je n'arrête pas de répéter mon nom, et de dire que je viens de New York. Je crois rencontrer des gens, puisque je leur serre la main, mais en fait, j'ai quitté mon corps et la mémoire musculaire me sert de pilote automatique.

Kavi m'attire à l'écart, se tourne vers les autres, dit quelque chose. Puis il me conduit tout au bout du couloir des hommes. Je lui appartiens.

— Voilà la salle de sport. Ellen tient ses ateliers de thérapie dramatique ici. Ellen est incroyable, ajoute-t-il en roulant les yeux.

La salle est remplie de cartons et de chaises pliantes empilées contre le mur. Dans un coin au fond, j'aperçois un petit banc d'haltères, sans poids. Les paniers de basket n'ont pas de filet ; de hautes piles de cartons s'entassent au-dessous. J'ai la quasi-certitude d'être la seule personne à s'être jamais pris une suée dans cette salle de sport. Et c'est de panique, que je transpire.

— Le vendredi, on organise une réunion des AA ouverte au public.

1. Compagnie de chemins de fer.

Je prends conscience que ce « public » est un groupe dont je ne fais plus partie.

— Il y a une piscine ? je demande bêtement.

— Tu t'es déjà baigné à poil ? me répond Kavi en se tapotant la narine gauche.

Il faut absolument que j'échappe à ses griffes.

— Bon, merci pour la visite, Kavi, dis-je en rebroussant chemin.

Il hausse les épaules et me raccompagne dans la salle commune, avec son mobilier indestructible et son plafond ignifugé.

Un grand type à l'air amical vient vers moi.

— Salut, je m'appelle Bobby..., fait-il avec un accent prononcé de Baltimore. Et je suis alcoolique.

C'est une parodie de *Saturday Night Live*. En fait, je suis chez moi, ivre, en train de mater la télé. C'est le pire black-out de ma vie. On a dû mettre un truc dans mon verre.

Le Gros Bobby me regarde comme un chien qui attend sa récompense pour avoir donné la patte. C'est un homme qui respire le bonheur. Il semble avoir subi un lavage de cerveau. Ou pire. Je scrute son front, en quête d'une énorme cicatrice.

Il continue à me sourire, l'air d'attendre quelque chose.

Je recule d'un pas. Je ne veux pas risquer d'attraper ce qu'il a, quoi que ce soit. Ce type me perturbe : on croirait le Père Noël en civil.

Kavi rapplique en se dandinant.

— Déjeuner, susurre-t-il.

D'un coup, des gens déboulent de partout, comme mus par une pensée collective : *C'est l'heure... du... déjeuner*. Ce qui m'étonne, c'est qu'ils ne se déplacent pas bras tendus devant eux, comme dans *La Nuit des morts-vivants*.

J'emboîte le pas à Bobby et Kavi. La cafétéria se trouve à l'étage. Les pensionnaires bavardent et plaisantent tout en se déplaçant le long du comptoir avec leur plateau de plastique rouge. Je suis le mouvement. Une employée amère et sous-payée me balance un sandwich aux croquettes de poisson dans une assiette conçue pour passer au lave-vaisselle et au micro-ondes. Tandis que je progresse, d'autres comestibles atterrissent sur mon plateau : une petite salade de feuilles de laitue iceberg et de Bacos, une tranche de pain avec un carré de beurre, et un magma de gelée rouge où est emprisonnée une macédoine de fruits. Immédiatement, j'ai un élan de compassion envers ces pauvres fruits.

Le verre de Dewar's glacé qui serait le bienvenu est remplacé par un demi-litre de lait entier.

Derrière le comptoir se trouve une salle remplie de tables rondes à roulettes. Je suis Bobby et Kavi et prends place à la même table qu'eux parce qu'ils me sont familiers et que, par conséquent, ils constituent une moindre menace par rapport aux autres patients.

Je contemple mon plateau et je songe : *Treize mille dollars la semaine pour un sandwich aux croquettes de poisson ?*

Et tout d'un coup, je pige.

Avant de pouvoir vous remettre sur pied, ils doivent vous casser, vous réduire en petits morceaux malléables, qu'ils vont ensuite réarranger à leur guise pour constituer un nouveau membre de la société, meilleur et sobre. La mise en pièces commence ici.

Je ne mange que la gelée, ce qui n'échappe pas au Gros Bobby.

— Hé, t'as pas faim ? demande-t-il, rayonnant d'optimisme.

— Non, pas vraiment.

Il approche sa grosse patte de la croquette McTruc.

— Je peux, alors ?

Je lui dis de se servir.

Il s'empare du sandwich et lui règle son compte en trois bouchées expertes.

— J'adore la bouffe, ici, déclare-t-il la bouche pleine.

Bobby est une version châtié de l'Ignatius de *La Conjuration des imbéciles.*

— T'as une graine de sésame sur la lèvre, lui fais-je remarquer.

Il la fait prestement disparaître d'un coup de langue charnue.

Pendant ce temps, Kavi se suçote le petit doigt. Il ne me quitte pas des yeux. Je me rappelle alors que ce type est accro au sexe. Aussitôt, dans mon esprit, il cesse d'être un être humain pour devenir un de ces box de chiottes comme on en trouve sur les aires de repos, où les routiers s'arrêtent pour tirer un coup avec des types comme Kavi. Jaune, me semble-t-il. Kavi serait un box jaune, sans loquet.

Je consulte ma montre. Bientôt quatorze heures. Je suis là depuis moins d'une heure et demie et je pense déjà que ça ne va pas marcher. Je peux me sevrer tout seul à New York. Je prends trente jours de congé. Je procède moi-même à ma minidésintoxication. J'achète quelques manuels de motivation personnelle, j'assiste éventuellement à des réunions des AA. Maintenant que j'ai vu cet endroit, je suis certain d'arriver à me sevrer tout seul. Ça m'a foutu une telle trouille que ça ne m'étonnerait pas d'être la seule personne à avoir jamais été guérie spontanément de l'alcool. Mais je décide d'être bon joueur, et de laisser passer une journée entière.

À mes yeux, c'est être plus que bon joueur. C'est être démesurément généreux.

Après le déjeuner, je rejoins le « Groupe ». Mon Groupe est constitué d'une vingtaine de patients, en plus de David, le conseiller en toxicodépendance. David est presque beau, mais avec ses cheveux gras et ses pans de chemise flottants, il n'est pas loin lui aussi de ressembler à un clochard. Je calcule que, selon mes standards, il est à deux bières légères d'être faisable. Et à neuf d'être un des frères Baldwin.

Nous sommes dans l'une des salles de l'étage, assis en cercle – un cercle formé en tirant chaises et canapés sur les dalles grossières du revêtement tout terrain pour créer un coin douillet et « sécurisant ». Je cherche des yeux le Gros Bobby, mais il n'est pas là. Il doit faire partie de l'autre Groupe, ou alors, il est à quatre pattes sous une table du réfectoire, en train de lécher le sol. David prend la parole.

— Bien, Augusten est nouveau, alors revoyons les règles du Groupe. Quelqu'un voudrait-il commencer ?

Une énorme bonne femme aux yeux emplis de tristesse lève une main potelée.

— Super, fait David. Merci, Marion.

Il lui sourit – un sourire de père bienveillant.

Un fourmillement désagréable monte à l'assaut de mes jambes.

Pendant qu'elle parle, Marion garde les yeux rivés au sol. Chaque fois qu'elle énumère une des règles de la liste, je vois un doigt se dresser de son poing. Elle compte les points importants comme un enfant qui apprend le calcul.

— On ne mange pas pendant le Groupe. On peut apporter une boisson. On ne coupe pas la parole. Quand quelqu'un parle, on ne l'interrompt jamais. On le laisse terminer avant de parler à son tour. Et aussi, si quelqu'un se met à pleurer, on ne lui tend pas de mouchoir parce que ça risque d'interrompre le travail de deuil. Mmmm... Ah oui, et aussi, on doit toujours parler à la première personne. Par exemple, si quelqu'un dit quelque chose, et qu'on veut partager, on dira : « Je peux me sentir concerné par ça parce que *je*... » Et on ne doit jamais donner de conseils.

David hoche la tête, satisfait.

Marion ébauche elle aussi un sourire puis se ravise.

Je n'ai rien à faire ici. Je gagne plus de deux cent mille dollars par an, je suis un publicitaire professionnel. Une fois, le P-DG de Coca-Cola m'a complimenté sur ma cravate.

David frappe dans ses mains :

— Bien, commençons.

C'est Paul qui s'y colle.

— Je m'appelle Paul et je suis un alcoolique.

Paul est le premier homme « enceint » que je vois de ma vie.

La salle piaule : « Salut, Paul ! », avec une force si inattendue que je cille.

— Et je veux dire que je suis un peu mal à l'aise à cause du nouveau qui est arrivé aujourd'hui, parce que le Groupe ne se sent plus en sécurité. Je suis désolé, mais c'est mon sentiment.

David penche la tête de côté et étudie Paul. Il le sonde.

— Tu éprouves un sentiment d'insécurité ? Et que ressens-tu d'autre ?

Paul se concentre, de toutes ses forces. On dirait qu'il n'arrive pas à se décider entre une vodka-tonic et un Screwdriver.

— De la peur, de l'excitation, de la colère, de la curiosité et de la fatigue aussi, parce que j'ai mal dormi la nuit dernière. Je crois qu'il faut qu'on augmente ma dose de médicaments.

David hoche la tête, exactement comme un thérapeute compatissant.

— Tu peux en parler à l'infirmière après le Groupe, Paul. Augusten, enchaîne-t-il en se tournant vers moi. Quels sentiments les propos de Paul provoquent-ils chez toi ? Que t'inspirent ses craintes ?

Une sorte d'engourdissement s'empare de moi. C'est une sensation que j'ai déjà ressentie dans des situations de stress intense. Un souvenir flotte à la surface, comme un poisson mort :

J'ai treize ans, je suis au lit avec Neil Bookman, qui en a trente-trois. On est dans son lit, dans son appartement, où il m'a invité à regarder des photos qu'il a prises, parce que je m'intéresse à la photo. Il enfonce de force son pénis dans ma bouche, jusqu'au fond, et je m'étouffe, j'ai du mal à respirer. « Ça te plaît ? » demande-t-il entre deux coups de reins. « Hein ? Tu l'aimes, ma grosse bite ? » Neil est un ami de mes parents ; il est le fils « adoptif » et le patient de leur psychiatre, chez lequel je vis. Je connais Bookman depuis l'âge de cinq ans. Je regarde le plafond, et j'aperçois de fines fissures noires dans le plâtre. J'entre dans l'une des fissures. J'abandonne mon corps sur le lit, je laisse Bookman en faire ce que bon lui semble.

— Augusten ? Voudrais-tu partager ce que tu ressens ? s'enquiert David.

Je regarde tous ces visages qui me scrutent. Seul Paul, l'Homme enceint, a le regard ailleurs.

Je ne peux pas être là, ça ne peut pas m'arriver. Je ne sais pas quoi dire. Je ne sais pas ce que je ressens.

— J'ai envie de partir. Comme si tout ça n'était qu'une gigantesque erreur.

Paul se tourne et me dévisage.

— C'est exactement ce que j'ai ressenti lorsque je suis arrivé, dit-il.

— Moi aussi, renchérit quelqu'un.

— Il m'a fallu près d'une semaine avant de finir par l'accepter, ajoute encore un autre.

— Bien, bien, fait David d'un ton apaisant.

Un homme d'allure bon chic bon genre affalé sur sa chaise fond brusquement en larmes. Le silence tombe. Je me trompe peut-être, mais, tandis que tout le monde se tourne vers lui, je crois sentir l'atmosphère se charger d'une excitation palpable. L'homme enfouit sa tête entre ses mains et sanglote si fort que tout son corps en est ébranlé. Deux personnes chuchotent. David se tourne vers elles, un doigt sur les lèvres.

— *Chuuuuuuut.*

Le BCBG tousse et – comble de l'horreur – braque son regard sur moi.

— Moi non plus, je n'ai rien à faire ici. Je n'ai rien à faire dans cette pièce, ni dans ce maudit monde. Je devrais être mort.

Il continue à me fixer, et je soutiens son regard, effrayé à l'idée que, si je romps ce contact oculaire, il puisse me lancer une chaise dessus.

— Tom, intervient David d'une voix très douce. Pourquoi as-tu le sentiment que tu devrais être mort ?

Le type déporte son regard sur David. Ouf ! Laissons ce bazar se transférer sur un professionnel aguerri.

Il se met à raconter qu'il buvait tous les soirs, et que les soirs où il ne buvait pas, il était malade comme un chien. Il a déjà fait six cures de désintoxication et il a le sentiment que cette fois-ci, c'est celle de la dernière chance. La raison pour laquelle il se trouve ici aujourd'hui, c'est parce qu'un soir, il a conduit ses parents à une réception. Ils croyaient que leur fils avait arrêté de boire, mais il était ivre. Il a fait une embardée, et la voiture est passée par-dessus le talus avant d'aller percuter un arbre. Sa mère a eu les jambes broyées. Aujourd'hui, elle est paraplégique. Et chaque fois qu'il la voit, il se dit que s'il s'était suicidé plus tôt, elle marcherait encore. Il ne peut même plus la regarder sans revivre ce qui s'est passé ce soir-là.

Je remarque les boutons de manchette aux poignets de sa chemise à fines rayures. Boutons de manchette, mocassins. Mais dans ses yeux, on ne voit que la destruction, et le vide. Une vision si triste qu'elle m'épouvante. Elle m'épouvante parce que je crois la reconnaître : ce type pourrait bosser dans la pub.

— J'ai eu un accident de voiture, dit un autre homme coiffé d'un chapeau de cow-boy. Ma tête est passée à travers le pare-brise, trente-deux points de suture, précise-t-il en montrant du doigt une cicatrice sur son front, juste sous le bord du chapeau. Vous croyez que ça m'a calmé ? Que dalle. Et vous savez pourquoi ? Parce que je n'ai percuté personne d'autre.

Je n'ai blessé que moi, et moi, je ne compte pas, vous voyez ?

Tom, le BCBG, regarde le cow-boy et hoche la tête. Ouais, il voit très bien.

Accidents de voiture, gueules cassées, mères paralysées… Je ne suis décidément pas à ma place. On s'adresse ici aux alcooliques purs et durs. Aux alcooliques qui ont touché le fond, qui ont foutu leur vie en l'air. Moi je suis un Publicitaire Alcoolique. Une loque excentrique. Je croise les bras et contemple par la fenêtre l'arbre solitaire qu'on aperçoit au loin. Cet arbre a l'air d'un sans-abri. On dirait… un concepteur-rédacteur qui a refusé de faire une cure de désintoxication et qui s'est fait virer. Un sentiment funeste s'empare de moi.

— Mais Dale, tu comptes, proteste une femme. C'est ta maladie qui te fait croire le contraire.

David regarde la femme qui vient de prendre la parole. Il n'a pas l'air content.

— Tu connais les règles, Helen. Si tu as quelque chose à dire, tu l'exprimes à la première personne.

Helen rougit légèrement.

— Okay, okay, bafouille-t-elle. Tu as raison, je suis désolée. (Elle inspire très profondément et son regard glisse vers le plafond.) Je veux dire que je peux me reconnaître dans ton histoire parce que j'avais également le sentiment que boire ne constituait pas un problème, aussi longtemps que je ne blessais personne. Mais en suivant le programme, j'ai commencé à comprendre que je compte – je suis quelqu'un, je vaux quelque chose –, et que c'est l'alcool et le crack qui me donnaient l'impression du contraire. Si je ne consomme pas, je gagne sur tous les tableaux. (Elle regarde le cow-boy.) Dale, je suis très contente que tu aies partagé ça. Et toi aussi, Tom. Ce que vous avez dit, tous les deux, m'apporte beaucoup… Alors merci, conclut-elle en souriant et en haussant les épaules.

Suivant le programme... Merci d'avoir partagé ça... Si je ne consomme pas, je gagne sur tous les tableaux... Quelle langue ces gens-là parlent-ils ? Je me souviens combien j'ai flippé lors de mon premier jour dans la pub, car c'était à peine si je comprenais ce que les gens disaient. J'avais l'impression d'avoir trouvé un boulot à Anvers et d'être entouré de Flamands : « story-boards, VO, balise, sous-traitant, remontées... » C'était du chinois. Ma formule préférée était *« 2-Cs-in-a-K »*, qui désigne un film publicitaire standard pour un produit ménager. C'est l'abréviation de *« Two Cunts in a Kitcken*[1] ».

— On dirait qu'il existe une langue spécifique aux alcooliques, et je ne la parle pas, dis-je.

Je n'ai jamais eu d'oreille pour les langues étrangères, raison supplémentaire pour m'éclipser immédiatement.

Les gens gloussent d'un air entendu.

David sourit.

Je vire au rouge tout en me maudissant de m'être impliqué avec ces gens. Mieux vaut se tenir tranquille et ouvrir l'œil. *On ne réclame pas d'oreiller supplémentaire à un pirate de l'air iranien.*

— Ouais, il y a un langage, c'est exact. Tu vas très vite l'apprendre. D'ici là, si quelque chose t'échappe, dis-le-nous, et on t'expliquera.

Marion s'extrait un instant de son univers de piètre estime de soi pour me sourire.

Je m'essuie les mains sur mon pantalon. Elles y laissent des traces sombres et humides. Je me sens horriblement mal à l'aise, voire menacé. Un peu comme si je me pointais au lycée en maillot de bain rouge moulant le jour de la rentrée. Je déglutis avec difficulté.

— Bon, cette femme, là... (Je tends le doigt vers celle qui vient de « partager ».) Helen, c'est ça ?

1. Deux connes dans une cuisine.

Elle hoche la tête.

— Helen, donc, a dit quelque chose qui se rapportait au « programme », et je crois bien que je me demandais ce qu'est « un programme ».

Je doute fort qu'un « programme » ressemble, de quelque façon que ce soit, à un divertissement que concocterait Julie, de *La Croisière s'amuse*.

— Quelqu'un aimerait répondre à Augusten ?

Paul, l'Homme enceint, me sourit, et semble sur le point d'ouvrir la bouche.

— Oui. Salut Augusten, je m'appelle Brian, et je suis un drogué, dit un type jusque-là silencieux.

Non seulement silencieux, mais limite narquois.

— Salut Brian ! entonne le groupe.

— Un « programme », en gros, fait référence à la terminologie des AA et aux Étapes. Tu as entendu parler des Douze Étapes ?

Je secoue la tête d'un air vague et je hausse les épaules. Je ne connais que la première étape, qui me semble suffisamment déprimante : admettre mon impuissance face à l'alcool, même s'il s'agit de mauvaise sangria. Qu'il y en ait onze autres est parfaitement démoralisant.

— Donc, « travailler son programme » signifie tout simplement que tu fais ton maximum pour rester sobre, en accord avec les étapes. Tu verras. Tu rencontreras plein d'AA quand tu sortiras d'ici.

Voilà qui devrait être intéressant. Je me suis toujours demandé à quoi pouvait bien ressembler une réunion des AA. La raison pour laquelle je n'ai jamais assisté à l'une d'elles – hormis le fait qu'on ne peut pas y boire –, c'est que je crains que la réalité ne soit proche de ce que j'imagine : un groupe de gens honteux, vêtus de longs manteaux sombres et cachés derrière de grosses lunettes noires, confinés dans le sous-sol humide et désaffecté d'une église, assis sur des chaises pliantes. Tout le monde est cramponné à un gobelet en plastique de mauvais café, rempli uniquement à moitié pour endiguer les risques d'éclaboussures, vu que tout le monde a la tremblote à cause du sevrage. Je vois les gens se présenter, les uns après les autres : « … et je suis un alcoolique. » Et j'entends les autres alcooliques qui applaudissent : « Bravo ! ! ! Bienvenue ! ! ! À chaque jour suffit sa peine ! » Peut-être évoquent-ils l'envie de boire qui les démange : « Je serais capable de tuer pour un Manhattan, là, tout de suite » Et quelqu'un d'ajouter : « … avec de la glace, un Manhattan avec de la glace… » Quelques personnes gémissent, et brusquement, on entend toute l'assistance siroter son café avec frénésie. Peut-être existe-t-il aussi une poignée de main réservée aux initiés, comme entre mormons – des gens qui eux non plus ne boivent pas. J'ai toujours eu le sentiment que si une réunion des AA consiste à s'asseoir en cercle dans une crypte pour répéter en boucle à quel point on a envie de boire, je préférerais aborder un autre sujet de conversation : l'art moderne, la pub, ou même échanger des idées de scénarios, tout ça en éclusant quelques verres. Alors ouais, ce serait intéressant de voir en quoi consiste la force mystique des AA. Je grille d'impatience. L'addition, s'il vous plaît !

Pourquoi faut-il que tout ça soit si compliqué ? Si seulement ils pouvaient tout simplement éradiquer le « buveur » en nous. Comme quand on vous retire un calcul au rein. Vous êtes admis en hôpital de jour, vous avez droit à une péridurale, on vous donne un casque pour écouter Enya. Quinze minutes plus tard, le chirurgien soulève vos écouteurs et vous montre le petit caillou couleur d'étron qu'il vient d'extraire de votre corps, un truc qui ressemble vaguement à un escargot.

— Voudriez-vous le conserver… en souvenir ?

— Non, Dr Zizmor, jetez-le. Je ne veux conserver aucun souvenir.

En vous raccompagnant vers la sortie, le docteur vous tapote le dos.

— Félicitations, vous êtes sobre, à présent.

— Pourrais-je dire quelque chose ? demande Brian.

— Naturellement, répond David.

— Je voudrais juste que tout le monde sache que ce sont mes derniers jours de Valium, et que d'ici lundi, ce devrait être une affaire réglée.

La salle applaudit.

Pourquoi a-t-il droit à du Valium ? Je n'ai eu droit qu'à un sandwich McTruc et à du Librium pour m'éviter le choc du sevrage. Je veux du Valium.

Il y a tout de même quelque chose qui me plaît, chez ce Brian. Je devine quelqu'un d'extrêmement intelligent. Sa façon de s'exprimer dénote un certain professionnalisme, comme s'il était thérapeute, et je trouve cela réconfortant. C'est là, du moins, ce que me dicte mon instinct. Ce soir, au dîner, j'irai peut-être m'asseoir avec lui, au lieu de rester avec le Gros Bobby et Kavi, l'Obsédé sexuel.

Le Groupe dure une heure et demie. Y ayant survécu, je dispose maintenant d'un quart d'heure avant le prochain épisode de ma thérapie – l'historique de ma toxicodépendance.

Au bas des escaliers, Tom le BCBG me rattrape.

— Ça va aller mieux, me dit-il. Dans quelques jours, tu n'auras plus envie de partir.

Je lui souris, je le remercie et je gagne ma chambre en songeant : *Tu as tout faux.*

Dans une des salles de l'étage, debout devant un tableau blanc, marqueur à la main, je m'applique « du mieux que je peux » à dresser l'historique complet de mon alcoolisme.

— Je veux que tu remontes aussi loin que possible dans le passé et que tu listes tout… alcool, barbituriques, tranquillisants, amphétamines, tout… y compris les antalgiques délivrés sur ordonnance. Et ne minimise pas. Indique l'âge, la substance concernée, la quantité absorbée et la régularité de la consommation. »

Jusque-là, j'ai écrit :

7 ans : NyQuil administré pour un rhume. Grand-père est représentant en NyQuil, donc nous en avons de pleins cartons. Le vert est ma couleur préférée, alors de temps en temps, j'en bois un peu en cachette.

12 ans : première vraie cuite. Une bouteille de vin rouge. Vomi sur le chien d'un ami.

13-17 ans : fume de l'herbe une fois par semaine. Bois de l'alcool une fois par semaine environ.

18 ans : bois tous les soirs, toujours jusqu'à l'ivresse. Cinq verres par soir, + ou —.

19-20 ans : bois une dizaine de verres chaque soir. De temps en temps, cuite sévère. Cocaïne une fois tous les six mois.

21 ans-aujourd'hui : un litre de Dewar's par nuit, souvent accompagné de cocktails. Cocaïne une fois par mois.

Je recule et contemple le fatras de mots bleus, mon écriture désordonnée, ma confession au Magic Marker offerte à la vue de tous. Jamais auparavant je n'avais *quantifié*.

Les gens observent le tableau, puis me regardent.

Tracy, l'animatrice du groupe sur l'Historique de la toxicodépendance, a le regard d'une femme qui aurait trois fois son âge. Les yeux de quelqu'un au-delà de la sagesse, qui a été jusqu'à la folie, et en est revenu. On les dirait effrayés par tout ce qu'ils ont vu.

— Quand tu lis ce que tu viens d'écrire, comment te sens-tu ? me demande-t-elle.

Je regarde le tableau. Maintenant que c'est là, bleu sur blanc, on dirait, effectivement, que je bois beaucoup.

— Je pense que je bois beaucoup.

J'éprouve un sentiment de honte, comme si je portais le même caleçon depuis plusieurs jours.

Brian, du Groupe, intervient :

— Compte tenu de la quantité d'alcool que tu as absorbée, c'est tout simplement un miracle que tu sois encore en vie.

Et à quel titre M. Valium est-il un expert en la matière ?

Une lesbienne qui porte un sweat-shirt bleu MALL OF AMERICA me dit :

— Je suis vraiment contente que tu sois ici. Tu as besoin d'y être.

Deux autres personnes renchérissent. *Oui, c'est une bonne chose que tu sois ici. Tu en as besoin.* Peut-être ont-ils raison, peut-être ont-ils tort. Mais j'ai au moins une certitude : cet épisode fera une histoire de comptoir géniale.

— La quantité d'alcool que tu as consommée peut être associée à un alcoolisme au dernier degré. Tu étais guetté par le danger d'un empoisonnement à l'alcool, d'une overdose. Moi aussi, je suis contente que tu sois ici, reprend Tracy.

Elle a un regard chaleureux, sincère, plein de compréhension. Et d'autre chose, aussi. Une chose qui me donne à croire que nous aurions pu faire la bringue ensemble.

Je pense que je vais augmenter la mise.

— Est-ce que le Bénadryl compte ?

Quelques personnes me dévisagent. Je hausse les épaules d'un air dégagé, comme pour dire : *Ben, j'en sais rien, moi.*

— Le Bénadryl ? L'antihistaminique ? demande Tracy.

— Oui. Ça compte aussi ?

— Ça dépend, répond-elle, prudente.

— Bon, voilà : je ne peux pas boire la moindre goutte d'alcool sans faire une réaction allergique. Mon visage enfle, ma poitrine devient toute rouge, j'ai un goût métallique dans la bouche et du mal à respirer.

Même si je ne bois qu'un seul verre. Mais j'ai découvert qu'en prenant du Bénadryl avant de boire, ça va.

— Combien de comprimés ? demande Tracy.

Les autres participants me regardent, puis regardent Tracy, puis me regardent à nouveau. On se croirait à Wimbledon.

Je prends brusquement conscience que la quantité est tellement élevée que j'ai honte de l'admettre.

— Dix par jour. En général. Parfois quinze.

Tracy écarquille les yeux, paniquée.

— Et quelle est la posologie recommandée ?

C'est une question de pure forme. Elle me demande, en réalité, si je reconnais la folie quand je l'ai sous les yeux. Je joue le jeu.

— Deux par jour.

Tracy me dévisage. Ou plutôt, elle me transperce du regard, jusqu'à voir le dossier de ma chaise à travers mon corps. Elle ne dit rien. Parce qu'elle sait qu'elle n'a pas besoin de dire quoi que ce soit. Elle sait que je sais déjà. Elle se contente de fermer les yeux et d'esquisser un sourire.

— Oui, je suis vraiment contente que tu sois là.

Je m'assieds tranquillement, et un sentiment curieux, inconnu, s'empare de moi. C'est presque du soulagement, comme une pression qui se relâche, mais pas seulement. Pour la première fois, je me dis que je peux voir, là, sur ce tableau, que je bois effectivement bien plus que de raison. Je vois les pilules qu'il me faut avaler afin de pouvoir boire. Je vois que mon corps est allergique à l'alcool et qu'il me dit que je devrais m'abstenir de boire, mais que je passe outre. Et à regarder ce que j'ai écrit, je pense presque malgré moi que c'est sans doute une bonne chose que je sois là, ou, plus exactement, que c'est une bonne chose qu'on ait attiré mon attention sur ce problème, qu'on m'ait montré que c'était grave et que ça n'avait rien d'une plaisanterie.

Bien. Peut-être que ça suffit et que je peux m'en aller ?

Le dîner se déroule ainsi : en montant au réfectoire, j'évite Kavi, l'Obsédé sexuel de Corpus Christi, une ville dont le nom se pare désormais pour moi de connotations obscènes, comme s'il s'agissait du terme technique désignant le pénis des baleines bleues. *« Le Corpus Christi d'une baleine bleue en érection mesure entre deux mètres cinquante et quatre mètres... »* Dans le réfectoire, je suis accueilli par d'autres patients, quelques-uns que je reconnais du Groupe, ou de la séance d'Historique de la toxicodépendance, et d'autres, que je n'ai jamais vus.

— Merci... ouais... un choc culturel.... trente jours... alcool... je n'en doute pas... merci, en tout cas...

Je prends un plateau rouge. Le dîner est servi par la même bonne femme aigrie et sous-payée. Son badge indique MRS. RICE. Ainsi donc, elle s'est montrée à la hauteur de son nom, elle a satisfait à sa destinée en travaillant dans le secteur de la nourriture. C'est une grande bonne femme, plantureuse, sans être grosse toutefois. Elle a des cheveux gris, et parce qu'ils sont longs, raides et partagés par une raie au milieu, je me dis, sans trop savoir pourquoi, qu'elle devait être blonde, autrefois. Aujourd'hui, c'est une ex-blonde qui assure un double service dans un centre de désintoxication. Je lui souris parce que je me sens coupable, comme si le fait d'être habillé en Armani signifiait que j'aurais dû pouvoir éviter de faire de ma vie un tel désastre – comme si cela signifiait que je suis un ingrat et que je ne mérite ni sympathie ni dîner. Ce qui est certainement vrai.

J'emporte sur mon plateau une tourte grisâtre à la viande, une soupe de crème de maïs en boîte, un dessert au tapioca et du lait, et je balaie la salle des yeux, en essayant de repérer Brian. Je l'aperçois et fonce droit sur lui. Il n'a pas l'air surpris que j'aie choisi de m'asseoir à sa table.

— Brian, c'est bien ça ?

— Tu te démerdes bien ! Il m'a fallu quinze jours avant de retenir un seul prénom.

Une particule de maïs est collée à son menton. Je souris sincèrement, pour la première fois en vingt-quatre heures.

— Tu as du maïs, là, dis-je en posant le doigt sur mon menton.

Nous trouvons sans peine des terrains d'entente. Il déteste la bouffe qu'on sert ici. Je suis d'accord. Les patients sont des phénomènes de foire. C'est exactement ce que je pense. Ce centre est un vrai foutoir. Ça crève les yeux. Oui, mais ça marche.

— Ah bon ? dis-je, incapable de comprendre comment c'est possible.

Il attaque son repas en posant les bras sur la table de manière à établir un rempart de protection autour de son dîner. Entre les bouchées, il me raconte qu'il est psychiatre, qu'il a traité des patients toxicodépendants pendant six ans et que les accompagnateurs qui travaillent ici comptent parmi les meilleurs, les plus intelligents et les plus dévoués qu'il ait jamais vus. Je tombe des nues.

— Tu es psy ?

En ce cas, pourquoi... comment ? Je ne formule pas la question à voix haute, mais il semblerait qu'il lise dans mes pensées.

— Ouais, à l'hôpital général de San Francisco. Je suis là à cause du Valium. Les psy, c'est toujours le Valium qui les fait plonger. Les risques du métier.

Jamais je n'aurais imaginé qu'un truc pareil puisse arriver à un médecin. Je me laisse complètement leurrer par les attributs – la blouse blanche, le stéthoscope autour du cou et la Saab décapotable.

— Au début, c'était « ... un Valium pour vous... deux pour moi »...

Ce type n'a rien d'un détraqué. Il est médecin.

— … et ensuite, « un pour vous… cinq pour moi ».

Ô mon Dieu ! voilà exactement le genre de barman que je ferais.

— À la fin, il y a un peu plus de quinze jours de ça, j'avalais tous les Valium destinés à mes patients, une vingtaine par jour, et je leur filais de l'aspirine à la place. Je me suis fait prendre. (Il me regarde et je lis de la tristesse dans ses yeux – une tristesse mêlée d'effroi.) Je risque d'être radié.

— Oh.

Parfois, il n'y a rien d'autre à dire.

Au cours des cinq minutes qui suivent, nous ne disons plus rien, nous mangeons. Il me demande de lui passer le poivre.

Je laisse tomber ma serviette par terre et je me penche pour la ramasser. J'ai terminé mon dîner avant lui car je n'ai bu que le bouillon blanchâtre et farci d'amidon qui flottait autour du maïs. Ce sera facile de jouer les Karen Carpenter ici – je parie que d'ici à mon départ, je serai descendu à quarante-cinq kilos.

Je l'observe qui empale un haricot vert trop cuit sur sa fourchette, et ce geste se pare à mes yeux de tragique. Brusquement, je sens un bourdonnement dans ma poitrine – comme si on y avait emprisonné un essaim de guêpes en train de me piquer. Qu'un médecin puisse tomber si bas, tout de même… À quoi peut-on s'attendre de ma part, en ce cas ? Il est évident qu'un type qui bosse dans la pub peut dégringoler encore plus bas.

— Je ne me déplais pas vraiment, ici.

Il me regarde comme s'il savait quelque chose mais qu'il ne m'en dirait rien.

Je continue :

— C'est délabré, ça manque de professionnalisme, et les gens… Comment dire… ? Ce n'est pas ce à quoi je m'attendais.

Il se lève en emportant son plateau. Je l'imite et nous nous dirigeons ensemble vers la poubelle.

— Il va te falloir un temps d'adaptation, mais tu verras… tu vas piger.

Une femme maigrichonne, avec de longs cheveux bruns et raides, attrape le Dr Valium par le bras et lui chuchote quelques mots à l'oreille. Il éclate de rire, passe un bras autour de la taille de la nouvelle venue et s'engage avec elle dans le couloir en riant. Il se retourne vers moi.

— À tout à l'heure en bas, lance-t-il.

Je réfléchis à ce qu'il vient de me dire. « Il va te falloir un temps d'adaptation, mais tu verras… tu vas piger. »

Sans doute est-ce exactement ce que le révérend Jim Jones a promis à ses disciples, tout en préparant sa limonade empoisonnée[1].

On appelle ça tout simplement les « Affirmations ». Il y a les Affirmations du soir et celles du matin. J'ai eu la chance de louper la séance du matin.

Je suis dans la salle principale de l'étage avec tous les autres patients. Marion, la grosse bonne femme qui ne peut établir de contact oculaire qu'avec le revêtement de sol, est manifestement « l'animatrice » de ce groupe. Elle débute en demandant à tue-tête :

— Qui est volontaire pour lire l'Affirmation de ce soir ?

Kavi lève paresseusement le bras et, d'un mouvement de poignet affecté, secoue la main d'avant en arrière.

Je remarque qu'il s'est changé et a enfilé une tenue de soirée. Fini le tee-shirt blanc moulant. Il porte maintenant un débardeur en résille noire à larges mailles qui laisse se faufiler les longs poils de sa poitrine. Des

1. Allusion au massacre maquillé en suicide collectif de 1978, au Guyana, qui coûta la vie à 914 membres de la secte du Temple du peuple.

poils incroyablement brillants, comme s'il leur avait fait un masque capillaire. Je crois même humer le parfum de Finesse. Mais peut-être s'agit-il juste d'une hallucination olfactive.

Il ouvre un bouquin de poche à la tranche fatiguée, et dont la couverture est illustrée d'un soleil.

— « Cinq avril, ne faire qu'un seul pas en direction du changement. »

Tandis qu'il lit l'introduction conçue pour inspirer et motiver, j'observe les pieds des gens. Je remarque que presque tous portent les mules bleu pâle d'hôpital auxquelles j'ai eu droit dans mon paquetage. Dans un accès de morbidité, je me demande s'il est possible que cet endroit me démolisse, moi aussi, au point de porter un jour ces petits chaussons. S'il est possible que, le jour où ils se déchireront, je pleure et partage ma douleur avec les autres.

Le Gros Bobby cligne des yeux en permanence, comme s'il souffrait d'un tic. Paul, l'Homme enceint, fixe la fenêtre, mais comme il fait nuit, je le soupçonne d'observer en réalité le reflet du Groupe dans la vitre. Le BCBG s'est changé, lui aussi : il a remplacé la chemise à fines rayures par une autre en oxford, comme s'il était en croisière.

Une fois que Kavi a lu l'Affirmation, Marion, l'Animatrice à la Piètre Estime de Soi, dit :

— Je crois que je vais commencer les Déclarations de Reconnaissance. Je suis reconnaissante d'être ici ce soir… Je suis reconnaissante d'être en vie et de me sentir aimée… et je te suis reconnaissante, Augusten, d'être là.

Oh, j'aurais préféré qu'elle ne fasse pas ça. Je ne tiens pas à attirer davantage l'attention sur moi. Je voudrais disparaître, comme Endora dans *Ma Sorcière bien-aimée.*

Quelqu'un dit :

— Steve, je te suis reconnaissant d'avoir arrosé les plantes pendant que j'étais en « individuelle ». Et je suis reconnaissant de n'avoir pas consommé aujourd'hui, et j'ai bon espoir pour demain.

Quelques personnes soupirent. Il y a des hochements de tête approbateurs.

L'homme au chapeau de cow-boy qui participe à mon Groupe dit :

— Moi aussi, je te suis reconnaissant d'être là, Augusten. Et je suis reconnaissant d'être là moi aussi. J'aimerais remercier Dieu de m'avoir laissé une autre chance. À chaque jour suffit sa peine, comme on dit.

Le Dr Valium sourit pour lui-même et contemple le sol. Est-il en train de se mordre l'intérieur de la joue pour réprimer un vrai sourire ?

Et ça continue : pendant un quart d'heure, les patients s'expriment mutuellement leur gratitude pour « m'avoir dit bonjour dans le couloir », « avoir partagé tes pensées cet après-midi dans le Groupe », « partagé avec moi ton biscuit aux pépites de chocolat ».

Je sens la pulsation de l'artère sur ma tempe : ça va finir par une rupture d'anévrisme, ce n'est plus qu'une question de minutes. Le Librium qui circulait dans mon organisme, quelle qu'en ait été la dose, mon foie de citadin l'a déjà métabolisé. Mon foie ne perd pas de temps, un vrai chauffeur de taxi new-yorkais. Je me dis que la situation ne peut pas empirer, mais bien évidemment, je me trompe.

— Bon, les amis, quelle heure est-il ? demande Marion d'un ton joueur, en bonne meneuse de troupe.

Deux patients se penchent et attrapent chacun derrière leur chaise un gros animal en peluche râpée : un singe et un chaton bleu. Ils serrent les grosses peluches sales sur leurs genoux en souriant béatement.

Brusquement, tout le monde entonne une effroyable litanie musicale :

— C'est l'heure de Monkey Wonkey... Monkey Wonkey était un petit singe solitaire. Et puis Blue Blue Kitten est devenu son ami... Et aujourd'hui Monkey

Wonkey et Blue Blue Kitten veulent se faire un nouvel ami… Toi ! ! !

Là, les deux patients décollent subitement de leurs chaises et foncent vers moi en gloussant. Ils lâchent les deux peluches sur mes genoux avant de regagner leur place, tels des enfants sages.

Je suis pétrifié, dérouté, noyé sous les applaudissements. *À quoi rime une chanson sur des animaux en peluche codépendants ? Et que font-ils sur mes genoux ? Et, question ô combien plus essentielle : À quelle heure est le premier vol demain matin ?* À ce stade, je serais même capable de voyager en bus, et heureux de me contenter d'une place au fond, à côté des toilettes.

Je regarde le Dr Valium. Il hausse les sourcils avec dédain, l'air de dire : *Je t'avais prévenu.*

Marion, en détachant pour une fois les yeux du sol, explique :

— Ne t'inquiète pas, Augusten, c'est juste une de nos petites traditions. Chaque soir, nous donnons Monkey Wonkey et Blue Blue Kitten à quelqu'un qui a besoin d'un petit coup de pouce. Puisque tu es nouveau, ils te reviennent de droit. Comme ça, tu pourras te pelotonner avec eux cette nuit, ajoute-t-elle comme s'il s'agissait d'un petit avantage en nature, et demain tu choisiras à qui les passer à ton tour !

Avant que j'aie pu répondre, tout le monde se lève en se prenant par la main. Les alcooliques assis à mes côtés m'attrapent de force les poignets. Les peluches dégringolent par terre.

Ensuite, comme si cela était inscrit dans son programme génétique, un jeune alcoolique qui était resté jusque-là affalé sur sa chaise, visage caché derrière ses cheveux, commence :

— Mon Dieu…

Et le groupe, dans un unisson à vous donner la chair de poule, enchaîne :

— … accorde-moi la sérénité pour accepter ce que je ne peux point changer, le courage pour changer ce que je peux changer, et la sagesse pour voir la différence. *Amen.*

Je me dis : *Que c'est bizarre !* Ils citent l'ouverture de « I Feel So Different », de Sinéad O'Connor. J'adore cette chanson. Pour moi, elle est associée au goût de la vodka-jus de citron vert, et à l'époque de mon installation à New York, quand j'habitais *Downtown*, dans une tour de Battery Park. Je passais ce CD à fond et je me penchais par la fenêtre de mon salon pour observer les embouteillages sur West Street et les tours gigantesques et énigmatiques du World Trade Center, toujours illuminées, même après minuit.

La foule se disperse, les gens rient, quelqu'un lance : « Le premier arrivé à la machine à café ! » Je me retrouve emporté par le flot humain jusqu'en bas des escaliers, toujours encombré de mes peluches.

— Écoute, me dit le Dr Valium, je sais que ça paraît un peu simplet, mais fais-moi confiance. Une fois que tu réussis à passer outre toutes ces conneries, leur programme est vraiment surprenant. Accorde-leur un peu de temps, ajoute-t-il. Les choses ont besoin de temps pour faire leur chemin.

Le Gros Bobby approche en se dandinant. J'ai envie de lui dire : « Casse-toi, j'ai rien à manger. »

— T'inquiète pas, ils sont propres, me dit-il.

— Hein ?

— Monkey Wonkey et Blue Blue Kitten. On les passe à la machine une fois par semaine.

Il me sourit et s'engage dans l'escalier avec une légèreté de pachyderme.

J'imagine la communauté dans son entier, entassée dans la buanderie, en train de se tordre les mains d'impatience et d'anxiété en attendant que ses joujoux soient secs. Je regagne mes quartiers. Mon compagnon de chambrée est recroquevillé sur son matelas en position fœtale. Je laisse tomber les peluches au pied de mon lit et je m'assieds.

Vingt et une heures. Voyons un peu. À cette heure-ci, je devrais normalement me trouver au Bowery Bar, devant mon septième martini de la soirée. J'aurais éparpillé sur le comptoir des serviettes en papier sur lesquelles j'aurais griffonné des idées de campagne. Peut-être même serais-je en train de flirtouiller avec l'acteur-barman.

Je regarde mon compagnon, un Noir d'un certain âge au visage ravagé qui a été admis quelques heures seulement avant moi. Il n'a pas quitté la chambre de tout l'après-midi. On m'a chuchoté qu'il avait un cancer du foie en phase terminale. Plus tôt dans la journée, on l'a conduit dans l'autre hôpital – le traditionnel – pour y subir des tests supplémentaires. C'est pour cette raison que je ne l'ai pas vu lors de mon arrivée.

Je me déshabille, je garde mon caleçon et mon tee-shirt et me glisse entre les draps. L'oreiller est si plat qu'il n'offre aucun support à ma tête. Je regarde les taches beiges sur le faux plafond – des traces de fuites.

Je soupire.

Jusqu'ici, la santé mentale, c'est chiant.

Alcoolisme pour débutants

— Je m'appelle Marion, je suis une alcoolique et une droguée, déclare Marion à la Piètre Estime de Soi en contemplant ses mains grassouillettes posées sur ses genoux.

— Salut Marion ! entonne le groupe.

— Je suis exactement là où j'ai besoin d'être, dit-elle à ses mains.

— Tu es exactement là où tu as besoin d'être, répète le cercle en écho.

— Je suis à l'écoute de mes sentiments et je les partage avec les autres.

— Tu es à l'écoute de tes sentiments et tu les partages avec les autres.

Marion lève les yeux, les pose brièvement sur un membre du cercle, de l'autre côté de la pièce, puis les détourne.

— Je m'aime.

— Tu t'aimes, affirme le groupe.

— Et je suis quelqu'un.

— Et tu es quelqu'un, confirme la salle à l'unisson.

Une ébauche de sourire passe furtivement sur ses lèvres ; ses joues rosissent ; elle essuie ses paumes sur son jean et se tourne vers son voisin de droite.

— Je m'appelle Paul, alcoolique, dit Paul, l'Homme enceint.

— Salut Paul, alcoolique, reprend mot pour mot l'assemblée, y compris Marion, désormais capable de regarder Paul tandis que lui-même fixe le sol en réprimant un sourire de nervosité.

— Je suis quelqu'un de bien.

— Tu es quelqu'un de bien, lui garantit l'assistance.

— Je vais aller mieux, dit Paul avec optimisme.

— Tu vas aller mieux, promettent les alcooliques.

— Je vais perdre mes bourrelets et me trouver un joli petit copain.

— Tu vas perdre tes bourrelets et te trouver un joli petit copain, chantent les patients.

— Et je suis quelqu'un, conclut-il, mains jointes sur le bide.

— Et tu es quelqu'un, répète toute l'assemblée, moi excepté.

Comme l'expliquait un accompagnateur ce matin, les Affirmations constituent un moment où nous énonçons un aspect de nous-mêmes que nous souhaiterions améliorer. Par exemple, si je me trouve gros, je vais dire : « Je suis mince », et le groupe affirmera que je le suis : « Tu es mince. » C'est aussi simple que ça. Et l'on termine invariablement par la phrase : « Et je suis quelqu'un. »

C'est marrant : dans mon cas, des affirmations similaires n'ont jamais fonctionné par le passé. Je me souviens pertinemment d'avoir dit maintes fois à Greer : « Je ne suis pas soûl. Jamais je ne viendrais travailler soûl », et je me souviens qu'elle me répondait : « Arrête tes salades, sale menteur. »

Quand mon tour arrive, il y a un bref silence, car j'ai cessé de prêter attention aux Affirmations : je suis en train d'imaginer quel effet ça ferait d'acheter une montre de luxe chez un bijoutier de Minneapolis pour remplacer celle que j'ai donnée à l'ex-flic après avoir baisé, un soir où j'étais sévèrement pété.

Quelqu'un s'éclaircit la gorge. Tous les regards coulissent vers moi.

— Je m'appelle Augusten et je suis un alcoolique, je marmonne.

— Salut, Augusten.

— Je suis content d'être ici.

Pur mensonge.

— Tu es content d'être ici.

— Je ne partirai pas après le déjeuner.

— Tu ne partiras pas après le déjeuner.

Bon, voilà, c'est fait.

— Et… ? demande quelqu'un.

— Et quoi ?

— Et tu *es* quelqu'un, répondent en chœur et avec hostilité trois ou quatre personnes.

Bordel de merde.

— Et je *suis* quelqu'un, je répète, sarcastique.

— *Et tu es quelqu'un*, insistent-ils avec emphase.

Les Affirmations terminées, je file direct rejoindre le Groupe. Aujourd'hui, ce n'est pas le gentil David qui nous accompagne, mais Rae. Rae est un sacré brin de femme. Et comme pour le souligner d'un point d'exclamation, elle porte une robe à l'imprimé criard. Tout son corps est enveloppé de ramages gigantesques. Quelque chose dans sa voix me dit que je ne vais pas m'en tirer en biaisant, qu'il est même inutile d'essayer. Je suis certain que Rae a déjà son comptant de bébés phoques au compteur.

— Aujourd'hui, nous allons parler des conséquences. Des conséquences de votre dépendance à l'alcool. Savez-vous, tous, quelles sont ces conséquences ?

Personne ne pipe mot.

Elle balaie la salle du regard, fixe chaque participant droit dans les yeux, moi inclus. Cela prend un petit moment. Je me sens traversé d'un frisson. C'est pire, je crois, que de croiser dans le métro le regard d'un quidam que vous suspectez d'appartenir à un gang parce qu'il porte un masque de Halloween en plein mois de juin.

Rae sourit – un sourire de vampire assoiffé.

— Oh, je vois, aucun d'entre vous n'a jamais fait l'expérience des conséquences de sa dépendance à l'alcool. Eh bien, dites-moi… Quelle bande de petits vernis alcooliques vous faites !

Tout ce que je suis capable de penser, c'est : *Oh, merde.*

Le mutisme perdure dans les rangs. Les gens se dandinent sur leur chaise, personne ne regarde personne. J'ai la sensation que tout le monde contemple ses lacets, en se concentrant de toutes ses forces sur le nœud.

— Okay. Je vais vous donner un exemple de conséquence : vous êtes alcoolique et vous rencontrez un autre alcoolique dans un bar. Celui-ci devient votre petit copain. Chaque soir vous buvez ensemble. Et chaque soir il vous casse la gueule. Et chaque matin il s'excuse. Et vous lui pardonnez. Quelle importance s'il vous brise quelques os du visage ? Vous en avez plein d'autres.

Elle s'interrompt. J'ai les mains moites. J'ai la sensation d'être sur un rail qui m'entraîne tout en haut du Grand Huit.

— Quand vos amis vous disent que vous êtes fou de rester avec ce type, vous leur répondez que ce n'est pas leurs oignons. Finalement, vous perdez vos amis. Mais vous vous en fichez, parce que vous avez votre gnôle, et votre copain. Il ne s'agit là que d'un exemple.

Elle marque une nouvelle pause.

— Naturellement, il existe d'autres conséquences : à cause de sa dépendance à l'alcool, on peut perdre son travail, ou l'amitié de quelqu'un, ou le respect de soi-même. On peut encore laisser la vaisselle sale s'empiler dans l'évier jusqu'à ce que l'évier devienne invisible.

Ça, ça me rappelle quelque chose. Je pense à mon appartement. Mon appartement est mon secret le mieux gardé, le plus noir. Le fait que je boive n'a rien d'un secret. Le fait que je suis en général déjà soûl quand je retrouve Jim pour picoler non plus.

Mon appartement, lui, c'est un vrai secret. Il est rempli de cadavres de bouteilles d'alcool. Je ne parle pas de cinq ou six bouteilles, plutôt de trois cents. Trois cents bouteilles de whisky, qui occupent tout l'espace laissé libre par le lit ou les chaises. Parfois, je suis moi-même sidéré par ce spectacle. Et le truc vraiment étrange, c'est que je ne sais absolument pas comment ces bouteilles sont arrivées là. On aurait pu penser que chaque fois que j'en achevais une, je l'aurais descendue dans la benne à ordures. Mais j'en ai laissé s'amasser deux. Et parce que deux bouteilles, ce n'est pas grand-chose, j'en ai laissé s'amasser trois. Et ainsi de suite. L'ironie de la situation, c'est que je ne suis pas le genre de personne à entasser. Je n'ai pas de boîtes remplies de vieilles cartes postales, ou de souvenirs d'enfance auxquels je suis attaché. Mon appartement est dépouillé, avec du mobilier contemporain ; l'appartement type du publicitaire new-yorkais. Une fois, j'ai même consacré la moitié de mon salaire mensuel à l'achat d'une table basse.

Sauf qu'il y a des bouteilles partout. Et des magazines éparpillés sur le sol.

Chaque fois que je me suis décidé à jeter les bouteilles, je me suis promis de ne jamais plus les laisser s'accumuler. Chaque fois, j'ai recommencé. À l'époque où je buvais de la bière et pas du whisky, les bouteilles de bière s'accumulaient elles aussi. Un jour, je les ai comptées : mille quatre cent cinquante-deux bouteilles. Si vous n'avez jamais descendu un sac-poubelle rempli de quelques centaines de bouteilles de bière au milieu de la nuit en essayant de ne pas faire de bruit, vous ne savez pas ce que c'est que l'angoisse.

Je me dépêche de prendre la parole avant de changer d'avis.

— Je me sens concerné par une des choses que tu viens de dire.

Déjà, une affirmation à la première personne.

Rae me regarde, croise les bras et hoche la tête.

— Vas-y.

Je lui parle des bouteilles, et explique qu'à cause d'elles, je n'invite jamais personne chez moi.

— En général, quand j'entends des pas dans le couloir, je ne bouge plus, pour pouvoir faire semblant de n'être pas là si jamais on frappe à ma porte.

Je ressens un élan de tristesse, et c'est en fait pour moi, que je suis triste. Pourquoi doit-on vivre comme ça ? J'ai aussi le sentiment d'avoir trahi un secret.

— C'est curieux, mais reconnaître cela à voix haute me fait un effet bizarre. Un peu comme si je venais de raconter un truc que je ne dois pas dire.

Rae frappe dans ses mains.

— Exactement ! Tu es en train de « dénoncer ton dépendant ». Tu as besoin de visualiser le dépendant qui est en toi. Envisage-le comme un être autonome qui vit en toi. Tout ce qu'il veut de toi, c'est que tu boives. Quand tu ne bois pas, il te dit : « Oh, allez, juste un petit verre. » Ton dépendant te veut tout entier pour lui tout seul. Alors, lorsque tu évoques ces bouteilles, ou n'importe quelle autre conséquence liée à l'alcool, tu es, en effet, en train de dénoncer le dépendant qui est en toi.

Je joue le jeu. J'essaie d'imaginer un vilain petit bonhomme qui vit derrière mon front et me file des coups de pied dans les orbites pour l'avoir dénoncé. Ensuite, je m'imagine chaussé des mules d'hôpital.

— Évidemment, ton dépendant n'est pas vraiment une entité autonome, mais le visualiser de cette manière peut t'aider, je pense, reprend Rae. Maintenant, en quoi les bouteilles sont-elles une conséquence ?

— Euh… Parce qu'elles mettent du désordre dans l'appartement, j'imagine ?

— Et ? questionne-t-elle, tel un procureur.

Je la regarde, dérouté. On a oublié de me donner le script.

— Quelqu'un d'autre ? lance-t-elle à l'assistance.

Le Gros Bobby se redresse sur sa chaise.

— Eh bien, s'il garde toutes ces bouteilles dans l'appartement et que, comme il l'a dit, personne ne vient jamais le voir, il doit être très seul.

Je me sens absolument pathétique. Plus transparent qu'un sashimi de méduse.

— Oui, c'est précisément ça, reprend Rae. Les bouteilles te permettent, Augusten, d'ériger un mur – un mur de verre, si tu veux – entre toi et les autres. Effectivement, tu es prisonnier dans ta propre maison. Et le dépendant en toi adore ça. Car son but est de te couper du monde. Le dépendant en toi est très jaloux et te veut tout entier pour lui tout seul.

Je songe à quel point, en fin de journée, j'ai toujours hâte de quitter le bureau de bonne heure pour rentrer chez moi et picoler. À quel point, ces derniers temps, ça m'est égal si Jim est occupé et si je ne vois pas mes amis. Ça ne m'embête pas du tout de rester seul chez moi. Et de boire. En fait, je crois que, de plus en plus, je préfère rester seul à la maison plutôt que de sortir. Et ensuite, je songe à Pighead. Au fait que jamais nous ne parlions de sa séropositivité – après tout, il va bien, à quelques détails près.

— Augusten, je ne te demande pas de faveur particulière, se plaint-il de temps à autre. Je ne te demande pas de partir un mois en vacances avec moi à Hawaii. Juste de passer dîner de temps en temps, de venir manger un rôti de bœuf. Appelle-moi et dis-moi : « Salut, comment ça va ? »

Je songe à quel point sa demande me paraît énorme, démesurée. Ces derniers temps, ma réponse était invariable :

« Je ne peux pas. Le boulot… »

Même partager un rôti et regarder *Sixty Minutes*, même un coup de fil de temps en temps, c'est trop me demander.

C'est le Dr Valium qui se lance après moi. Il raconte qu'il risque d'être radié à cause de sa dépendance au Valium. Et que toutes ses années d'études pourraient n'avoir servi à rien.

— Ça, c'est une conséquence, c'est sûr, souligne Rae.

Les autres remettent leurs plus beaux exploits sur le tapis. Le BCBG parle de son accident de voiture et de la paralysie de sa mère. Marion à la Piètre Estime de Soi de l'échec de sa relation avec celle qui a été sa petite amie pendant six ans. Le Gros Bobby explique qu'il n'a jamais été capable de conserver un emploi et qu'il se hait parce que, à trente-deux ans, il vit toujours chez papa-maman.

On se croirait sous un chapiteau des Ringling Brothers. Et, si tordus que puissent être ces gens, ce serait mentir de dire que je ne peux pas établir de lien entre ma vie et ce qu'ils racontent de la leur. Dire que je me reconnais dans leurs récits serait plus juste. Que je m'y reconnais à fond, même.

— Il y a dix ans, commence Rae, j'étais une prostituée, à Green Bay, dans le Wisconsin. Je baisais ou suçais n'importe qui pourvu que je me fasse assez d'argent pour acheter une bouteille d'alcool. Et croyez-moi, ça n'avait pas besoin d'être de l'alcool de luxe. N'importe quel tord-boyaux faisait l'affaire, du moment que j'avais mon litre. C'est là que j'ai rencontré « l'homme de ma vie », crache-t-elle comme si ces mots étaient une substance toxique – comme si elle avait mordu la pointe d'un thermomètre et que le mercure était en train de se répandre dans sa bouche.

J'étudie son visage tandis qu'elle parle, et je ne vois nulle trace de dégâts. Aucune preuve tangible, pour tout dire. La peau de son visage est parfaitement lisse et son expression aussi sereine qu'une destination de rêve.

— C'est dans ma baignoire que j'ai vraiment touché le fond. J'y suis restée inconsciente pendant deux jours.

Quand je me suis réveillée, le sang avait collé mes cheveux contre la paroi, et je baignais dans mes excréments.

Je la regarde, dans sa robe à grosses fleurs criardes, et je me dis : *Impossible*.

— Ça, c'était il y a dix ans. Cinq ans auparavant, c'est-à-dire il y a quinze ans, j'étais femme de médecin. Je conduisais une Cadillac et je suivais des cours du soir. J'avais des projets. Sauf que mon mariage commençait à battre de l'aile. Mon mari avait une liaison et je refusais de me l'avouer. Alors je me suis trouvé un nouveau hobby : l'alcool. Au début, c'était juste un cocktail le soir, avant de dîner. Puis deux. Puis six. À la fin de cette première année, je buvais un verre le matin en guise de café. Au bout de trois ans, j'avais laissé tombé les cours, et je buvais à plein temps.

Waouh... Est-ce que ça compte, un Bloody Mary ? J'adore boire un Bloody Mary le matin. Qui n'adore pas ça ?

Elle poursuit :

— Je suis bien consciente que mon cas est un peu spécial. J'ai mis les bouchées doubles – en cinq ans, je suis passée d'une vie sans problèmes au cauchemar absolu. J'imagine que j'apprends vite.

Rae excelle dans l'art de la présentation et aurait réussi dans la pub, à mon avis. Son récit suscite une onde d'émoi dans la salle et je m'aperçois que j'ai les mains moites – nullement d'effroi, mais parce que j'ai envie d'entendre la suite. Ce spectacle me plaît. Je jette un coup d'œil autour de moi et je constate que les autres sont également captivés. *C'est la raison qui pousse à choisir un centre de désintoxication pour gays, me dis-je. Les gens y ont vraiment le sens du drame.*

— Quand j'ai réussi à m'extraire de la baignoire et que je me suis regardée dans le miroir, je n'ai pas reconnu la créature qui me faisait face. Ce jour-là, je suis allée à ma première réunion des AA. C'était il y a dix ans. Aujourd'hui, je suis sobre, j'ai un doctorat et je suis là avec vous, pour essayer de vous aider à devenir sobres.

Devenir sobre. Ainsi c'est donc ça, c'est pour ça que je suis là. Brusquement, ce mot m'emplit d'une tristesse que je n'ai plus ressentie depuis l'enfance. Le genre de tristesse que l'on éprouve à la fin de l'été. Quand les lucioles sont éteintes, les mares asséchées, les plantes fanées, épuisées d'avoir été si vertes. Ce n'est plus vraiment l'été, mais il fait encore trop chaud et trop lourd pour que ce soit l'automne. C'est l'intersaison, qui s'accompagne de la sensation que quelque chose se meurt.

— L'alcoolisme, voyez-vous, c'est exactement comme du chewing-gum. Vous savez, quand vous faites une bulle, qu'elle éclate et qu'un peu de gomme reste collé sur votre menton ?

Petits rires laborieux dans l'assistance.

— Quel est le seul moyen d'enlever ce reste de chewing-gum du menton ?

Il m'arrive de mâcher du chewing-gum au raisin parce que ça pue tellement que l'odeur masque celle de l'alcool.

— Du chewing-gum, je réponds. On le sort de sa bouche et on s'en sert pour décoller ce qui est resté collé.

— Exactement, dit Rae avec un immense sourire.

Bon sang de bonsoir. Je suis sur le chemin de la guérison.

— Seul un alcoolique peut aider un autre alcoolique. Seuls d'autres alcooliques peuvent vous conduire sur la voie de la sobriété. (Elle se frappe les cuisses et vide ses poumons d'un coup.) Okay. C'est fini pour le Groupe, il est l'heure de déjeuner.

Il n'empêche que je tuerais volontiers pour un Cosmopolitan.

On me libère de la chambre de sevrage et de son poster avec l'empreinte de pas et l'arc-en-ciel, et j'emménage dans une chambre normale, juste en face des douches des hommes. Mes camarades de chambrée sont le Dr Valium et le Gros Bobby. Sans grand effort, je suis tombé dans une sorte de routine. Un peu comme un travailleur dans un camp. Les Affirmations à matines et à vêpres (et je *suis* quelqu'un ! ! !) me font l'effet d'être des serre-livres pathétiques, dont le but est de délimiter chacune des journées intenses passées au sein de ce qui équivaut à l'Académie de l'alcoolisme.

Les jours tendent à se confondre, car une fois qu'on en a passé quatre au centre, on a expérimenté chaque « cours » et ensuite, ça se répète en boucle, comme dans *Un jour sans fin*.

Récemment, une jeune fille maigre prénommée Sarah a pris la parole en séance de groupe.

— Je ne peux atteindre l'orgasme que si ma copine me taillade les jambes au rasoir. Le truc, c'est que je ne me sens pas du tout comme un être humain, plutôt comme un coquillage, une cosse. Il n'y a que quand elle me taillade, que je saigne, que je vois le sang et que je le lèche sur mes doigts, que je prends conscience que je suis un être humain, que j'existe vraiment.

Sarah est l'une de ces filles qu'on voit sur *Lifetime*, la « Chaîne de Femmes », qui se poignardent les genoux à la fourchette jusqu'à ce que leurs parents les prennent sur le fait et les envoient chez un psy très cher joué par Jaclyn Smith. Et même si je trouve cette histoire modérément distrayante, je ne comprends toujours pas quel lien direct je peux établir entre elle et moi. Pour ce qui est du bon côté des choses, les infirmières me gavent de Librium comme s'il s'agissait de bonbons. Du coup, j'ai l'impression de flotter à quelques dizaines de centimètres au-dessus du sol. C'est une sensation agréable, que j'aimerais bien emporter avec moi lorsque je partirai d'ici. C'est génial que la cure de désintox m'ait amené à m'intéresser à une nouvelle drogue.

L'autre jour, David nous a donné un devoir à faire par écrit, que nous devons rendre aujourd'hui.

— Je veux que vous écriviez une lettre à quelqu'un de très proche, et je veux que vous disiez à cette personne quels sont vos sentiments sincères à son égard, et comment vous voyez votre relation.

Le Dr Valium a écrit une lettre à l'intention de tous ses patients, dans laquelle il s'excuse d'avoir annexé leur Valium et de leur avoir donné de l'aspirine à la place. Le BCBG a écrit à sa mère, pour s'excuser d'avoir été soûl, de l'avoir conduite à la soirée, d'avoir fait une embardée qui l'a laissée paralysée. Il s'est même excusé d'être né.

J'ai écrit à Pighead.

Cher Pighead,

La raison pour laquelle je suis si distant tient à... bon, il y a deux raisons, en fait. La première, c'est que je bois. J'ai besoin d'alcool, tous les soirs. Et rien ne peut s'interposer entre l'alcool et moi.

La seconde raison, c'est ta maladie. Je ne peux supporter l'idée de me rapprocher de toi, ou de me rapprocher encore plus, uniquement pour te perdre, te voir mourir, tirer le tapis sous ma vie. Tu es mon meilleur ami. Le meilleur ami que j'aie jamais eu. C'est quelque chose que je dois protéger.

Je ne t'appelle pas souvent, je ne te vois pas beaucoup, parce que je t'exclus du scénario dès à présent, tant que c'est plus facile. Parce que je peux encore te parler. À mes yeux, il est plus sensé de me séparer de toi maintenant, alors que tu es encore en bonne santé, que d'attendre, impuissant, de devoir le faire une nuit, à l'improviste.

Je m'efforce de répartir la douleur liée à ta perte. Pour ne pas avoir à l'encaisser d'un coup.

Je lis ma lettre à voix haute pour le Groupe, et il se passe une chose tout à fait inattendue. Je me fais honte, et je m'étrangle. Mes yeux s'emplissent de larmes. Marion tend la main vers la boîte de mouchoirs.

— Non, Marion, intervient David.

— Ah oui, j'avais oublié... Quelle idiote ! se réprimande-t-elle d'une voix dure.

J'articule un merci silencieux à son intention et elle me répond par un petit sourire en aparté. Je lui fais savoir que, même si elle a suspendu son geste, elle a tout de même voulu me tendre un mouchoir, et que c'était pile ce dont j'avais besoin. Je m'éclaircis la voix.

— Je ne sais vraiment pas ce qui me prend, dis-je.

Ça m'épouvante, ces émotions à fleur de peau, qui existent sans que j'en sois conscient. Et franchement, je croyais avoir réglé toute cette histoire à propos de Pighead.

— Je, euh...

Je suis surpris d'entendre mon filet de voix chevrotante, comme si j'étais assis sur une machine à laver lancée en plein essorage. Et voilà que je me mets à pleurer. Et, si humiliant que ce soit de sangloter en présence de tous ces gens, c'est plus fort que moi. Quelque chose a cédé. Quand j'arrive enfin à me ressaisir, il me semble que dix minutes ont passé.

— Ça va ? demande David.

Je hoche la tête tout en m'essuyant les yeux d'un revers de manche. David se penche en avant, coudes calés sur les genoux.

— Que se passe-t-il au fond de toi ?

Je me mords l'intérieur de la joue.

— C'est cette histoire autour de Pighead, je crois. Le fait de lire cette lettre... Ça me ramène en arrière... À l'époque où tout a commencé.

Pighead et moi, nous nous sommes rencontrés sur le réseau. Je venais de m'installer à Manhattan, je n'avais aucun meuble, à l'exception d'un canot pneumatique jaune acheté au Wal-Mart dans lequel je dormais. Mais j'avais un téléphone, et un exemplaire du *Village Voice*. Dans les dernières pages du journal, une pub promettait : « Des contacts entre mecs ». Alors j'ai appelé le numéro, et tout en buvant des bières, j'ai bavardé avec des types en affectant un accent britannique.

Le principe du réseau était simple : vous appeliez un numéro et vous vous trouviez connecté avec un mec. S'il ne vous plaisait pas, il vous suffisait d'appuyer sur la touche dièse pour tomber sur quelqu'un d'autre.

En général, j'attendais que l'autre parle le premier. La question standard, c'était : « Ta bite mesure combien ? »

En prenant l'accent anglais, je posais la question suivante : « Quelle est ta marque de dentifrice ? »

La plupart du temps, je me suis fait éjecter. Sauf une fois.

— Crest, m'a répondu le mec.

— C'est vrai ? Pourquoi pas Colgate, ou Gleem ?

— Parce que je préfère le goût du Crest. En plus, il y a du fluorure de phosphate dans le Colgate, non ? Je ne sais pas ce que c'est, le fluorure de phosphate, tu vois. Alors je m'en méfie. Autant que des conservateurs dans les bonbons.

Le parallèle m'a fait rire.

— Tu sais, a-t-il enchaîné, ton accent anglais est parfait, sauf qu'il disparaît quand tu ris. Il faut que tu travailles ce détail.

— Merde, ai-je dit de ma voix normale. Mais jusqu'à ce que je rigole, tu as marché ?

— Oui, m'a-t-il répondu.

— Parfait, parce que je ne ris presque jamais.

— Voilà quelque chose qu'il te faut vraiment changer chez toi. Crois-tu qu'on a le pouvoir de changer des choses en soi ? Ou bien fais-tu partie de ces bonnets de nuit qui préfèrent stagner ?

— J'ai grandi près d'une mare, alors je connais les dangers de la stagnation.

Excellente nouvelle, m'a-t-il répondu, avant d'ajouter :

— Pourquoi ne m'as-tu pas demandé combien mesure ma bite ? Tous les autres demandent ça. Tu n'es pas curieux ?

— D'accord. Elle mesure combien ?

— C'est bien ce que je pensais, m'a-t-il rétorqué. Tu ne cherches que du sexe. Tu ne cherches rien d'autre que du sexe. Qu'est-ce que je m'imaginais ? Que j'allais nouer une relation profonde, personnelle, en appelant ce numéro ?

— C'était un piège, lui ai-je dit.

— Ou une perche.

Nous avons continué comme ça pendant une heure. Jusqu'à ce que, finalement, il propose qu'on se rencontre.

— Juste pour boire un verre.

On s'est retrouvés le lendemain, au Winter Garden du World Financial Center. J'étais en jean, avec une chemise jaune en oxford, et lui portait un costume Armani impeccable. Il avait au petit doigt un anneau en or, sur lequel j'ai immédiatement fait un commentaire :

— Ça, c'est un truc que je verrais bien sur Donald Trump.

— Retire ce que tu viens de dire.

Avec un sourire, je lui ai expliqué qu'il n'en était pas question puisque c'était la vérité.

— Je crois bien que mon organisme va avoir besoin d'alcool, si je dois passer un petit moment en ta compagnie, a-t-il déclaré alors.

Il y avait un restaurant chinois dans le patio du rez-de-chaussée. Nous nous sommes installés au comptoir, devant un long aquarium rempli de poissons orange. Il a commandé une Absolut-tonic avec un trait de citron vert. J'ai commandé la même chose, sur un ton qui suggérait combien j'étais surpris de découvrir que nous avions la même boisson fétiche. *Quelle coïncidence !* disaient mes yeux. Il me semblait essentiel de donner l'impression de maîtriser parfaitement la situation.

Pighead était… coruscant, il n'y a pas d'autre mot. Même son épaisse chevelure noire brillait à tel point qu'on aurait dit du Nylon. Il était charmant, spirituel et sentait Obsession, de Calvin Klein.

Je lui ai parlé de mon job dans la pub, en me débrouillant pour souligner que je n'avais fréquenté que l'école primaire et que j'avais réussi très jeune. C'étaient les deux aspects de ma vie dont je pouvais faire étalage pour susciter l'admiration. Je ne pouvais parler ni de mes parents, ni de mon enfance, ni de mon adolescence, car tout ça aurait semblé dément à n'importe qui et n'aurait pas manqué de me faire passer pour un garçon à problèmes et à risque, surtout aux yeux d'un banquier spécialisé dans les hypothèques.

Pighead a consulté sa montre en or et annoncé qu'il devait partir.

Il m'a semblé que le reste n'était que pure formalité et que nous devions nous installer ensemble. J'étais trop novice à New York pour comprendre que je n'étais pas le premier à qui il inspirait ce genre de réaction. Que je n'avais rien d'unique. À Manhattan, un beau banquier n'est jamais à court de rancards.

Sur une étagère de ma bibliothèque, à la maison, il y a une photo de Pighead en train d'essayer une veste en cuir que je lui ai offerte une année pour Noël. On m'aperçoit derrière lui, dans le miroir, en train de prendre la photo. Je porte un bonnet ridicule de Père Noël, et mes lunettes à monture de fil de fer de premier de la classe. Sur une autre photo, je suis en train de nager dans la piscine d'un motel, quelque part dans le Maine. L'endroit, je m'en souviens, s'appelait le

Lamp Lighter Motel. C'était l'automne, l'eau était glacée, des feuilles orangées flottaient à sa surface. Des feuilles et des coléoptères. C'était l'une de nos premières virées ensemble. Nous nous connaissions depuis un an. Je me souviens qu'une fois sorti de la piscine, je suis allé prendre une douche brûlante dans la chambre, et que lorsque je suis sorti de la salle de bains, on a fini au lit, à faire des galipettes. Nous avons passé deux jours entiers au lit, n'en sortant que le soir venu pour aller manger des côtes de bœuf ou des spaghettis dans le seul restaurant de la ville qui servait l'eau dans des verres, et non pas dans des gobelets en carton.

De retour à Manhattan, un soir, je lui ai dit :

— Je crois que je suis amoureux de toi.

Appuyés contre la rambarde de l'esplanade de Battery Park, nous observions les avions en circuit d'attente qui décrivaient des cercles au-dessus de nos têtes. En terme de romantisme, pour les New-Yorkais, les avions qui tournent dans le ciel la nuit remplacent les étoiles.

Il s'est tourné vers moi.

— Je t'aime aussi, Augusten, m'a-t-il dit, avant d'ajouter avec douceur : … mais je ne suis pas *amoureux* de toi. Je suis désolé de ce qui s'est passé entre nous. Ça n'aurait jamais dû arriver. Primo : je n'aurais jamais dû laisser notre relation devenir sexuelle. Et deuzio : jamais je n'aurais dû te laisser croire que nous pouvions être plus que des amis. C'est ma faute.

J'étais piégé, parce que je l'aimais vraiment, mais que je voulais aussi faire le maximum de dégâts. *Tu vas tomber amoureux de moi*, ai-je songé. *Et là, il sera trop tard.*

Ç'a continué comme ça pendant un an. Le sexe, toujours intense, rapide, vorace. Et l'amitié. Mais sans sentiment amoureux. J'allais chez lui (mon appartement était trop bordélique à son goût) et il cuisinait des poulets rôtis ou des ragoûts de bœuf. Je regardais ses mains travailler : trancher, touiller, moudre du poivre.

Je regardais ses mains et je pensais : *j'aime ces mains.* Et en même temps, je savais qu'il me fallait me détacher de lui. Peu importait *pourquoi* il n'était pas amoureux de moi. Tout ce qui comptait, c'est qu'il ne l'était pas.

J'ai commencé à sortir avec des mecs. D'abord il y a eu Tim, avec qui ç'a duré trois mois. Puis, Ned, pendant quinze jours. Et ensuite Julian, Carlos, Éric. Tous, d'une façon ou d'une autre, avaient des points communs avec Pighead. Tim était banquier, comme lui. Julian et Carlos lui ressemblaient physiquement. Ned était très différent de Pighead, mais il était aussi d'origine grecque, et je me suis dit : *Peut-être que ça suffira.*

C'est un an plus tard que j'ai fini par croire que je m'étais guéri de lui. Quand plus aucune chanson ne me rappelait de souvenirs. Quand j'ai pu passer des journées entières sans penser constamment à lui. Et quand j'ai pu envisager d'aimer quelqu'un d'autre.

Un soir, il m'a appelé de sa voiture et m'a demandé de le retrouver en bas de chez moi. C'était un vendredi. J'avais sans doute prévu de sortir avec Jim, d'aller à l'Odeon, ou bien au Grange Hall.

— Il faut que tu descendes. *Tout de suite.*

Quand je suis monté dans sa voiture, j'étais de mauvais poil :

— Putain, mais c'est quoi, ton problème ? je me souviens de lui avoir dit – peut-être pas exactement en ces termes, mais quelque chose d'approchant. Tu dois apprendre à relativiser. Les choses ne vont pas si mal. Ton putain de boulot, c'est jamais qu'un boulot, et c'est pas comme si tu étais séropo.

Eh bien, justement. Il venait de faire un test. Il était séropositif.

Cette nuit-là, j'ai dormi chez lui, je l'ai tenu dans mes bras, je lui ai montré que pour moi, ça ne changeait rien. Je voulais qu'il sache que même s'il n'existait pas de remède, il y avait de l'espoir. Le genre d'espoir tout-puissant, car né d'un besoin immense. C'est cette nuit-là qu'il m'a dit qu'il m'aimait, qu'il était amoureux de moi.

Mais en l'entendant, j'ai eu le sentiment que seule la peur dictait ses paroles. La peur de ne jamais rien avoir de mieux. J'ai mis un point d'honneur à ne plus du tout être amoureux de lui, tout en me promettant de rester toujours à ses côtés en tant qu'ami. Je ne voulais rien avoir à faire avec ce virus, et j'étais en colère contre Pighead. J'étais furieux d'avoir dépensé autant d'énergie à ne plus être amoureux de lui, juste pour que lui tombe amoureux de moi une fois qu'on avait diagnostiqué chez lui une maladie incurable. J'étais partagé entre une profonde compassion et l'envie de le traiter d'enfoiré.

Donc, maintenant, nous sommes amis et je croyais avoir laissé derrière moi toutes ces conneries. Mais manifestement, c'est loin d'être le cas. Manifestement, je ne sais plus du tout où j'en suis.

Le silence perdure un petit moment, puis Kavi prend la parole :

— Quand on a diagnostiqué le sida chez mon copain, je l'ai quitté. Je pouvais pas gérer ça. (Il tortille la mèche empesée de gel sur son front.) Et mon plus grand regret, c'est qu'il est mort sans savoir à quel point je l'aimais. La seule raison pour laquelle il ne l'a pas su, c'est que je me camais, et que j'étais égoïste. J'étais déjà marié, je suppose. Avec la coke. J'avais déjà du mal à concilier les deux, lui et elle, alors son virus en plus, ça faisait trois. Je me déteste à cause de ça. (Il me regarde.) Il est mort sans jamais avoir su à quel point je l'ai aimé, poursuit-il. Il est mort en croyant que c'était de son virus que j'avais peur. Mais ce n'est pas ça. Je l'ai quitté avant qu'il puisse le faire. J'ai souvent été largué dans ma vie, sauf par la coke. La coke ne m'a jamais laissé tomber.

Elle est fidèle au poste. Il fallait que je le quitte. Il fallait que je rompe le cycle.

En entendant ça, j'ai envie de vomir. Je sens la nausée monter dans ma gorge, sous la poussée des giclées d'acide qu'expulse mon estomac. Mon estomac proteste : *C'en est trop.*

Kavi me dégoûte. Il me dégoûte plus que n'importe quel autre être humain ne m'a jamais dégoûté avant lui.

Parce que je suis lui.

Brusquement, j'ai envie de boire. L'intensité de ce désir me frappe avec la force d'un tsunami. Je n'ai pas envie de lancer gaiement : « Tournée générale de whisky-soda ! » Non, je veux boire jusqu'à pouvoir subir une grave opération du genou sans rien sentir d'autre qu'un pincement.

Je regarde fixement devant moi, sans ciller, tandis que la réalité me tombe dessus comme une chape de plomb.

Ce dont il est question, ce n'est pas d'être un type qui bosse dans la pub et qui picole parfois un peu plus que de raison.

C'est d'avoir à choisir entre une cure de désintox, ou se faire virer.

C'est d'être un alcoolique.

C'est le fait que *je suis* un alcoolique.

Mes lèvres remuent et je chuchote : « Je suis un alcoolique. »

Aujourd'hui, séance de thérapie individuelle. C'est exactement comme aller consulter un psy à New York, le fauteuil Barcelona et le guéridon d'Eileen Gray en moins. Et, en lieu et place d'une digne figure paternelle avec un bouc poivre et sel, j'ai droit à Rae, dans toute sa majesté florale.

En thérapie individuelle, elle est différente, plus détendue. J'ai l'impression de rendre visite à une amie. Sans le poster qui proclame au-dessus de sa tête « À chaque jour suffit sa peine » et les rayonnages d'ouvrages médicaux consacrés aux problèmes de toxicodépendance, on pourrait se croire installés au comptoir d'un bar.

— Comment te sens-tu ? demande-t-elle.

Je lui avoue que, jusqu'à l'autre jour, j'étais prêt à me tirer. Je lui parle de ma lettre à Pighead et lui raconte à quel point la lire devant les autres m'a bouleversé. Je lui dis que je m'aperçois combien je déteste éprouver des sentiments, des émotions, et à quel point je ne veux ressentir ni douleur ni peur. Et surtout, je lui dis que j'ai compris que je ne buvais pas comme une personne normale. Compris que l'alcool a été pour moi un sas de secours qui me permettait de m'échapper, mais aussi un piège. Je lui fais part de mes récentes observations quant à la façon dont fonctionne la cure : ça s'approche de vous furtivement. Quelqu'un va sortir une affirmation idiote, plus tard quelqu'un dira dans le Groupe : « Je n'étais pas du tout d'accord avec ton affirmation », et cela va provoquer une discussion animée, puis des larmes. Et tout cela va révéler, éveiller quelque chose en vous. Votre intuition vous souffle que c'est le résultat de tout ce processus. C'est un fonctionnement très curieux, qui n'a absolument rien de linéaire ni d'organique. Et pourtant, c'est parfaitement clair.

Rae sourit car elle sait que c'est exactement comme ça que ça marche. C'est furtif.

Elle dit que nous devons commencer à mettre en place un plan de « rentrée » en prévision du jour où je quitterai le Centre pour regagner le monde réel. Je pense à la navette spatiale qui s'enflamme en rentrant dans l'atmosphère. Ce genre d'accident pourrait aisément m'arriver.

Rae croise les bras sur le bureau et se penche vers moi.

— Ma recommandation, c'est que tu poursuives la thérapie en hôpital de jour après ta sortie.

Ça me va. J'aime bien l'idée de consulter un psy une fois par semaine, à titre de maintenance. C'est encore une occasion de parler de moi sans être interrompu. En plus, un psy ne me connaît pas vraiment, donc je peux lui présenter l'image de quelqu'un de plus équilibré que je ne le suis en réalité.

— Ce que je te recommande, c'est un traitement sur six mois, quatre fois par semaine. Le programme auquel je pense s'appelle HealingHorizons. Ils ont un centre à Manhattan, nous travaillons beaucoup avec eux. Ils sont excellents.

Je cligne des yeux. Six mois, quatre fois par semaine ?

— En gros, le programme combine thérapie de groupe et thérapie individuelle. Chaque séance dure deux heures.

L'expression de son visage est agréable. Elle pourrait être en train de me recommander un bon restaurant.

— Mais… mon travail ? Je bosse dans la pub.

— Tu devras peut-être envisager quelques changements, se contente-t-elle de me répondre.

Des changements ? De quel ordre ? Déplacer la lampe de l'autre côté de la pièce ?

Elle prend une feuille de papier, un crayon, et commence à dessiner.

— Pense à un puzzle. (Elle trace un carré, à l'intérieur duquel elle dessine des pièces de forme tarabiscotée. Il en manque une.) Ici, c'est toi, ajoute-t-elle en dessinant la pièce isolée à l'extérieur du carré. Au cours de ta guérison, ta forme se modifie. Pour que tu puisses réintégrer le puzzle, les autres pièces doivent elles aussi modifier leur forme, pour s'adapter à la tienne.

J'ai clairement le sentiment que rien de tel n'arrivera. Que je vais finir en pièce de puzzle inadaptée, égarée sous le canapé.

— Et si les autres pièces du puzzle ne se modifient pas ? Que se passe-t-il ?

— Dans ce cas, tu trouveras un autre puzzle auquel t'intégrer.

Elle se renverse dans son fauteuil, qui lâche un couinement.

Et c'est là que je comprends d'un coup le pourquoi de toutes ces métaphores, pendant la phase de rétablissement. Parce que la vérité nue serait trop terrifiante. Ce que Rae est en train de me dire, c'est qu'il me faudra peut-être envisager d'embrasser une toute nouvelle carrière et de me faire de nouveaux amis, complètement différents.

— Attends-tu la soirée avec impatience ? me demande-t-elle.

Je ne saisis pas très bien le sens de sa question. Sans doute le lit-elle sur mon visage.

— La réunion des AA, ce soir. Il te tarde d'y être ?

— Ah ça. Ouais, j'imagine. Ce sera intéressant.

— Tu sais, certains considèrent la cure de désintoxication comme l'ambulance qui conduit aux AA. La cure est un commencement. Elle t'enseigne certaines choses, c'est ici que tu passes tes trente premiers jours de sobriété. Mais la cure n'est en aucun cas un remède. Le vrai travail reste à faire au jour le jour chez les AA.

— Vous voulez dire que je vais devoir assister à une réunion tous les jours ?

— C'est à toi de décider, mais d'après les statistiques, ceux qui restent sobres le plus longtemps sont ceux qui assistent à une réunion quotidienne.

Tout à coup, je me sens submergé par la masse de boulot qu'implique la santé mentale. Séance de psychothérapie quatre fois par semaine, réunion des AA tous les jours, pour le restant de ma vie.

— Ça me semble… comment dire ? Beaucoup de travail.

— Tu as bien trouvé le temps de boire tous les jours, souligne-t-elle.

Exact. Mais c'était drôle. C'est pour ça que, dans les bars, on parle de *Happy Hour*. J'ai l'impression d'être en prison et d'apprendre qu'après ma libération, je passerai le restant de mes jours en résidence surveillée, avec un de ces gadgets électroniques à la cheville. Libre sans l'être. Je crois que je m'imaginais que la cure de désintoxication allait me guérir de boire comme un alcoolique. Je pensais qu'elle allait m'apprendre à boire comme une personne normale.

Aujourd'hui, j'en suis à mon vingtième jour. Les jours ont cessé d'avoir des noms et ont à présent des numéros. Des numéros qui indiquent à quand remonte le dernier verre d'alcool que j'ai bu. J'ai entendu dire qu'aux AA, il y a des gens qui, des années après, continuent à « compter les jours ». Ce qui signifie qu'en plus de tous les autres changements auxquels je vais peut-être devoir procéder dans ma vie, amis et carrière inclus, je dois aussi vivre désormais selon un calendrier différent, comme les Chinois. Aujourd'hui – jour numéro vingt, donc – aurait en tout point ressemblé à hier, sans l'arrivée d'un nouveau.

Pendant une de mes rares demi-heures de temps libre, j'étais dans la salle commune en train de lire un exemplaire du journal local datant de la semaine précédente quand j'ai vu un inconnu entrer et s'asseoir dans le bureau des infirmières, de l'autre côté de la vitre blindée. Il s'est assis sur la même chaise que moi le jour de mon admission. Il avait l'air malheureux, son visage figé en un masque qui trahissait tout à la fois l'inquiétude, la panique, l'épouvante. Il m'a semblé beau, mais négligé.

Vu qu'il est arrivé aux alentours de vingt heures, son premier contact avec la cure aura lieu aux Affirmations du soir. Le rituel de la comptine et de la passation des peluches. Il me tarde de voir ça.

Je termine de lire le journal, puis je vais aux toilettes. À mon retour, le type est debout à côté de la table basse sur laquelle sont disposées la cafetière et la sélection d'infusions à disposition des patients. Il tripote nerveusement son gobelet en polystyrène, en attendant que le café ait fini de passer.

— Bienvenue en enfer, lui dis-je en prenant un gobelet dans lequel je laisse tomber un sachet de tisane.

Il me regarde comme si j'avais un pistolet braqué dans le dos.

— Euh, bonjour. Je m'appelle Hayden.

Un British.

— Augusten.

— Il faut m'excuser, je suis un peu paumé. Je suis épuisé et un peu paniqué de me retrouver ici. J'ai du mal à croire que je suis vraiment là. Pour être franc, j'ai du mal à croire que je suis vivant.

— Je connais ça.

— Tu viens d'où ?

— Manhattan.

Je n'ai pas dit « New York » parce que je n'ai pas envie qu'un Londonien s'imagine que j'habite un quartier périphérique.

— C'est vrai ? (Son visage s'éclaire un peu.) Moi aussi. (Il s'effondre.) Enfin, je vivais là-bas. Mais j'ai perdu mon appart avant de venir ici. Donc, quand je sortirai, il me faudra sans doute repartir un moment à Londres, vivre chez mes parents.

Le café est prêt. Il s'en sert une tasse. Un British qui boit du mauvais café en guise de thé. Je commence déjà à l'apprécier. Nous disposons de vingt minutes avant le groupe des Affirmations du soir.

— Tu veux aller faire un tour dehors ? Prendre l'air ?

— C'est une merveilleuse idée.

Nous sortons dans l'arrière-cour. Nous ne sommes pas autorisés à nous aventurer au-delà du ruisseau, à une trentaine de mètres de là, mais nous n'allons pas aussi loin. Nous nous installons à la vieille table de pique-nique minable. Je regarde les étoiles et me sens un peu nostalgique parce qu'elles me rappellent les fenêtres de bureaux éclairées des gratte-ciel.

— Comment as-tu perdu ton appartement ? Que s'est-il passé ?

Il boit une gorgée de café et soupire.

— Pour être franc, c'est à cause du crack. J'avais sept mois de loyer de retard, je dépensais jusqu'à mon dernier penny pour acheter ma dope, et je me suis fait expulser. Juste avant de venir ici, j'étais hébergé chez un ami, à la condition que j'arrête immédiatement le crack. Et, bon… Je n'ai pas tenu parole – je n'y arrivais pas. En gros, cet ami et deux autres copains m'ont obligé à partir en cure.

— Ils t'ont *obligé* ?

— Oui, ils ont menacé de me dénoncer aux services de l'immigration. Tu vois, ça fait sept ans que je vis aux States sans titre de séjour. Ils m'ont dit que si je ne me faisais pas admettre en centre de désintox, ils me faisaient expulser.

Pareil que moi, en quelque sorte. C'était la désintox ou l'expulsion de mon boulot peinard.

— Donc, toi, c'est le crack, pas l'alcool ?

— Ben non, ça aussi.

Il a un air d'enfant coupable. Un enfant coupable d'une trentaine d'années.

— Donc, en deux mots, tu es un Anglais en situation irrégulière, accro au crack, alcoolique, et qui vient de se faire expulser de son appartement à New York ?

Il sourit avec espièglerie.

— Oui, ça me résume assez bien en ce moment.

De là où je suis assis, j'aperçois, à l'intérieur du bâtiment, les gens qui montent l'escalier en file indienne. J'entrevois une oreille bleue pelucheuse.

— Ah, c'est l'heure des Affirmations. Prépare-toi pour l'inimaginable.

Il me regarde avec méfiance.

Nous rejoignons le Groupe à l'étage. Hayden va s'asseoir à l'autre bout de la pièce, à l'opposé de moi. Les Affirmations sont aussi lamentables que d'habitude.

— J'aimerais remercier Sarah pour m'avoir donné une accolade pendant le Groupe, aujourd'hui.

— J'aimerais remercier le Groupe de m'avoir accepté.

— J'aimerais remercier Paul d'avoir fait du café.

Paul, l'Homme enceint, a le regard posé sur le reflet dans la fenêtre, comme d'habitude. J'ai le sentiment qu'il est là sans y être vraiment. Comme s'il était enceint de lui-même et n'avait pas encore accouché.

Quand vient le moment d'entonner la chanson des peluches codépendantes, je réprime un sourire diabolique et me contente de regarder.

À l'instant où on lui lâche les peluches sur les genoux, Hayden se lève, quitte la pièce en trombe et dévale l'escalier. Stupéfaits, nous contemplons tous sa chaise vide.

— Okay, continuons, terminons-en avec nos Affirmations, dit l'animateur.

Après le Groupe, je me dirige vers ma chambre et passe avec une lenteur d'escargot devant le bureau des infirmières. La porte est close. Hayden est en train de parler à deux des thérapeutes en gesticulant. Il a l'air furieux. Les deux animaux en peluche trônent sur l'un des bureaux, telles des preuves confisquées.

Le Dr Valium entre dans la chambre et se laisse choir sur son lit.

— On dirait que notre nouvel ami n'est pas enchanté par sa première heure de cure, observe-t-il avec un sourire taquin.

— Il y a de quoi.

— Il est vrai que c'est plutôt embarrassant comme scène, ajoute-t-il en ouvrant son exemplaire de *Psychology Today*.

J'ai envie de dire quelque chose, mais je ne sais pas trop comment m'y prendre.

— Tu penses vraiment que tu vas te faire radier ?

Il lève les yeux. Il inspire, puis relâche lentement son souffle.

— Oui, je crois que c'est tout à fait possible.

Une brusque bouffée d'angoisse me submerge. Et si, bien qu'ayant réussi à me désintoxiquer, ils me viraient quand même, à l'agence ? Ils pourraient aisément affirmer qu'ils se sont très bien débrouillés sans moi. La nouvelle se répandrait vite. Aucune autre agence ne me contacterait.

Je m'assieds sur le bord du lit et je considère cette hypothèse. Jusque-là, je n'avais jamais envisagé que ça puisse vraiment arriver. Mais si cela peut arriver à un médecin ? Et à un type tout ce qu'il y a de plus BCBG ? À un steward ?

Bientôt, le Gros Bobby entre et s'assied sur son lit.

— Bon sang, les gars, d'après vous, qu'est-ce qui se passe chez les infirmières, avec le nouveau ?

— C'est à cause de toute cette comédie débile avec les peluches, je lui réponds sans lever les yeux de mon carnet, dans lequel je suis en train d'écrire frénétiquement. Ça l'a probablement fait flipper.

J'ai toujours tenu un journal. Avant de savoir écrire, j'avais un magnétophone bleu que j'avais fini par considérer comme un ami auquel je pouvais tout dire.

— C'est vraiment dommage. J'espère qu'il va nous laisser une chance. (Son ventre émet un gargouillis sonore.) Je vais à la cuisine. Quelqu'un veut quelque chose ?

Le lendemain matin, au petit déjeuner, Hayden me parle de sa sortie dans le bureau des infirmières, la veille au soir.

— J'étais furax. Je leur ai dit : « Je ne peux pas me permettre que ce programme ne marche pas. » J'ai expliqué que mon désir d'arrêter le crack et l'alcool était archisérieux, et que ce que j'attendais, c'était un centre hospitalier de désintoxication professionnel, pas une parodie puérile et grotesque.

Quand je veux beurrer mon toast, il se casse en deux.

— Je ne te jette pas la pierre, j'ai ressenti exactement la même chose. (Je réfléchis à l'étrange prise de conscience que cet endroit semble provoquer. La prise de conscience que tout, dans la vie, n'est pas une *Happy Hour.)* Accorde-leur quelques jours. Je te promets que ça devient vraiment… intéressant, dis-je en pensant à Rae et à ses robes à fleurs.

— Il vaudrait mieux, fulmine-t-il.

Sa colère offre un spectacle hilarant, et je suis obligé de me mordre l'intérieur de la joue pour ne pas éclater de rire. Hayden doit mesurer un mètre cinquante-huit maximum. Mais il ne semble pas le savoir. En fait, il donne l'impression de croire qu'il mesure un mètre quatre-vingt-dix et pèse un peu plus de cent kilos.

— C'est délicieux, dit-il à propos des œufs brouillés – les mêmes que ceux qui se trouvent dans mon assiette, intacts.

J'ai déjà perdu au moins cinq kilos. *Voilà pourquoi je vois des étoiles…*

— Tu viens de Londres, lui dis-je. Comment pourrais-tu savoir si c'est bon ou pas ?

— C'est vrai, fait-il en rigolant. Ce truc est bien meilleur que tout ce qu'a jamais cuisiné ma mère.

Je grimace.

— Tu mangeais de ce truc dégueulasse qu'on étale sur un toast ? Comment ça s'appelle ?

Son regard s'illumine.

— Vegemite ! Oh oui, j'adore la Vegemite.

— Tu vas adorer le dîner, alors.

La semaine qui suit, Hayden et moi sommes inséparables. Nous nous asseyons ensemble sur les causeuses ignifugées, lovés dans notre petit monde de supériorité. Nous échangeons des anecdotes mortifiantes de nos passés sordides. Nous ragotons à longueur de temps sur les autres patients. Aucun détail du quotidien n'échappe aux mailles de nos filets, et nous faisons feu de tout bois. Quand l'une des lesbiennes s'est taillé la frange avec un coupe-ongles, nous avons frôlé l'hystérie. Nous avons vu là le signe certain qu'elle avait un problème de contrôle, et qu'elle était vouée à la rechute.

Je ne pense pas avoir jamais eu un ami aussi proche qui se soit fabriqué instantanément, comme du Tang.

Avec Hayden, le temps s'accélère. J'ai arrêté de surveiller l'aiguille des minutes sur l'horloge. C'est le genre d'amitié qu'il est facile de nouer à l'école primaire, à six ou sept ans. Vous cédez la balançoire à un gamin, et d'un coup il devient votre meilleur ami. Brusquement, ça vous est égal de détester les maths, parce que vous pouvez les détester ensemble. Et quand l'école est finie, vous voulez jouer ensemble. Vous ne vous posez pas de questions. Vous ne vous dites pas : *Est-ce que je passe trop de temps avec lui ? Est-ce que j'envoie de mauvais signaux ?*

Et puis, vos poils pubiens se mettent à pousser et tout change. Les poils pubiens, c'est le signal du début de la fin. Après eux viennent le lycée puis la fac, la vie active. Une fois embringué là-dedans, vous êtes foutu. Jamais plus vous ne vous ferez un ami aussi facilement et aussi radicalement qu'à l'époque où vous vous essuyiez encore le nez sur votre manche.

Sauf, apparemment, si on vous oblige à faire une cure de désintoxication.

Hayden et moi avons justement discuté de ça. Nous sommes émerveillés par cette amitié qui est née entre nous en dépit du fait que, si nous additionnions nos âges, cela nous vaudrait une réduction au cinéma.

— Et le plus étonnant, c'est qu'on n'est pas dans un bar, complètement pétés, a souligné Hayden.

C'est vrai. Il est possible de nouer des amitiés étroites et instantanées devant un comptoir. Mais ces amitiés ont tendance à s'évaporer à quatre heures du matin, quand le bar ferme, ou le lendemain, quand vous vous réveillez dans le même lit.

Avec Hayden, elle perdure. Et je ne peux pas m'empêcher de m'inquiéter, de me dire que c'est la conséquence d'un sortilège propre à la cure de désintoxication : resterons-nous amis, une fois que nous aurons l'un et l'autre quitté ce lieu ? Je veux que nous demeurions amis. Je veux que nous habitions dans le même immeuble, à deux étages d'écart, comme dans une sitcom. Si nous nous étions rencontrés plus tôt, être voisins nous aurait semblé aller de soi. J'ai l'impression d'avoir été floué.

Au cours de ma dernière semaine de cure, Hayden et moi découvrons une table de ping-pong dans la salle de gym. Comme elle était pliée et planquée derrière un monticule de cartons, nous ne l'avions pas remarquée auparavant.

— On fait une partie ? propose-t-il.

— Avec plaisir.

Je n'ai pas joué depuis que j'étais môme. Une fois, pour Noël, mon grand-père nous avait envoyé une immense table verte pliante. Mes parents ne pouvaient pas la supporter et l'avaient remisée au sous-sol, repliée contre le mur, près de la chaudière. Il me suffisait de déplier juste un côté de la table et de la pousser à angle droit contre le mur pour pouvoir jouer tout seul. J'étais devenu assez bon, mais naturellement, les ripostes n'avaient jamais rien d'inattendu.

Après avoir loupé trois balles d'affilée, j'ai fini par réussir à en renvoyer une. La section « ping-pong » de mon cerveau s'est réveillée, et nous avons trouvé notre rythme.

— Comment as-tu appris à jouer aussi bien ? je lui demande en me baissant pour ramasser la balle que je viens de rater.

— Oh, grâce à mon père. C'est le seul truc que nous ayons jamais fait ensemble. Tu ne joues pas mal du tout, ajoute-t-il après un échange d'une bonne minute.

— C'est parce que j'excelle à repousser tout ce qui vient vers moi.

Nous jouons encore quelque temps en silence, concentrés sur le jeu. Pour moi, c'est soit un véritable exploit, soit une nouvelle étape dans la dégringolade.

Hayden tient la balle en l'air.

— Tu veux servir ?

— Non, vas-y.

Fwap ! il me lance la balle. *Fwap !* je la renvoie. En fait, je me débrouille pas mal. À défaut d'autre chose, je partirai d'ici en sachant au moins jouer au ping-pong. Peut-être même contre un adversaire chinois.

— Tu vas vraiment me manquer, me dit-il.

Je quitte le centre dans trois jours. Ça me semble impossible : j'ai l'impression d'être ici depuis des années. Je suis censé posséder désormais les « outils » qui me permettront de me débrouiller à l'extérieur. Des outils tels que la feuille que Ray nous a donnée la semaine dernière pendant le Groupe. Elle comporte, tracés au crayon, une vingtaine de visages aux expressions différentes, représentant chacune une émotion. Sous chaque visage, il y a une légende : *Heureux. Triste. Jaloux. En colère. Dérouté. Effrayé.* « Si vous vous demandez à un moment donné quel sentiment vous éprouvez, il vous suffira de sortir ce tableau et de repérer l'expression qui correspond. » En gros, il s'agit d'un dictionnaire bilingue alcoolique-normal. Je me suis surpris à trimballer cette feuille pliée dans la poche de mon jean et à m'y référer en permanence, en essayant de déterminer ce que je ressentais. En faisant la queue pour déjeuner, par exemple, je déplie la feuille et trouve l'expression qui correspond à mon état d'esprit : *nauséeux.*

— Tu sais ce qui m'effraie ? dis-je à Hayden. C'est de voir à quel point je me suis intégré dans ce système institutionnel. À quel point toute ma vie s'est réduite à cet immonde groupe d'alcooliques. C'est comme une famille élargie et dysfonctionnelle, avec laquelle j'ai tout en commun. J'ai peur de ne plus arriver à m'intégrer à l'extérieur.

Hayden rate la balle.

— Putain ! s'écrie-t-il. Je vois exactement ce que tu veux dire. Je ne veux jamais plus partir d'ici.

— Je ne suis pas prêt. Ici, je suis en sécurité. Je peux vivre avec des sandwiches aux croquettes de poisson et des sols en lino. Dehors, personne ne sera là pour me tirer les oreilles si je déconne. Je pourrai de nouveau tricher.

— Tu es prêt, m'affirme-t-il.

— Comment le sais-tu ? Qu'est-ce qui te fait dire ça ?

— Quand je t'ai rencontré, je n'étais même pas certain que tu sois vraiment un alcoolique. Je pensais qu'il t'arrivait juste de boire un peu trop. (Il cligne des yeux.) Maintenant, je sais pour sûr que tu es, en fait, un alcoolique enragé.

— Ce qui signifie que je devrais rester ?

Est-ce possible ? Ai-je empiré ?

— Au contraire, me rétorque Hayden en levant la balle comme pour porter un toast. Cela signifie, mon cher petit, que tu es plus réel.

Deuxième Partie

Attention à l'atterrissage

Je ne suis pas préparé à ce qui m'attend lorsque j'ouvre la porte de mon appartement. Bien que, à l'évidence, j'aie déjà vu ce décor auparavant, que j'aie même vécu dedans, jamais je n'y ai été confronté à travers les verres grossissants de trente jours de sobriété. L'appartement est rempli de bouteilles vides de Dewar's – de centaines de bouteilles. Elles colonisent toutes les surfaces planes : le comptoir de la cuisine, le dessus du frigo ; elles s'entassent par dizaines sous la table qui me sert de bureau, ne laissant qu'un petit espace pour les pieds ; elles s'alignent le long d'un mur, sur plus de trois mètres et sur sept rangs. Il me semble qu'il y a bien plus de bouteilles que dans mon souvenir. À croire qu'elles se sont multipliées en mon absence.

L'air est humide, imprégné d'une odeur de pourriture. Et c'est là que je les vois : des moucherons, qui planent au-dessus des bouteilles, forment des nuées sombres au plafond, au-dessus de l'évier. D'autres gisent, morts, recouvrant tout comme de la poussière.

Il y a des vêtements qui traînent dans tous les coins, par terre, sur les chaises, le canapé, le lit. On se croirait dans le logis de la Folie Délirante, nullement dans l'appartement d'un concepteur de spots publicitaires. Une bouteille pleine de Dewar's trône sur la cuisinière.

Il n'y a qu'un mot pour résumer ça : *sordide.*

Cette décoration intérieure n'est pas sans rappeler la maison dans laquelle j'ai grandi, celle du psychiatre cinglé.

Le cerveau récuré de frais par mes trente jours d'abstinence, j'emporte la bouteille dans la salle de bains. Je la tiens devant la lumière. Vous la voyez, la jolie bouteille ? Elle est pas belle ? Si, elle est belle. Je dévisse le bouchon, la vide dans les toilettes et je tire la chasse – deux fois. Et puis je me demande : Pourquoi deux fois ? La réponse, naturellement, c'est que je ne me connais pas vraiment moi-même. Comment être sûr que je ne serais pas tenté de boire dans la cuvette, comme un chien ?

Deux options s'offrent à moi : m'asseoir sur les toilettes et pleurer – ce qui est ma première réaction –, ou nettoyer tout ce bordel – ce qui semble aussi envisageable que gagner au Loto. C'est pourtant ce à quoi je m'attaque : le grand ménage.

Je ne m'interromps que pour écouter les messages sur le répondeur. Le premier est de Jim : « Dis, mon pote, c'étaient des conneries, ton histoire de cure, pas vrai ? » En arrière-fond, j'entends une musique forte et du brouhaha ; j'en conclus qu'il appelle d'un bar. Je passe au message suivant. « Augusten, c'est Greer, je voulais juste te laisser un petit message pour t'accueillir à ton retour. »

On croirait qu'elle lit un script qu'elle a écrit d'avance. Ce doit être le cas, d'ailleurs. Greer est comme ça. Une fois, je l'ai vue scanner la photo de son permis de conduire, puis celles de vingt modèles de coiffures extraites de magazines. Ensuite, elle a découpé son visage et, avec Photoshop, a procédé à un montage pour chaque modèle. C'était à l'époque où elle avait du mal à décider si oui ou non elle devait se faire faire une frange et un balayage.

« Bon, bienvenue chez toi. C'est pas très original, je sais... (Rire forcé) mais je voulais te dire combien j'espère que tout s'est bien passé, et que tu te sens mieux. J'ai oublié quel jour exactement tu reprends le boulot, alors, si tu pouvais me passer un coup de fil pour me le dire. D'accord ? Bon, ben… Salut. »

J'ai aussi un message de Blockbuster Video m'informant que je leur dois quatre-vingts dollars pour le retard de *La Tour infernale*, puis encore un autre message de Jim qui, cette fois, en plus d'avoir la gueule de bois, semble déprimé : « Hé, mec, bon… peut-être finalement que tu es bel et bien parti en cure. J'ai une de ces gueules de bois… velue ! Tout ce dont je me souviens, c'est d'avoir bu des Snake Bites[1] à la Coors. Tu pourras peut-être m'apprendre quelques-unes des conneries qu'on t'aura enseignées pendant cette cure. Faut que je me mette un peu au vert. »

J'écoute les autres messages. Le dernier est de Pighead : « Salut, P'tite Tête, on est vendredi, et je sais que tu rentres aujourd'hui. Je me disais que tu pourrais venir dîner. Je pourrais te préparer du foie aux oignons, histoire de fêter ta toute nouvelle sobriété. » À la fin du message, je l'entends lâcher un hoquet.

Évacuer les bouteilles vides me prend plus de sept heures : elles remplissent vingt-sept sacs-poubelle géants, taille industrielle. Après en avoir terminé, je suis survolté et dégoulinant de sueur. Je descends au Kmart acheter des bougies parfumées – onze – que j'allume toutes en même temps pour désinfecter l'appartement. En moins d'une heure, ça empeste une odeur de pin synthétique. Le moment me paraît tout indiqué pour assister à une réunion des AA.

J'appelle les renseignements.

— Quelle ville, s'il vous plaît ?

— Manhattan, réponds-je, redoutant déjà ce que je dois annoncer ensuite.

— Quel numéro recherchez-vous ?

1. Cocktail à base de bière blonde, de cidre et de vin blanc. Littéralement : « morsures de serpent ».

Je m'éclaircis la voix puis je me rappelle que je parle à une correspondante inconnue, sans visage, à travers des câbles en fibre optique.

— Heu… Celui des Alcooliques Anonymes.

Je m'attends à ce qu'elle me raccroche au nez – ou pire, qu'elle me demande de répéter. Excusez-moi, j'ai mal entendu. Les quoi anonymes ?

Mais non. Elle m'indique le numéro. J'appelle.

— Ouais, bonjour, je sors juste d'une cure de désintox et je ne sais pas où ont lieu les réunions…

Mon interlocuteur pourrait parfaitement bosser chez Gap : il est serviable, aimable. Je suis sûr qu'il porte un pantalon de toile et que sa peau fleure bon l'été.

— Dans quel quartier habitez-vous ?

— Angle Cinquième Avenue et Dixième Rue.

— C'est un coin vraiment génial, remarque-t-il avant de me donner sept adresses différentes.

Il s'avère que New York est une ville épatante pour un alcoolique – non seulement un alcoolique qui veut boire, mais aussi un alcoolique qui veut décrocher. On a le choix entre des douzaines et des douzaines de réunions. Vous êtes une personne de petite taille ? Il existe une réunion des AA spécialement adaptée à votre cas, ici même à Manhattan. Oui, mais si je suis un nain albinos ? Ou encore, un nain albinos transgenre membre de la NAMBLA[1] ? Si, si, il existe une réunion, donc je n'ai pas d'excuse.

Une des adresses qu'il m'indique est celle de Perry Street, dont m'a parlé le Dr Valium. La prochaine réunion a lieu à vingt heures, alors je décide d'y aller.

Ç'a beau n'être qu'à dix minutes à pied de chez moi, je me mets en route immédiatement. Mieux vaut sortir me balader que rester assis tout seul dans mon

1. La North American Man/Boy Love Association, qui se présente comme une organisation politique et éducative de lutte pour les droits civiques, et prône les rapports sexuels entre hommes adultes et jeunes garçons consentants.

appartement. J'arrive à l'adresse indiquée en moins de sept minutes. Je marche trop vite. Puisque j'ai plus d'une heure à tuer et que Pighead habite à deux pas de là, je décide de faire un saut chez lui.

Le portier semble content de me revoir, ce qui éveille immédiatement mes soupçons.

— Comment allez-vous, m'sieur Augusten ? Ça faisait longtemps !

J'ai envie de l'empoigner par le revers de sa veste galonnée et de lui dire : « Qu'est-ce que Pighead vous a raconté ? Quoi que ce soit, n'en croyez pas un mot : *J'étais à Madrid... sur le tournage d'un film.* » Mais avant que j'aie rien pu tenter de tel, il ajoute :

— Votre ami vient juste de rentrer, il était allé promener Virgil.

Virgil est le terrier blanc de Pighead. Un sacré bagarreur. C'est pour moi que ce chien a le plus d'affection.

Je prends l'ascenseur et, arrivé au troisième étage, je tourne à gauche. L'appartement de Pighead est le dernier sur la droite, à l'extrémité d'un très long couloir. Mais je vois qu'il a déjà ouvert sa porte, car j'aperçois le museau de Virgil, et la main de Pighead, agrippée à son collier.

— Vas-y ! Va chercher ! dit-il.

Virgil galope, jappe, aboie, et se jette gueule ouverte sur la jambe de mon pantalon. Je m'accroupis et lui frictionne le dos.

— Virgil, Wirgil, Squirgil, gentil garçon…

Je m'élance au galop vers la porte, et Virgil court à côté de moi en jappant.

Je passe sans m'arrêter devant Pighead qui se tient dans l'entrée et je fonce dans le salon, où je soulève Virgil pour le lancer sur le canapé. Il rebondit, saute à terre et me charge. Je recommence. Puis il détale et va chercher une carotte en plastique couverte de bave qu'il dépose à mes pieds. Il aboie. Je lance la carotte dans le couloir, elle va atterrir dans la chambre et Virgil s'élance à ses trousses.

— Nom d'un chien ! dit Pighead quand finalement il voit mon visage. Je ne t'aurais pas reconnu.

J'enlève ma veste et la balance sur une des chaises de la salle à manger.

— Ne fais pas ça, me dit-il. Prends un cintre.

Et tandis qu'il se dirige vers le placard pour en chercher un, je demande :

— Que veux-tu dire ?

— Un cintre à vêtements, explique-t-il en se retournant. Tu sais, ce truc avec lequel Joan Crawford frappait sa gamine ?

— Mais non, idiot. Le reste. Que j'ai l'air différent. Dis-m'en davantage. Parle-moi de moi !

Il lève les yeux au ciel et va suspendre mon manteau dans le placard.

— Tu as l'air… différent… rajeuni… et tu as drôlement minci. Tu es superbe. (Il sourit, détourne les yeux, comme pris de timidité, et gagne la cuisine.) Tu veux boire un verre ? De jus de fruits, naturellement, précise-t-il aussitôt.

— Oh, merde, je gémis. Voilà donc à quoi je suis désormais réduit ?

Il sort deux verres du placard et quand il ouvre le frigo, je remarque une bouteille de chardonnay juste à côté du jus d'airelles.

— En fait, je prendrai deux doigts de blanc, lui dis-je, geste à l'appui.

Pighead semble interloqué.

— Quoi ? Du chardonnay ?

L'air décontracté, je cale une hanche contre le comptoir.

— Oui, on a droit au chardonnay parce que ce n'est pas vraiment de l'alcool. C'est juste du vin, tu vois. Et ça, ça passe.

Pighead, main en suspens dans le réfrigérateur, regarde tour à tour le carton de jus d'airelles, la bouteille de vin et moi. Je le rassure en souriant :

— Non, je déconnais.

Il nous sert deux verres de jus de fruits, qu'il emporte au salon et pose sur la table en bout de canapé. Il s'assied, je m'assieds à côté de lui et j'appuie ma tête contre son épaule. Je marmonne que je suis à côté de mes pompes, heureux, triste, bouleversé et fatigué. Il passe un bras autour de moi et penche sa tête contre la mienne.

— Tout va bien, P'tite Tête. Tu es encore une loque mais au moins, tu n'es pas soûl.

Virgil saute sur le canapé et, en rebondissant sur mon ventre, manque me couper le souffle. Ouaf, ouaf, ouaf. Je l'attrape par le collier pour lui frictionner le museau.

— Tu lui as manqué, observe Pighead.

Je le regarde, mais lui regarde ses mains.

— Il m'a manqué aussi.

Je ramasse la carotte qui couine, et la lance de toutes mes forces, indifférent au fait qu'elle puisse heurter le mur, une lampe, un tableau. Pighead, qui vit dans un bel appartement décoré avec soin, s'en fiche lui aussi. Si jamais je casse une lampe, je sais qu'il ne dira rien parce que c'est moi qui l'aurai cassée. Mais si quelqu'un d'autre le faisait, il se mettrait dans une rage noire. Je sais que j'ai du pot.

— Que veux-tu faire pour dîner ? demande-t-il.

Silence.

— J'peux pas rester, j'ai une réunion de poivrots dans cinq minutes.

— Les AA ? Mais tu rentres à peine de cure.

Virgil me charge avec sa carotte dans la gueule, puis la lâche à mes pieds. Comme je l'ignore, il l'emporte devant la cheminée et la mâchonne, essayant de stopper son couinement.

— Justement. Les alcooliques vont aux AA.

— Combien de temps devras-tu y aller ? s'enquiert-il, comme si j'étais en liberté conditionnelle – ce qui est plus ou moins le cas.

— Tous les jours, pour le restant de mes jours.

— Tu plaisantes ? dit-il en haussant les sourcils.

Je lui réponds que non, malheureusement. Je lui répète ce que m'a dit Rae – quand on a trouvé le temps de boire tous les jours, on peut bien trouver le temps d'aller tous les jours chez les AA.

Ses yeux s'écarquillent d'incrédulité.

— Oh, je sais. J'étais aussi sidéré que toi.

— Ils ont une devise, non ? « À chaque jour suffit sa peine », quelque chose dans ce goût-là ?

— Ouais, « À chaque jour suffit sa peine ». Pour le restant de mes jours.

— Seigneur !

— Oh, on ne l'appelle plus « Seigneur ». (Ma tête me démange, alors je la frotte contre son épaule.) On l'appelle « Puissance supérieure ».

— Oh, non ! lâche-t-il en levant les yeux au ciel.

Nous restons un moment sans rien dire. C'est si bon, si rassurant d'être avec lui. Et pourtant… pourtant. J'ai une impression de solitude, doublée d'une autre sensation, plus effrayante, mais que je suis incapable de nommer.

— Pighead ?

— Mmm ?

Cette fois, c'est moi qui me détourne. J'examine la cuticule de mon pouce.

— Rien.

— Quoi ?

Il y a tant de choses dont j'ai envie – dont j'ai *besoin* – de lui parler. Mais je ne suis même pas certain de savoir ce dont il s'agit. C'est un sentiment étrange. Cela dit, tous les sentiments me paraissent étranges parce que je ne suis pas habitué à en avoir conscience. Mais celui-là est particulièrement étrange. Il me ramène à l'époque de mon enfance, quand je ne voulais pas que mes parents quittent le salon et aillent au lit avant que je me sois endormi. J'avais besoin de les savoir là, sinon, je n'arrivais pas à m'endormir. Je me lève.

— Je dois y aller.

— Mais tu viens juste d'arriver.

— Je sais. Mais il faut que j'y aille. Je ne faisais que passer.

Je suis content de le voir, donc je dois partir. C'est bizarre, comme des aimants qui s'attirent et se repoussent.

Il arrange un livre sur la table basse.

— Bon, c'est rassurant de voir que tu n'as pas tant changé que ça. « Au revoir. Je dois y aller. Tout est plus important que toi, Pighead. » Comme d'habitude.

Ce n'est pas difficile d'entendre qu'il est blessé. « Je dois y aller » est certainement la phrase qu'il a le plus souvent entendue dans ma bouche. Elle allait généralement de pair avec une explication tacite : *Parce que j'ai besoin de boire un verre*. Maintenant, c'est parce que j'ai besoin d'aller *parler* de ce verre. Comme si l'alcool se mettait toujours entre nous, même une fois qu'il a été écarté du chemin.

La salle est petite, guère plus spacieuse qu'une cuisine standard de banlieue, mais elle n'est pas peinte en jaune vif ni décorée de plantes grimpantes suspendues devant la fenêtre dans des corbeilles multicolores. Ce local, qui aurait pu être loué et devenir une boutique minuscule mais chic de Perry Street, est sombre et lugubre à cause de ce rideau, offert par quelque bienfaiteur, qui masque la vitrine et bloque la lumière. Il y a un pupitre contre le mur, et une chaise haute. Une cinquantaine de chaises pliantes – le siège de prédilection des alcooliques en voie de guérison – sont disposées en fer à cheval. Au plafond, un vieux ventilateur tourne paresseusement. Les murs décrépits sont couverts d'une épaisse couche de peinture beige qui doit dater d'une vingtaine d'années. Quand le beige était la couleur à la mode – le « nouveau blanc ».

— Ce qu'on voit ici, ce qu'on entend ici, ne doit pas en sortir, annonce le président de séance.

On a tamisé l'unique lumière du plafond, et la réunion a officiellement commencé. Le président se lance dans la lecture du préambule des AA, identique pour toutes les réunions de l'association, partout dans le monde. Exactement comme les Big Macs. Le préambule insiste sur l'objectif des AA – aider les gens à rester sobres – et explique comment il n'y a ici ni devoirs, ni droits d'entrée à acquitter, ni visées politiques. Il termine par quelques questions.

— Y a-t-il des nouveaux ?

Je lève la main.

Au centre de cure, nous avons eu droit à des exposés spécifiques concernant la façon de lever la main. « Dans les réunions, levez toujours la main pour partager. Portez-vous volontaires pour rendre service. Trouvez un parrain. Assistez à quatre-vingt-dix réunions en quatre-vingt-dix jours. Ne vous contentez pas de vous fondre dans le papier peint. » Chez les AA, on ne doit pas être du papier peint, mais une tapisserie multicolore.

— Je m'appelle Augusten, je suis un alcoolique et c'est ma première réunion ici.

Les gens applaudissent pour m'encourager. Je suis un phoque albinos qui vient de rattraper un ballon de plage sur le bout de son nez et l'a lancé dans un cerceau enflammé.

Le président lit ensuite une série d'annonces notées sur des bristols roses. Les Célibataires Sobres organisent une soirée dansante vendredi prochain à l'église Saint-Lutheran ; la permanence téléphonique du siège des AA cherche des volontaires supplémentaires ; quelqu'un voudrait-il adopter un chaton ?

J'aperçois un beau mec au fond de la salle, sur le côté. Avec ses yeux bleus incroyablement vifs et ses cheveux aux reflets argentés, c'est le portrait craché de Cal Ripken Junior. Tout d'un coup, je me sens comme un poisson dans l'eau. Je décide que cette réunion des AA que je vais fréquenter régulièrement pourrait bien devenir ma « famille ».

Sur le mur face au pupitre, un grand poster encadré dresse la liste des Douze Étapes des Alcooliques Anonymes. Mais les Douze Étapes sont trompeuses. Rien à voir avec l'assemblage d'une bibliothèque Ikea sur laquelle, la dernière étape terminée, vous rangez vos livres et qu'il ne vous reste plus qu'à épousseter une fois par semaine. Ici, quand vous en avez terminé avec la dernière étape, vous reprenez tout depuis le début.

— Est-ce que quelqu'un compte les jours ? demande le président.

Jusqu'au quatre-vingt-dixième jour d'abstinence, je suis censé compter. Je lève la main.

— Augusten… encore moi. Aujourd'hui, c'est mon trentième jour.

En plus des applaudissements, je récolte cette fois des sifflets, et quelques participants lancent : « Félicitations ! » Je passe les visages en revue. Des gens ordinaires. Des New-Yorkais ordinaires, ce qui signifie évidemment qu'ils sont tous tordus. Personne ne porte de couleur primaire ; la plupart des hommes ont des piercings aux sourcils et de longs favoris ; la majorité des femmes arborent des coupes de cheveux style banlieusardes années soixante-dix, mais c'est du second degré. À croire qu'ils se préparent à faire une apparition dans *Total Request Live* sur MTV. Mais je suis à New York, à une réunion des AA, dans le Village, sur Perry Street, quartier branché entre tous. Si la réunion se tenait à Tulsa, je verrais peut-être un ou deux sweat-shirts bas de gamme.

— Aujourd'hui, c'est Nan qui va prendre la parole. Accueillons-la chaleureusement.

Les gens applaudissent d'un air absent. J'ai une envie folle de cigarette.

Nan quitte sa chaise au premier rang pour gagner le pupitre. C'est une femme qui en jette, avec son physique osseux et ses cheveux gris étain. Le genre à servir des salades Cesar dans un saladier en teck fait main. Je parie qu'elle lit Joan Didion en édition reliée.

— Je suis un peu nerveuse, mais je vais y arriver. Je vais me lancer, sans réfléchir.

En cure, on appelait ça « penser à voix haute ». Quand le dépendant en vous vous souffle : « C'est onze heures du matin, allons fêter ça avec quelques gin-tonic ! », en la formulant à voix haute, vous chassez cette pensée de votre tête.

— Aujourd'hui, c'est mon quatre-vingt-dixième jour.

Tonnerre d'applaudissements. Et, à en juger par les vibrations qu'il propage dans la salle, on sent indéniablement une certaine excitation. Quatre-vingt-dix jours, pour un alcoolique, c'est un seuil significatif, qui implique qu'on est vraiment en voie de retrouver la raison.

Nan rougit et sourit, tout en détournant les yeux.

Nan « partage ». Elle a quarante-sept ans, elle a commencé à boire quand elle en avait seize.

— J'ai été renvoyée de l'équipe des *pom-pom girls* pour m'être présentée pompette à l'entraînement. Vous imaginez ?

Quelques personnes lâchent un petit rire et opinent. Un homme hoche vigoureusement la tête, comme si le supplice qu'on endure à être exclu d'une équipe de *pom-pom girls* n'avait aucun secret pour lui. Mais bon, n'oublions pas que nous sommes au West Village…

Nan a grandi à Greenwich, dans le Connecticut, puis elle est venue vivre à New York à l'âge de dix-huit ans. Elle a décroché un boulot dans un magazine de mode, où elle était l'assistante d'une journaliste célèbre et excentrique. Deux ans plus tard, elle est à son tour devenue rédactrice de mode.

— J'avais vingt ans, j'étais lancée, et je ne laissais rien ni personne se mettre en travers de ma route.

Moi non plus, me dis-je.

— Et la mode, comme vous le savez, c'est un univers barjot... C'est des fêtes, de l'alcool, des fêtes, de la coke, des fêtes, encore de l'alcool. Voilà quelle a été ma vie pendant vingt ans. Mais bon, c'était celle de tout le monde. Du moins le pensais-je. Je n'ai jamais eu de trou de mémoire, jamais rien fait d'inconsidéré. Jamais de drame, jamais d'absence au travail, rien.

Je remarque que le vernis rouge sur ses ongles est écaillé. Ça me plaît bien. Cela trahit quelque chose de ses priorités. En cure, j'ai appris que rester sobre doit être la priorité numéro un. Puis l'ombre d'un doute s'insinue dans mon esprit. Est-ce à dire qu'elle a du mal à garder la tête hors de l'eau ?

— Au bout d'un moment, je me suis aperçue que j'étais toujours la première à avoir un verre à la main, et toujours la dernière à quitter la fête. Je savais bien que je buvais trop. Il me semblait que ce n'était pas très grave puisqu'il ne m'était jamais rien arrivé. Et, vous savez... les années filent. J'ai continué comme ça jusqu'à trente ans, puis quarante. (Elle s'interrompt, boit une gorgée de la tasse Starbucks grand modèle posée devant elle.) Les gens disent pis que pendre de Starbucks, mais d'après moi, c'est le meilleur café qui soit.

L'assistance rit. Starbucks doit quelques tournées gratuites à tous les alcooliques d'Amérique.

— Starbucks est ma « puissance supérieure ».

Les rires redoublent. Nan s'éclaircit la voix, puis pose les deux bras sur le pupitre.

— Bon... L'an dernier, un matin, j'étais sous la douche et je pensais au pain que j'avais sur la planche – je ne sais plus, une réunion avec Michael Kors, un déjeuner avec une acheteuse de Bloomingdale... le train-train, quoi. (Elle passe son petit doigt sous l'œil.) Et brusquement, j'ai senti cette boule dans mon sein. (Sa voix se transforme en filet, comme si elle venait de franchir le seuil d'une église.) C'était une grosse boule. Un boulet.

Les pales du ventilateur continuent de tourner, indifférentes.

— Bon, me suis-je dit, ce n'est rien. Rien du tout. C'est sans doute un cal. Je me suis vraiment dit ça. Vous imaginez ? Un cal sur mon sein ! Je veux dire, ma vie sexuelle n'était pas si débridée que ça.

Cette fois, les gens rient ouvertement, reconnaissants qu'elle ait relâché la pression.

— Mais même mes pouvoirs de déni ne sont pas assez puissants, et je me suis peu à peu souvenue que ma mère était morte d'un cancer du sein, comme ma grand-mère…

Nan se met à pleurer, perd pied. Elle se couvre le visage de ses mains et je vois sa tête secouée par les sanglots. Mais tout aussi vite, elle se reprend et se tamponne les yeux avec un mouchoir en papier apparu dans son poing comme par magie.

— Excusez-moi. Bref, aujourd'hui, je *sais*. Je suis allée chez mon médecin, qui m'a envoyée chez un spécialiste. On a fait une biopsie et, surprise, c'est un cancer du sein. J'ai fait d'autres tests, j'ai consulté d'autres médecins, et j'ai appris d'autres mauvaises nouvelles. Le cancer n'est pas limité à un sein, mais il touche les deux – ainsi que le foie, l'estomac, les poumons et le système lymphatique.

Elle lâche un énorme soupir. Un beeper se fait entendre dans la salle.

— Vous voyez, c'est exactement ça, dit Nan avec sarcasme. Un jour, votre beeper s'éteint, et vous ne pouvez rien y faire. Votre temps est écoulé.

Les gens rigolent comme si c'était la vanne la plus drôle au monde. L'alcoolique rongée par un cancer généralisé en phase terminale est capable de plaisanter sur sa propre mort grâce aux AA, et cela nous décharge de toute responsabilité. Nan sait combien nous haïssons les sentiments, nous autres, ses camarades alcooliques. J'adore Nan.

— Quand le toubib m'a dit qu'il me restait peut-être quatre mois à vivre, ma première impulsion a été : Je me vais me péter la gueule au Old Town Pub. Mais ensuite, je me suis dit : Non, je ne vais pas mourir en pocharde. Je vais essayer de vivre du mieux que je peux, c'est-à-dire en étant sobre. Voyez-vous, j'avais beau me répéter qu'il ne m'était jamais arrivé de pépin pendant toutes ces années où j'avais bu, je me trompais. Le temps a passé. Beaucoup de temps. Dans les bars, dans des fêtes, en compagnie de gens dont je me fichais pas mal. Tout tournait autour de l'alcool. En fait, il m'est arrivé un truc vraiment affreux : je suis passée à côté de ce qu'on appelle « la vie ». Et maintenant, je veux profiter du peu qu'il m'en reste.

Je la trouve spectaculaire. Je me trouve pathétique et superficiel. À sa place, je serais à l'Old Town en ce moment même, j'en suis absolument certain, tellement soûl que je ne saurais même pas que j'y suis.

— Mais aujourd'hui, c'est mon quatre-vingt-dixième jour. Demain peut-être, j'en serai à mon quatre-vingt-onzième, et après-demain, peut-être à mon quatre-vingt-douzième, je ne sais pas. Je suis déjà en sursis. Mais vous savez quoi ? Je suis sobre aujourd'hui, et je préfère ce jour, ce seul jour de sobriété, à des tas de jours d'ivresse.

La salle applaudit. On applaudit à tout bout de champ chez les AA. C'est notre façon de payer des tournées.

Elle sourit, l'œil brillant. Une fois qu'elle a terminé, les gens lèvent la main et elle leur laisse la parole.

— Nan, dit quelqu'un, ton histoire me fait apprécier mon abstinence. J'en suis à mon quinzième jour – « À chaque jour suffit sa peine » – et, comment dire ?... je te trouve drôlement courageuse.

Nan sourit et donne la parole à quelqu'un d'autre : moi.

— Salut Nan, je sors tout juste de cure et c'est très étrange. C'est comme si j'étais... euh... (Impossible de trouver mes mots : à peine ai-je ouvert la bouche pour dire ce que je pensais qu'ils se sont envolés.) Enfin, tu sais bien. J'ai les nerfs à vif, j'imagine, et je me sens comme ouvert de partout. En t'écoutant, je réfléchissais. À ta place, je serais déjà ivre. Je n'ai ni ton courage ni ton amour de la vie – c'est ça que je veux dire, je suppose. Bon, je suis content d'être sobre. Mais je ne sais pas si je pourrais trouver la force de continuer s'il m'arrivait un sale coup.

— Tu as dit que tu en étais à combien de jours ? demande-t-elle.

— Trente.

— Félicitations. C'est vachement bien. Je peux te dire qu'à mon trentième jour, j'étais une loque. Au soixantième, je me sentais mieux. Et aujourd'hui, j'ai vraiment une sensation de sobriété. Je préfère mille fois être ici, à Perry Street, plutôt que dehors. (D'un mouvement de tête, elle désigne l'extérieur.) Il y a un mois de ça, si j'avais entendu mon histoire, je me serais sentie dans le même état que toi. Continue à venir.

Je veux tout ce qu'elle a, en bloc. En regardant les visages autour de moi, je remarque pas mal de sérénité. Ces gens-là n'ont pas l'air vidés. Ils n'ont pas l'air désespérés. Je ne vois personne trembler.

Nous joignons les mains et chantons la prière de sérénité de Sinéad O'Connor avant d'entonner : « Continue à venir, ça marche si tu t'y tiens, alors fais-le, tu le mérites bien. »

Mon sentiment, à la fin de cette réunion, c'est que les AA sont absolument étonnants. De parfaits étrangers se rassemblent dans des salles à n'importe quelle heure du jour et racontent des trucs incroyablement personnels, intimes. C'est le genre de familiarité qu'on n'atteint qu'au bout de quelques mois dans une relation amoureuse. Mais ici, les gens se confient d'emblée, devant tout le monde. C'est comme une histoire d'amour débarrassée de la phase de cour. Je me sens en sécurité, dans un cocon. J'ai l'impression d'avoir un refuge secret où je peux aller raconter tout ce que je veux, tout ce que je ressens, en sachant que ça ne posera pas de problème. Et tout ça grâce à mon alcoolisme. C'est un sentiment vraiment étrange. Ça me fait penser à ce que mon amie Suzanne dit de l'accouchement – que ça écale l'âme.

De retour dans mon appartement nettoyé de frais, je m'assieds sur le canapé. Je suis encore déstabilisé par le bordel que j'y ai trouvé en rentrant ce matin. J'ai eu l'impression d'être revenu en marche arrière dans mon ancienne existence. Comment ai-je pu vivre ainsi ? Comment ai-je pu ne pas le voir ? Le problème, pour commencer, c'est que je suis flemmard. Alors quand on combine l'alcool et la fainéantise, le résultat, au final, choquerait n'importe quel clodo héroïnomane qui se respecte.

Le lendemain, je vais à la gym. Cela fait plus d'un mois que je ne me suis pas entraîné, et ça me déprime de voir que, au lieu de pouvoir soulever des poids de vingt-deux kilos, je peine avec ceux de dix. Cela ne devrait pas m'atteindre. Je suis sobre, voilà ce qui devrait compter à mes yeux. Mais constater que mes muscles ont fondu me déprime et me donne envie de boire. Je gagne un truc et j'en perds un autre. *Tu vas la boucler, connard ?* me dis-je. *Concentre-toi sur tes priorités.*

Tandis que je travaille mes triceps, écarlate, sur le point de péter une artère, un beau mec qui exécute des séries d'accroupissements me sourit et hoche la tête. Immédiatement, je regarde ailleurs. Je me sens comme une marchandise amochée. J'ai beau m'exhiber en public, comme une personne normale, ma réinsertion dans la société reste encore à faire. J'imagine à quoi pourrait ressembler notre conversation devant un café :

L'Homme Accroupi : Alors, parle-moi de toi.

Moi : Eh bien, je sors d'une cure de désintoxication. Et je suis allé à ma première réunion des AA. Je vais devoir assister à ce genre de truc jusqu'à la fin de mes jours.

L'Homme Accroupi : Hé, c'est génial, mec. C'est une bonne chose. Bon, écoute, faut que je file. C'était sympa de bavarder avec toi. Bonne chance. *Ciao.*

Comme le zirconium, je n'ai que l'apparence du diamant. Je suis un imposteur. En fait, je ne suis qu'un alcoolique parmi tant d'autres. L'Homme Accroupi peut probablement entrer dans un bar, boire deux verres et rentrer chez lui. Il peut peut-être même se laisser entraîner à en boire un troisième, le vendredi soir. Le lendemain matin, il aura un peu mal aux cheveux. Moi, il faudrait m'arracher à mon treizième verre un lundi soir, et le lendemain, je me réveillerais sans l'ombre d'une gueule de bois, seulement un peu abruti. Il m'aura fallu trente jours d'abstinence pour savoir qu'en fait c'était ça, la gueule de bois – une gueule de bois aussi confortable qu'un vieux jean ou un pull qu'on adore malgré toutes ses peluches –, pour m'être réveillé un matin sans la ressentir.

Je descends aux vestiaires. Sous la douche, je pense à ma situation d'alcoolique qui n'a pas le droit de boire. Je trouve ça injuste. Aussi injuste que d'enfermer un chihuahua dans une cage à hamster.

C'est aujourd'hui que je retourne travailler. L'angoisse absolue. Je fais en sorte d'arriver à l'agence à neuf heures. À dix heures et quart, Greer frappe à ma porte, pourtant ouverte.

— Toc, toc, fait-elle doucement, un sourire aux lèvres.

J'ai l'impression d'être transporté dans un spot pour protections périodiques et qu'elle va me demander discrètement : « Kelly ? Ça t'arrive de te sentir… pas toujours très fraîche ? »

— Salut, dis-je en me levant.

Greer arbore un sourire – à défaut de sourire vraiment. Elle écarte les bras en un arc immense.

— Viens que je te serre dans mes bras.

L'accolade : voilà qui n'est pas dans nos habitudes, même si nous travaillons ensemble depuis des années. J'ai été élevé par un père alcoolique, incapable d'affection et rongé par la colère, et par une mère narcissique et maniaco-dépressive, ce qui explique que je ne donne jamais d'accolades. Greer, elle, vient d'une bonne famille du Connecticut, des WASP grand teint. Ils avaient des bluetick coonhounds et passaient leurs vacances en Suisse, ce qui explique pourquoi Greer, elle non plus, n'a pas cette habitude.

Nous nous étreignons avec raideur.

— Tu as une mine splendide. Tu es tellement mince ! Tellement en forme ! Méconnaissable.

Greer me contemple avec un sourire rayonnant. Quand elle sourit comme ça, la peau sur l'arête de son nez se plisse bizarrement, à cause des deux cicatrices discrètes que lui a laissées son opération. (« Je ne me suis pas fait refaire le nez, j'ai subi une rhinoplastie pour des raisons médicales. »)

Nous nous asseyons, moi à mon bureau et elle sur la chaise à côté. Elle croise les jambes, ajuste le bracelet en or sur son poignet.

— Alors…, souffle-t-elle. Raconte-moi tout. Tu as rencontré des gens célèbres ? ajoute-t-elle avec un sourire de chroniqueuse mondaine.

— Non, juste Robert Downey Junior. Il était là-bas lui aussi.

Greer décroise précipitamment les jambes et bascule vers moi en se frappant les cuisses.

— Ô mon Dieu, tu plaisantes ! s'écrie-t-elle. Robert Downey Junior ? Tu sais que ça ne m'étonne pas ! La semaine dernière, justement, je lisais dans *People*…

Elle se lance dans son histoire. J'attends qu'elle comprenne que c'était une vanne. Ça prend un certain temps puis elle s'appuie au dossier de sa chaise et recroise les jambes.

— Oh, j'aurais dû m'en douter. Je suis trop crédule. Idiote. (Elle se frappe la tempe de la paume de la main, en veillant à ne pas se décoiffer.) Bon, alors, c'était comment… en vrai ?

Vais-je lui parler de la fille que sa petite amie devait taillader au rasoir ? Ou du rituel avec les animaux en peluche ? Peut-être devrais-je lui expliquer les mécanismes de rechute ? Lui dire : *Je suis transformé, je le vois bien, j'ai enfin compris ?* Je me sens tout à la fois plein de perspicacité et de sagesse, et pourtant incapable de lui expliquer tout ça. À elle ou à n'importe qui d'autre. Un peu comme on dit, à quelqu'un qui débarque alors qu'on raconte une blague vraiment nulle : « T'avais qu'à être là. »

— Franchement, Greer, c'était génial. Vraiment. (Je me gratte le coude – un geste très certainement doté d'une signification précise pour les experts en langage corporel.) Je n'ai pas l'énergie de te raconter tous les détails maintenant. C'était trop intense, et complexe, mais…

— Je comprends, je comprends tout à fait, me coupe-t-elle. Ne t'en sens pas obligé. (Elle sourit et hausse un seul sourcil – le droit.) Tu veux savoir ce qui se passe ici ? demande-t-elle, incapable de masquer son enthousiasme.

Je suis quelque peu déçu qu'elle n'insiste pas davantage. Ça ne m'aurait pas déplu de la débecqueter avec quelques anecdotes sur Kavi.

— Bien sûr. Il doit y avoir des tonnes de travail.

Elle sourit.

— Tu vas être superexcité. On pitche le budget Wirksam. La bière allemande, tu imagines ? Bon, je sais que ce n'est pas Beck, mais c'est tout de même génial !

Son visage s'éclaire – mille six cents dollars de blanchiment de dents au laser qui étincellent.

— La bière Wirksam ? je dis. Mmmm…

D'après ma petite liste qui recense les émotions, je me sens inquiet et soucieux, mais également plein d'espoir et excité. Peut-être aussi un peu affolé, bien que je ne me rappelle pas de visage correspondant à cette dernière émotion.

— Quoi ? ? ! ! Tu n'as pas l'air très… (elle cherche le terme qui se dérobe)… enthousiaste.

— Mais si. Simplement, Wirksam, c'est de la bière, et la bière, c'est de l'alcool et… Je sors d'une cure de désintoxication.

Je vois apparaître son expression à la Edith Bunker[1] Elle a pigé.

— Ohhhhh, lâche-t-elle. (Puis un déclic se fait dans sa tête.) Oui, mais la bière, ce n'est pas de l'alcool. C'est juste… de la bière. J'ai raison, non ?

Elle a le sourire coupable de quelqu'un qui vient de larguer dans un refuge son basenji pure race parce qu'il a mâchonné le dessus-de-lit – innocent sans avoir le droit de l'être.

— Non, Greer. La bière, c'est de l'alcool. Ça compte.

Ce coup-ci, elle fait la tête de la fille qui vient de flinguer ses parents par erreur.

— Je suis désolée ! Oui, oui, évidemment. Ô mon Dieu, je n'avais vraiment pas vu les choses sous cet angle.

D'un signe je balaie l'incident.

— C'est bon. Je ne dis pas que ça va poser un problème, juste que je dois être prudent.

— Oui, on sera prudents. Très prudents, promet-elle.

Jamais je ne lui ai vu un air aussi bizarre. La veine sur sa tempe semble pulser. Et j'ai l'impression de la voir marcher sur des œufs. Comme dans un de ces navets des années soixante-dix traitant des problèmes interraciaux, où personne ne mentionne jamais que le

1. Héroïne d'un feuilleton des années soixante-dix, *All in the Family.*

petit copain de la fille blanche est noir, mais où tout le monde ne pense qu'à ça. Et puis, dans une phrase, quelqu'un lâche le mot « pastèque » et tout le monde en a le souffle coupé. Cela donne une idée de l'état dans lequel je suis.

— Je vais chercher un caffè latte, tu en veux un ? demande-t-elle avec nervosité. Allez, je t'en rapporte un. Un déca, ajoute-t-elle sans attendre ma réponse.

C'est mon premier jour à l'agence et déjà, je dois gérer un truc de picole. Pondre une campagne sur de la bière n'est pas en boire, mais c'est très certainement la glorifier. Je vois d'ici la bouteille verte posée sur le fond blanc et éclairée par-derrière, entourée de réflecteurs pour magnifier les perles d'humidité. Malheureusement, nul besoin d'un grand effort d'imagination pour me voir ensuite lécher la capsule, boire la bière éventée, proposer la botte à l'assistant du photographe et être viré pour m'être cassé la figure sur le Hasselblad.

Je vais devoir être prudent. Plus que prudent. Je vais devoir me comporter comme si je me trouvais dans une zone à haut risque, en train de travailler sur le virus Ebola.

Peu après dix-sept heures, je décide que ça suffit pour un premier jour et je rentre en taxi. Dans une agence de pub, déserter son poste à dix-sept heures équivaut à terminer sa journée de travail à onze heures du matin dans des boulots normaux, alors je me sens un peu coupable, comme si je me laissais aller. Mais tout au long du trajet, je remarque combien les couleurs des enseignes sont plus vives, les immeubles plus imposants. Et quand le taxi cahote sur un énorme nid-de-poule, il me semble rester en suspens un peu plus longtemps.

Je suis en pleine possession d'un nouveau truc vraiment cool : ma sobriété.

Et c'est totalement euphorisant.

Le taxi fonce sur la Deuxième Avenue, tous les feux sont au vert. J'en aperçois un devant nous qui passe à l'orange et je me dis que nous n'allons pas réussir à nous faufiler, mais si, nous réussissons, juste à temps. Et je sens une décharge d'adrénaline, car avoir eu tous les feux verts me semble de bon augure, et en louper maintenant serait comme un mauvais sort, un manque de pot. J'ai survécu à ma journée de travail, je vais aller à une réunion des AA ce soir et je ne bois pas. Je n'ai même pas envie de boire. Tout va pour le mieux.

De surcroît, je n'ai même pas l'impression de tomber dans le panneau de l'autopersuasion – éternel risque du métier en ce qui me concerne.

— Augusten ? s'enquiert la femme en robe à fleurs et Reebok en me tendant la main. Je m'appelle Wendy.

C'est quoi, cet engouement des thérapeutes pour les imprimés à fleurs ?

Je me lève de la chaise où j'étais installé, dans le bureau d'accueil de HealingHorizons. Wendy a la poignée de main molle. Elle glisse sa main dans la mienne comme si elle me tendait un bébé truite qu'elle venait d'attraper et dont elle ne saurait quoi faire. Son père voulait un garçon, me dis-je. *Du coup, il ne s'est pas soucié de lui apprendre à donner une poignée de main digne de ce nom.*

— Bonjour, Wendy. Enchanté.

— Suivez-moi.

Elle sent l'après-shampooing. Elle embaume le parfum des fleurs de sa robe. Je me demande si ce n'est pas destiné à cacher autre chose. Mais bon, les alcooliques sont soupçonneux.

Une fois dans le bureau, elle s'assied et me désigne la chaise en face d'elle. Sur le mur devant moi, un poster encadré demande : VOUS VOULEZ BIEN LÂCHER LA BRIDE À VOTRE VOLONTÉ ? Elle a aussi une grande bibliothèque remplie de divers manuels : *Gérer la codépendance,*

Les Douze Étapes une par une, Quand les enfants des alcooliques ne sont plus des enfants, Si vous voulez avoir ce que nous avons. Nous consacrons les cinquante minutes qui suivent à établir mon « programme ». Thérapie de groupe le mardi et le jeudi, thérapie individuelle chaque lundi. Je signe un formulaire de consentement qui stipule que je ne nouerai aucune relation sentimentale avec un membre du groupe de thérapie, que je ne me présenterai pas aux séances en état d'ébriété et qu'en cas d'empêchement de ma part, je préviendrai au moins vingt-quatre heures à l'avance.

— Alors, comment vous sentez-vous, à vous réinstaller dans votre vie ?

Je souris largement. Mon nouveau moi est ouvert et expressif.

— Hésitant, mais plein d'espoir. Vraiment plein d'espoir.

J'ai appris à énumérer systématiquement plusieurs émotions quand on m'interroge. C'est plus crédible.

— C'est bien, dit-elle d'un ton rassurant. Il est normal d'avoir des sentiments mitigés. Et je suis contente que vous admettiez vous sentir hésitant.

Elle me sourit et il y a un long silence. Mes mains commencent à devenir moites. Je ne sais pas trop pourquoi. Peut-être parce que je me dis que je devrais lui répondre quelque chose. Mais je me dis aussi que pour les thérapeutes, le silence est normal. Donc, en fait, je ne suis pas vraiment silencieux, mais manipulateur. Encore une spécialité d'alcoolique.

— Comment avez-vous trouvé votre expérience au Proud Institute ? demande-t-elle.

Wendy est la première personne qui prononce le nom du Centre depuis mon retour.

— Très intense. Au début, je voulais m'en aller. Ma première impression n'a pas été très bonne.

— Mais vous avez révisé votre opinion ?

Je hoche la tête.

— Oui, c'est le moins qu'on puisse dire. Jamais je ne me serais attendu à autant d'intensité. C'était un déferlement d'émotions la moitié de la journée. Et un déferlement de faits l'autre moitié. Un peu comme la confrontation entre le *Jerry Springer Show* et une fac de médecine. Je ne dis pas que j'ai eu de grandes épiphanies, mais plutôt une succession de petites révélations sur un mode graduel. Cela dit, j'ai pleinement pris conscience que j'étais alcoolique, donc je pense que la révélation essentielle a eu lieu.

— J'ai entendu bien des gens dire ça.

Cette remarque me donne envie de lui demander si elle n'est pas elle-même alcoolique. Si le fait d'avoir « entendu » n'implique pas qu'elle en a eu une expérience directe. Je ne veux pas d'une thérapeute qui n'a qu'une connaissance livresque du problème. J'en veux une qui ait perdu une jambe dans la bataille, qui sache de quoi elle parle. Ça ne semble nullement une exigence exorbitante. Après tout, toutes les femmes que je connais consultent *une* gynécologue. Elles ne veulent pas d'un mec pour leur trifouiller le bas-ventre.

— Qu'est-ce qui vous a amenée à vous intéresser au suivi des dépendances chimiques ? je demande, comme si je lui faisais passer un entretien d'embauche.

— Qu'est-ce qui vous amène à poser cette question ? me répond-elle.

— Je me doute bien que ça ne me regarde pas, mais je me demandais si vous aviez une expérience personnelle de la dépendance.

— Cela ferait-il une différence pour votre programme ?

Je me sens piégé. Si je réponds : *Oui, ma santé mentale pourrait dépendre du fait que vous soyez ou non une alcoolique repentie*, j'abdique toute responsabilité vis-à-vis de ma santé mentale. Si je dis : *Non, ça ne change rien*, elle va se demander pourquoi j'ai posé la question. Alors je lui donne une réponse de rédacteur publicitaire : ambiguë.

— C'était juste une idée qui me passait par la tête. Tout ce truc d'« émotions » est nouveau pour moi, alors je m'efforce de dire exactement tout ce qui me passe par la tête. Vrai ou faux, bien ou mal, pertinent ou non.

Je hausse les épaules en souriant.

— C'est une excellente idée. Ne pas censurer vos pensées est précisément ce que vous devez faire. Avez-vous déjà assisté à une réunion des AA ? ajoute-t-elle.

Je dois me montrer plus prudent quand je parle, me dis-je.

En rentrant chez moi, je ne me sens plus sûr de rien. J'ai envie de disparaître, c'est tout. J'ai l'impression d'être débranché, ou en mode « pause ». Je ne tiens pas en place, mais n'ai pas d'énergie pour autant. Suis-je déprimé ? Je repense à ma petite liste qui recense les émotions. Je décide que je suis à la limite de la panique mais que j'éprouve également un sentiment de nostalgie, mâtiné de quelque chose d'autre. Je me sens seul. Et soudain, je pige.

L'alcool me manque.

Comme s'il s'agissait d'une personne. J'ai l'impression d'avoir été abandonné. Ou plutôt d'avoir mis un terme à une relation sentimentale violente, abusive, et de vouloir maintenant faire machine arrière parce que, rétrospectivement, elle n'était finalement ni si violente, ni si abusive. On m'a prévenu, en cure, que cela arrivait. Que, sans crier gare, l'humeur basculait. On m'a prévenu également que ce serait comme gérer un deuil familial.

Je mets la chaîne 18, Discovery. Des zèbres. Le commentateur explique : « … la vulve de la femelle zèbre palpite pour attirer un mâle. » Ah, ça, pour palpiter…

Ensuite, le mâle monte la femelle, et je me demande alors pourquoi on dit « monté comme un âne », alors que « monté comme un zèbre » serait plus approprié – son pénis est aussi long que la moitié de son corps.

Les zèbres copulent, et une pensée me traverse l'esprit : maintenant que je suis sobre, me voilà condamné à la pornographie animale.

Déprimé, j'éteins la télé et je vais me coucher. Toute la nuit, je rêve de zèbres – de vulves de zèbres qui palpitent et de pénis de zèbres qui oscillent.

Quand je me réveille, je me sens soulagé de ne plus rêver, et légèrement euphorique, aussi, lorsque je réalise que je n'ai pas la gueule de bois. C'est l'un des effets secondaires les plus agréables de la sobriété.

À l'agence, je m'efforce toute la journée de vivre au présent. Je laisse désormais passer tout ce qui m'agaçait auparavant. J'apprends à accepter. Je retourne les coups de fil. Quand on me demande de pondre un texte pour la pub de quelqu'un d'autre, je réponds : « Pas de problème » – et non pas : « Foutez le camp de mon bureau. »

À l'heure du déjeuner, Greer et moi descendons acheter des salades chez un traiteur. J'en commande une à base d'épinards, de brocolis crus, de bâtonnets de courgettes aussi minces que des allumettes, agrémentée d'une petite cuillerée de cottage cheese allégé. Je me nourris comme une fille, pour essayer d'accélérer la fonte de ma bedaine d'alcoolique. C'est impressionnant de voir à quelle vitesse je suis arrivé à en perdre le plus gros. Maintenant, il reste surtout de la peau. Le bide à proprement parler a quasiment fondu. Je fais une centaine d'abdos par jour, et je fréquente une salle de sport quatre fois par semaine, le minimum syndical pour un type qui vit à Manhattan et qui aime les mecs. Quand on est gay, qu'on vit à New York et qu'on ne fréquente pas de salle de sport, ils finissent un jour ou l'autre par vous tomber dessus : les Gym Rats de Chelsea débarquent en débardeurs Raymond Dragon et vous entraînent par la peau du cul à l'arrière d'une Ykon. Quand vous reprenez conscience, vous êtes dans un box des toilettes du Red Lobster de Paramus, pieds et poings liés, avec une pancarte autour du cou qui proclame : NE ME RAMENEZ PAS À MANHATTAN AVANT QUE J'AIE DES PECS.

Greer me regarde avec dédain quand elle voit en quoi consiste mon déjeuner. Elle a aussi pris une salade, mais sur la sienne, il y a des tortillons de bacon frit et de la sauce au bleu.

— Comment peux-tu te priver de la sorte ?

Elle aimerait bien pouvoir en faire autant. Greer est une très grande fille mince comme un fil. Elle n'a aucun problème de ligne, mais s'inquiète tout de même. C'est obsessionnel.

— C'est simple. Si je ne peux pas boire d'alcool, me priver du reste, c'est du gâteau.

J'apprends à apprécier les différences entre les diverses marques d'eau minérale. Évian a un goût trop douceâtre. Celui de Volvic est vif, mordant. Celui de Poland Spring n'est pas mal non plus, mais Deer Park a un goût de plastique.

Nous remontons à l'agence avec nos salades, que nous mangeons dans le bureau de Greer.

— J'ai déjà remarqué des changements chez toi, alors que tu n'es pas de retour depuis longtemps, remarque-t-elle.

— Quoi par exemple ? je demande en enfournant à un rythme soutenu des fourchetées d'épinards.

— Tu es moins coléreux, par exemple.

Elle pique un gros tortillon de bacon, qu'elle enroule autour d'un morceau de bleu.

— Je me sens transformé… sur bien des plans, dis-je. Je me rends compte qu'il s'agit de me détacher de certaines choses, et non pas de m'attacher à de nouvelles.

Je suis le premier surpris. Je ne m'étais pas vraiment attendu à prendre conscience de quoi que ce soit, ni à changer de façon significative. Quelque chose a fait son chemin en moi à mon insu.

— Que veux-tu dire par là ? demande Greer.

Parce qu'elle me pose des questions, je me sens presque dans la peau d'un ministre du culte – comme s'il me fallait prêcher et convertir.

— Eh bien, j'ai l'impression d'avoir, en me débarrassant de l'alcool, perdu ce truc qui occupait une si grande partie de ma vie et m'a causé bien trop de problèmes, directement et indirectement. Tu sais, c'est l'histoire du papillon.

— Quel papillon ?

— Quand un papillon bat des ailes en Amazonie, le mouvement disperse dans l'air des particules de pollen qui, quelque part sur la planète, font éternuer un sanglier, ce qui provoque une brise, etc., et au final, ça affecte la circulation à L.A., ou autre chose dans ce genre. J'ai oublié comment ça fonctionne précisément.

— Ah ouais, il y avait une pub Honda là-dessus il y a quelques années.

Sa Greer-itude me fait lever les yeux au ciel.

— J'ai l'impression d'être moins encombré, et donc d'être... comment dire ?... capable de mieux accepter les choses, sans devoir me battre contre elles. On ne lutte pas contre le courant, on se laisse porter.

— Dis donc, tu parais vraiment transformé. (Elle se tamponne le coin des lèvres avec la serviette en papier, avant de l'examiner.) En parlant de forêt tropicale et d'arbres, pauvre serviette !

Tandis que nous achevons notre déjeuner, je sens cette petite flamme qui brûle en moi. Une flamme de fierté, parce que, même si c'est très récent, je me sens bel et bien transformé. Le terme technique est Flotter sur un Nuage Rose. Il paraît que le seul problème des Nuages Roses, c'est qu'on finit par en dégringoler un jour.

En quittant l'agence, je file directement chez HealingHorizons pour participer à mon premier Groupe. Pendant les quinze premières minutes, c'est exactement pareil que la cure de désintox. Comme je suis nouveau, on passe en revue les règles du Groupe, que je connais déjà toutes : ne pas couper la parole, ne pas tendre de mouchoir en papier si quelqu'un se met à pleurer, s'exprimer à la première personne. Nous faisons un tour de salle en nous présentant, chacun dit deux mots sur sa vie et précise depuis combien de temps il est sobre. Mais au bout d'un quart d'heure, la porte s'ouvre à la volée, ce type entre et rien n'est plus pareil.

La première chose que je remarque – et qui sauterait aux yeux de n'importe qui –, c'est que le nouveau venu est, comme on dirait dans un magazine, *d'une beauté dévastatrice*. Il a tout pour lui : des cheveux noir de jais, des yeux bleus de husky, un nez qui ne manque pas de caractère, un menton volontaire, des fossettes. Pourtant, il est un peu brut aux entournures : une barbe de cinq ou six heures ombre ses joues, il a les cheveux en bataille et ses vêtements sont froissés. Mais ce débraillé semble concocté par un styliste à mille cinq cents dollars la journée. Il s'excuse pour son retard et va prendre place sur une chaise libre près de la fenêtre. Sa voix grave et chaude a l'accent du Sud.

— J'ai eu une journée horrible, commence-t-il en réquisitionnant l'attention de la salle.

Mais personne ne semble y trouver à redire. En fait, tout le monde le regarde, ensorcelé. Moi y compris. Régulièrement, à quelques secondes d'intervalle, il cligne des yeux – un tic. J'ai exactement le même. C'est vraiment incroyable.

Il s'appelle Foster. Il a trente-trois ans, est accro au crack et alcoolique, et, comme il n'a pas besoin d'argent, il a bien trop de temps libre dont il ne sait que faire. Ce pourquoi d'ailleurs il a pris un petit boulot. Il vit avec un alcoolique qui le brutalise, un Londonien en séjour irrégulier qui s'appelle Kyle. Et d'après ce que je comprends, Foster essaie de chasser ce Kyle de chez lui.

— J'ai failli consommer, hier soir, dit-il. En sortant du boulot à deux heures du matin, j'étais mort de trouille à l'idée de rentrer à la maison et de le retrouver. Alors je suis allé sur la Huitième Avenue pour chercher du crack. Je ne me contrôlais plus, j'allais vraiment le faire. Mais là, ce tapin que je connais, le type à qui j'allais acheter, s'est fait arrêter sous mes yeux, juste au moment où j'allais l'aborder. (Foster expire et renverse la tête. Je regarde sa pomme d'Adam et l'ombre brune des poils naissant sur son cou.) Ça m'a vraiment foutu un coup.

Il se passe les doigts dans les cheveux. Il ne semble pas regarder qui que ce soit dans la salle, ni établir le moindre contact visuel. Il se dandine juste sur son siège, incapable de tenir en place. Il est dans sa bulle.

L'animateur du groupe, Wayne, demande à la cantonade :

— Quelqu'un voudrait-il réagir aux propos de Foster ?

— Je suis content que tu n'aies pas consommé, Foster, déclare un homme d'un certain âge à ma gauche. Vraiment content.

Foster articule un « Merci » silencieux et s'avachit encore un peu plus sur sa chaise. Les participants gardent le silence. L'observent. Les gens beaux sont toujours intéressants à regarder, mais un type beau et en crise, c'est carrément captivant.

— Vous savez, reprend Foster avec une intensité qui frôle la démence, tout ce que je veux, c'est partir en Floride, faire du kayak dans les Keys, adopter un labrador noir, faire pousser des tomates, avoir une vie. Je ne veux pas de tout ce délire, de toute cette folie. J'en ai vraiment marre. Je suis fatigué, ajoute-t-il en assenant un coup de poing sur sa cuisse.

Il lance des regards aigus dans la pièce. Il regarde d'un côté, de l'autre, il me regarde, regarde quelqu'un d'autre, puis, comme s'il dérapait, son regard revient se poser sur moi. Il me dévisage pendant ce qui me paraît un très, très long moment, et là, je me dis : *J'ai une crotte de nez, ou quoi ?*

— Salut, désolé d'être arrivé en retard. Comment tu t'appelles ? me demande-t-il.

Il se lève, vient vers moi, main tendue. Discrètement, j'essuie la mienne sur mon jean avant de la lui présenter.

— Augusten.

J'ai le cœur qui bat à tout rompre. Il est super excitant.

— Augusten. Augusten, quel nom intéressant ! Ça t'ennuie, si je t'appelle Auggie ?

— Pas du tout, dis-je en réprimant un sourire de ravissement à l'idée que cet homme vient de m'attribuer un charmant diminutif.

— Génial, fait-il en me rendant mon sourire. Bienvenue dans le Groupe.

Il va se rasseoir et la séance continue. Tout au long de l'heure et demie qui suit, je suis conscient qu'il ne me quitte pas des yeux.

La séance terminée, tout le monde s'entasse dans le même ascenseur et personne ne desserre les dents. C'est un phénomène étrange, particulier aux ascenseurs, comme s'ils avaient le pouvoir de vous réduire au silence. Je sors d'une séance de thérapie de groupe où les gens révèlent à de parfaits étrangers les détails les plus intimes de leur vie, et pourtant, dans l'ascenseur, personne n'arrive à se dire un mot.

Une fois sur le trottoir, les gens échangent des « Au revoir » et des « À bientôt » avant de s'éloigner dans des directions différentes.

Je prends à gauche vers Park Avenue et je sens Foster à quelques pas derrière moi. *Parle-moi, parle-moi, parle-moi*, je lui commande par télépathie.

Mais ça ne marche pas. Une fois sur Park Avenue, il remonte vers le nord, et moi je me dirige vers le sud.

Je parcours à pied les dix blocs qui me séparent de chez moi en pensant au Groupe, et plus particulièrement à ce Foster. La perspective de la prochaine séance, jeudi, m'excite soudain – à cause de lui.

Je file directement à la réunion des AA de Perry Street. L'orateur de ce soir évoque le fait que les gens en voie de guérison attendent toujours des miracles spectaculaires. Nous voulons que le verre d'eau se mette à léviter comme par magie au-dessus de la table. Nous passons outre le fait qu'il y a, pour commencer, un verre. Compte tenu des lois qui régissent notre univers, le vrai miracle n'est-il pas justement que le verre ne se mette pas à flotter, avant de s'éloigner ?

L'INVASION BRITANNIQUE

Hayden appelle du centre de désintox, en PCV.

— Je sors demain, m'annonce-t-il.

Sitôt que je l'entends, je me rends compte à quel point son accent anglais m'a manqué.

— C'est vrai ? Que vas-tu faire ? Où vas-tu aller ?

Silence. Et puis :

— Eh bien, je n'ai aucun point de chute, à moins de rentrer à Londres, mais je ne suis pas prêt à ça. Alors je me demandais... si tu ne pouvais pas m'héberger, juste un petit moment, le temps que...

— Oui, j'adorerai, je l'interromps, incapable de contenir mon excitation.

— C'est vrai ?

— Viens tout de suite. Ce sera comme une minicure de désintox.

Il arrivera demain soir, à vingt heures. Une fois que j'ai raccroché, j'arpente mon studio avec un sourire de dément. Mon appartement est minuscule, mais pas plus petit que les chambres du centre où nous rentrions à trois. Hayden pourra dormir sur le canapé, comme un animal domestique.

Il pourra dormir en chien de fusil avec l'animal en peluche que je vais lui acheter.

Le lendemain, à l'agence, on nous informe que nous sommes finalistes dans la consultation pour le budget de la bière Wirksam. Ce qui signifie qu'au lieu de pitcher contre sept autres agences, nous ne sommes plus que quatre en lice.

— Je le sens bien, confesse Greer avant d'ajouter : C'est trop bête pour Fabergé.

Notre client parfumeur a renoncé à lancer un nouveau parfum. Le budget est en sommeil. Pour moi, c'est un soulagement. Je veux me tenir le plus loin possible des œufs Fabergé.

— Ouais, c'est trop con, je renchéris, sarcastique.

Je feuillette l'exemplaire d'*Entertainment Weekly* qui traîne sur le bureau de Greer. C'est incroyable le nombre de *people* photographiés là-dedans qui me font penser à Foster, le type du Groupe. Ça me donne un coup au cœur. Pour quelle raison au juste, je n'en sais rien.

— Je n'aime pas Meg Ryan, déclare Greer.

— Pourquoi ?

— Je ne marche pas dans son truc « Je suis super équilibrée ». C'est des conneries. Selon moi, à l'intérieur, elle est rongée par la colère.

— Dis-moi, Greer, on ne serait pas en train de projeter, là ?

— Ta gueule.

Parfait. Ça, c'est la Greer que je connais et que j'aime.

Je baisse les yeux vers le tiroir de mon bureau ; quelque chose en dépasse, alors je l'ouvre. Le tiroir est farci de pages arrachées à des magazines.

— Qu'est-ce que… ?

Je sors les pages, les déplie, et il me faut un petit moment pour voir qu'elles n'ont pas été arrachées au hasard. Ce sont toutes des pubs pour la bière.

— Greer, c'est toi qui as fait ça ?

— Fait quoi ? demande-t-elle en se penchant.

Je déplie une des pages – une pub pour Coors – et je la lui montre.

— Ça. C'est toi qui as fourré tout ça dans mon tiroir ?

— C'est bizarre, répond-elle d'un ton qui me convainc de son innocence. Pourquoi quelqu'un aurait-il l'idée de faire une chose pareille ?

Je les froisse et les balance dans la corbeille. J'essaie de ne voir là qu'une plaisanterie de mauvais goût, mais je n'arrive pas à me défaire d'une impression qui me file la chair de poule : quelqu'un s'est donné beaucoup de mal pour fourrer ces pubs dans mon tiroir. Quelqu'un y a consacré du temps.

Ça ressemble à quelque chose que je pourrais faire quand je suis complètement pété.

Le vol a six heures de retard. Hayden arrive chez moi à deux heures du matin. Nous allons dîner dans un restaurant de l'East Village ouvert vingt-quatre heures sur vingt-quatre, où nous restons jusqu'à cinq heures, en discutant comme des forcenés. À comploter, à planifier notre sobriété. C'est étonnant à quel point on peut s'enivrer sans boire une goutte d'alcool.

La longueur du séjour de Hayden chez moi n'est pas bien définie. Quinze jours au moins. Un mois même, je pense, ou peut-être le reste de ma vie. La seule condition, c'est cet accord entre nous : s'il rechute, je dois lui demander de partir. Mais je ne peux pas l'imaginer rechuter, tant il est résolu. Et je sais que pour ma part, il n'en est pas question. Une fois que je me suis mis quelque chose en tête, je m'y tiens.

Je me sens incroyablement euphorique, ce soir. C'est sans aucun doute ce glorieux Nuage Rose transpercé par les rayons divins. Lorsque Hayden ouvre ses valises à côté du canapé et que celui-ci se transforme en lit, la pièce devient très habitée. Je suis content de ne pas être seul. Je ne me sens pas envahi ni à l'étroit mais en sécurité. Aux alentours de cinq heures et demie, nous nous glissons dans nos lits respectifs et dormons.

Mon réveil sonne à neuf heures et nous réveille tous les deux.

— T'as pas la gueule de bois ? je demande à Hayden, tout groggy.

— Si, complètement, admet-il.

— Je ne veux pas dire fatigué, je veux dire…

— Je vois très bien ce que tu veux dire, me coupe-t-il. Je suis dans le même état que si j'avais bu une bouteille de vin. Je me sens même coupable.

— Exactement !

Je suis soulagé qu'il éprouve ça, lui aussi. Soulagé de ne pas être le seul à me sentir si peu habitué au bonheur et au sentiment de châtiment imminent qui l'accompagne.

Je sors du lit et m'étire pour essayer de faire craquer mon dos.

— En sortant de l'agence, j'ai Groupe, donc je ne serai pas de retour avant dix-neuf heures trente. Si tu veux, tu peux aller à la réunion de Perry Street à vingt heures.

— Super.

— Que vas-tu faire aujourd'hui ?

— Oh, j'en sais trop rien, répond-il avec un rictus. Replonger, peut-être. (Il éclate de rire.) En fait, je dois aller voir quelqu'un chez Carl Fisher, pour un boulot en free-lance.

Je lui demande qui est Carl Fisher. Il m'explique que c'est un très gros éditeur de musique classique, très célèbre, pour lequel il a déjà bossé par le passé. J'avais oublié que Hayden n'était pas simplement un accro au crack, mais qu'il éditait des partitions de musique classique. Je songe : *S'il te plaît, ne regarde pas ma collection de CD : Madonna, Julia Fordham, un Bette Midler bien planqué…*

À l'agence, il n'y a rien d'autre à faire qu'attendre des nouvelles de la bière. Greer et moi employons donc notre temps de la façon la plus constructive qui soit : on feuillette des magazines, on passe des appels longue distance et on parle des autres.

— Il est mignon ? me demande-t-elle quand je lui raconte que Hayden s'est installé chez moi pour quelque temps.

Je lance un crayon à papier comme une fléchette vers le faux plafond où il se coince entre deux dalles.

— Non, tu n'y es pas du tout. Il ne s'agit pas de ça. Il n'y a aucune attirance physique entre nous. On accroche simplement d'une autre façon.

Je lui raconte l'histoire que j'ai entendue l'autre soir aux AA – celle du verre d'eau.

— Bon sang, c'est vraiment pénétrant, dit-elle en faisant trotter un trombone en forme de petit cheval le long de l'agrafeuse. Ça revient à dire que tu apprécies vraiment ce que tu as, ce qui est devant toi. (Son regard se perd au-delà de la fenêtre.) Il faudra que je m'en souvienne. J'ai tendance à péter les plombs un peu trop facilement. Et tous mes livres disent que la colère est très mauvaise pour la santé.

En plus de collectionner les sacs Hermès en croco et les sandales à talons aiguilles de Manolo Blahnik, Greer est une fana des manuels de développement personnel.

— À te voir profiter de toute cette thérapie et apprendre des tas de trucs pleins de bon sens dans ces réunions, je regrette de ne pas être alcoolique.

Je l'avoue : j'ai un petit accès d'autosatisfaction. Mais rapidement, la compassion prends le relais.

— Tu pourrais très bien être alcoolique.

— Non, soupire-t-elle. Je ne ferais pas une bonne alcoolique. Je ferais une bonne épouse d'alcoolique. Je suis codépendante. C'est pour ça que toi et moi nous nous entendons si bien. (Elle me regarde avec sincérité.) Cela dit, je suis contente que tu sois alcoolique, ajoute-t-elle. Je veux dire, je suis contente que tu bénéficies de toutes ces thérapies, parce que j'ai l'impression que j'en profite, par ricochet.

Je lui souris – un sourire qui signifie : *Pauvre pomme.*

— Je le pense vraiment. Je m'entraîne comme toi à accepter les choses telles qu'elles viennent. Je prends exemple sur toi. J'ai même collé un pense-bête sur la porte de mon frigo, à la maison : LAISSE COURIR.

Je prends conscience de ce qui se passe : Greer est comme une forme en mutation. C'est une pièce de puzzle qui change de forme pour s'accommoder à la nouvelle forme de mon moi. Plus ou moins.

Au Groupe, je parle du boulot. Du fait que j'arrive à le gérer, et qu'il ne m'obsède pas. C'est même l'inverse, j'explique. Ensuite, j'annonce à tout le monde que Hayden s'est installé pour quelque temps chez moi. Je raconte les circonstances de notre rencontre. Le Groupe est unanime : l'expérience peut s'avérer très bénéfique, à condition de bien poser les limites.

Foster enchaîne les déclarations qui affirment qu'il va demander à son Anglais de partir. Il est très confiant, et tendu.

Le Groupe l'encourage : « Oui, tu devrais le lui demander. » Il semblerait que, depuis six mois qu'il suit le Groupe, Foster essaie de se débarrasser de son Anglais. Puis j'apprends dans la foulée qu'il en est à sa quatrième cure de désintoxication.

Trois fois, je le surprends à me regarder, puis à détourner les yeux. Je sens s'établir entre nous une étrange et invisible connexion. Comme un courant. Est-ce mon imagination qui me joue des tours ? Et faut-il voir une quelconque signification dans le fait qu'il portait une chemise en jean à manches longues la semaine dernière, et qu'il arbore un tee-shirt blanc moulant aujourd'hui ?

Une fois dehors, je fonce en direction de Park Avenue afin d'arriver à temps à Perry Street pour retrouver Hayden.

Foster se matérialise à côté de moi.

— Salut, Auggie, attends une seconde, dit-il en me tendant un bout de papier sur lequel est inscrit un numéro. Je voulais te filer mon téléphone, au cas où tu aurais besoin de parler.

Il me fait un clin d'œil. À moins que ce ne soit son tic.

Les alcooliques passent leur temps à échanger leurs numéros de téléphone. En cure, j'ai appris qu'on est supposé demander aux gens leur numéro de téléphone, au cas où on aurait besoin d'appeler quelqu'un. Et, bien évidemment, j'ai déjà une collection de numéros d'individus que je ne connais ni d'Ève ni d'Adam et qui fréquentent la réunion de Perry Street. J'en ai récolté six le premier soir. « Au cas où tu aurais besoin de parler. Tu peux appeler à n'importe quelle heure », disent les gens. Se faire des amis alcooliques est aussi facile que se lancer dans l'élevage de Sea Monkeys[1].

— Okay, super, merci, dis-je en glissant le papier dans la poche de mon jean.

J'essaie de parler d'un ton désinvolte, normal. Comme quelqu'un qui a l'habitude d'accepter des numéros de téléphone, quelqu'un qui suit les directives du programme.

— Bon, à la semaine prochaine, alors, dit Foster en souriant.

Il se dirige vers la chaussée, bras tendu, et un taxi s'arrête aussitôt.

Tout en marchant vers Perry Street, je sens la feuille de papier dans ma poche. Elle semble irradier de la chaleur.

Hayden m'attend sur le trottoir avec deux grands gobelets de café. Il m'en tend un.

— Que se passe-t-il ? demande-t-il.

Il me sourit, il attend une réponse. J'ôte le couvercle de mon gobelet et je souffle sur le liquide pour le refroidir un peu.

1. Petits crustacés desséchés du genre « daphnies ». Il suffit de les recouvrir d'eau pour activer leur développement.

— Que veux-tu dire ?

— Je ne sais pas. Tu as l'air vachement content.

Je ris un peu trop fort.

— Ah bon ? (Un peu de café déborde et me coule sur la main.) Je ne sais pas. Ce doit être le Nuage Rose, j'imagine. Tu veux entrer ?

— Ben oui. Oh, au fait, ajoute-t-il tandis que nous nous asseyons. Je n'aurais jamais imaginé que tu étais fan de Steve Nicks.

Je lui décoche un regard agacé.

Tout le temps que dure la réunion, je n'écoute rien de ce que disent les gens, trop occupé que je suis à chercher des raisons d'appeler Foster.

Après Perry Street, nous découvrons un endroit à deux pas de chez moi qui possède une table de ping-pong. Nous commençons à jouer et trouvons un rythme qui nous permet de faire aller et venir la balle pendant cinq bonnes minutes d'affilée.

Ping : Hayden pense que Carl Fisher va lui donner du travail.

Pong : J'ai passé une journée au ralenti, à l'agence.

Ping : Hayden est allé à la bibliothèque et a consulté quelques livres.

Pong : Je crois que je suis vraiment attiré par un accro au crack qui fréquente mon groupe de thérapie.

La balle dribble, dribble, dribble et va rebondir par terre.

— Qu'est-ce que tu racontes ? Quel accro au crack ?

Je sens qu'il vaut mieux la jouer décontracté sur ce coup-là.

— Rien, dis-je en me penchant pour ramasser la balle. C'est juste un truc que je sens. Ça me passera.

Hayden me dévisage d'un air soupçonneux.

— Ce n'est pas très malin de ta part, Augusten.

Son accent anglais confère à ses paroles un surcroît d'autorité.

— Je sais, je sais. Il ne va rien se passer, c'est juste bizarre. Ce type est une épave, jamais je ne m'investirais affectivement avec lui, et par ailleurs, il est IMPOSSIBLE que je lui plaise. Il se montre juste amical, c'est tout.

Nous rentrons à la maison.

— Toi, je vais t'avoir à l'œil, me prévient Hayden.

Pendant qu'il est dans la salle de bains, je sors le numéro de ma poche et le range en sécurité dans mon portefeuille. De le savoir là, ma poitrine palpite doucement.

J'ai un message sur le répondeur. « Salut, Augusten, c'est Greer, comme demain c'est vendredi et qu'il ne se passe pas grand-chose à l'agence, on pourrait prendre la journée, histoire de décompresser. Rappelle-moi pour me dire si tu es okay. »

Hayden et moi passons la soirée à bouquiner. Il lit de la poésie.

— Bon sang, je ne sais pas si c'est une bonne idée de lire Anne Sexton, quand on est sobre depuis si peu de temps, commente-t-il.

Je suis plongé dans un roman, mais je dois lire chaque page deux fois parce que je n'arrive pas à me concentrer sur les mots. À dix heures, extinction des feux. Je reste étendu au moins une heure sans pouvoir dormir, en repassant dans ma tête le moment où Foster m'a tendu son numéro de téléphone.

Et puis, dans un éclair de conscience, je me rends compte que je ne l'ai pas vu écrire le numéro. Ce qui signifie qu'il a dû le faire avant de venir au Groupe. Ce qui signifie qu'au moins une fois il a pensé à moi *à l'extérieur*. Ce qui signifie que, consciemment ou non, cela a pu affecter le choix de sa tenue vestimentaire pour assister au Groupe. Ce qui signifie que le tee-shirt blanc moulant pourrait très bien avoir été choisi à mon intention. On compare parfois les gays à des adolescentes et je m'aperçois que le parallèle n'est pas faux. À mon avis, cela tient au fait que nous n'avons pas eu l'occasion d'exprimer nos petits béguins quand nous étions au lycée. Voilà pourquoi, une fois adultes, nous sommes capables de nous torturer l'esprit pour déterminer les raisons qui ont poussé untel à enfiler un tee-shirt blanc, et d'épiloguer à perte de vue sur la signification réelle de tel ou tel geste.

— Tu dors ? demande Hayden d'une voix tendre.

Je marmonne, comme si j'étais plongé dans un demi-sommeil. Mieux vaut garder mes obsessions pour moi. Et d'un autre côté, personne, pendant la cure, ne nous a dit que c'était mal d'entretenir un petit fantasme.

— Je ne sais pas ce que j'ai, je ne me sens pas très bien.

Je suis au téléphone avec Pighead. Je l'ai appelé pour voir s'il voulait faire quelque chose, vu que j'ai une journée libre devant moi.

— Tu as de la fièvre ?

Il hoquette.

— Non, c'est juste ce… (Nouveau hoquet, en plein milieu de sa phrase.) Ce hoquet refuse de s'arrêter. Bon, j'ai un peu de fièvre, m'avoue-t-il finalement. J'ai la tête embrumée.

En un quart d'heure, je suis chez lui. Il a une mine épouvantable. Il est pâle comme un linge, il transpire et hoquette en permanence.

— Je crois que tu devrais appeler ton toubib.

— Je l'ai fait. Elle n'est pas en ville, son secrétariat essaie de la contacter pour qu'elle puisse me rappeler.

Virgil, lui, est en train d'hyperventiler : il galope de pièce en pièce, comme à l'approche d'une tornade.

— Tu peux aller le promener ? Je ne l'ai pas encore sorti, aujourd'hui.

Il est presque midi. Pighead sort toujours Virgil aux alentours de sept heures, avant d'aller au bureau. Même quand il est en vacances, comme en ce moment.

Je descends Virgil et, à la seconde où il foule le trottoir, il lève la patte. Il me semble qu'il pisse pendant vingt minutes. Tandis que je lui fais faire le tour du pâté de maisons, je m'aperçois que je suis en proie à un léger assaut de panique. Puis je prends conscience que cette panique vient de quelque chose que j'ai surpris dans le regard de Pighead et que je n'y avais jamais vu auparavant : la peur.

De retour à l'appartement, Pighead me jure que ça va, qu'il a juste besoin de se reposer. Il me dit qu'il est inutile que je reste là. Qu'il m'appellera s'il a besoin de quoi que ce soit. Je m'en vais. Mais tout au long du trajet, je n'arrive pas à me débarrasser d'un sentiment de malaise.

Quand j'arrive à l'appartement, Hayden est en train de verser de l'eau bouillante dans une tasse.

— Ç'a été rapide. Ton ami va bien ? Tu veux du thé ?

Je m'appuie contre l'évier.

— Je ne sais pas, Hayden, c'est bizarre. Pighead n'est jamais malade.

— Mais tu as dit qu'il avait le sida.

— Non, il est séropo, mais il n'a pas un sida déclaré. Ça fait des années qu'il est séropo, tu vois, et rien – pas même un rhume.

— Ben, ce pourrait être justement un rhume, ou un truc comme ça. Mais tu ne dois pas être dans le déni, il faut que tu acceptes la possibilité que ce soit… un peu plus grave.

Le mot est lourd, plombé, et il tombe entre nous en faisant un tel boucan que nous ne disons plus rien pendant un petit moment. Je ne me permets même pas d'*envisager* cette possibilité.

— Il y a de nouveaux traitements, maintenant, dis-je finalement. Ce n'est plus comme avant. Les gens vivent avec le virus.

En disant ça, je reconnais dans ma voix le ton que j'adopte quand je cherche à convaincre un client de valider une pub dont il ne veut pas. Je suis en train de vendre.

Hayden sourit, souffle sur son thé.

— C'est trop chaud ?

Il hoche la tête.

— Hé, au fait, ton copain croque-mort a appelé.

— Jim ? Quand ça ?

— Pendant que tu étais chez Pighead. Désolé, j'ai oublié de te le dire.

— C'est bon, je le rappellerai plus tard.

Je suis assailli d'une envie très puissante. Avant, j'aurais dit que j'avais envie d'un verre. Je vois maintenant que ce dont j'ai envie, c'est d'une distraction. Je ne veux pas penser à Pighead, ni à son hoquet. J'appelle Jim.

— Quoi de neuf ?

— J'ai rencontré quelqu'un.

Jim rencontre sans arrêt quelqu'un. En général, le « quelqu'un » en question ne fait pas long feu : une semaine – ou le temps qu'il lui faut pour avouer comment il gagne sa vie, c'est selon.

— Ah ouais ? Elle est comment ?

— Géniale. Elle est programmatrice en informatique. Et je peux te dire qu'il y a du monde au balcon !

Ils se sont rencontrés au Raven, un bar gothique de l'East Village, un lieu très sombre et lugubre qui attire les noctambules pour qui Diamanda Galas, c'est de l'*easy listening*.

— Et vous êtes déjà sortis… (*À la lumière du jour*, ai-je envie de lui demander, mais je me contente de dire :)… dîner, par exemple ?

— Ouais, on a déjà passé le cap du troisième rendez-vous. Et devine ? ajoute-t-il avec excitation. Elle sait que je suis dans les « arrangements préparatoires ».

— Jim, elle sait ce que ça veut dire, au moins ?

— Oui, lâche-t-il, agacé. Elle le sait.

J'imagine une femme au teint diaphane, aux longs cheveux noirs et aux longs ongles laqués de noir, parée de dentelles noires, aux anges d'être tombée sur un croque-mort. Je vois un corbillard noir filer le long d'une autoroute, une traîne de boîtes de conserve accrochée au pare-chocs, avec JUST MARRIED ! écrit sur la vitre arrière à la mousse à raser.

— Ça m'a l'air super.

— On a rencard ce soir dans ce nouveau bar. Je me demandais si tu voulais te joindre à nous, comme ça tu ferais sa connaissance.

Ma première réaction, c'est la trouille. Je me souviens de ce qu'a dit Rae, une fois : *Si vous entrez chez un coiffeur, tôt ou tard vous vous ferez couper les cheveux. Alors, n'allez pas dans les bars. N'y pensez même pas.*

— Jim, j'adorerais faire sa connaissance, mais franchement, je ne crois pas qu'il soit raisonnable pour moi d'aller dans un bar.

Hayden lève la tête de son bouquin.

— Ben, c'est pas à proprement parler un bar. Il y a un comptoir, mais c'est avant tout un restau.

Hayden me fixe. Ses yeux demandent : *Que se passe-t-il ? ? ?*

Je serais un ami minable, si je n'y allais pas. Et tant que je suis conscient de ce que je fais, je sais que tout se passera bien.

— Quelle heure ? je demande.

Hayden est bouche bée, les yeux écarquillés d'incrédulité.

— Vingt heures.

— Okay. Donne-moi l'adresse.

— Tu es cinglé ? s'exclame Hayden une fois que j'ai raccroché.

— Ce n'est pas un bar, c'est un restaurant.

— Un restaurant avec un bar, argumente Hayden.

— Écoute, ça va aller. J'entre, je rencontre cette Gothique, je bois une eau gazeuse et je m'en vais.

Hayden s'est transformé en parent méfiant. Il n'a même pas besoin de mots, son regard seul suffit. Ce soir, je serai privé de McDonald.

Le restaurant se trouve à SoHo, sur Wooster Street. On le repère de loin, avec ses immenses portes-fenêtres encadrées de longues tentures de velours rouge qui frissonnent dans la brise d'été vespérale. À l'intérieur, la pénombre est telle que mes yeux ont besoin d'un temps d'accoutumance. Je patiente un instant face à ce vide inconnu. Graduellement, le lieu se révèle à moi. Un comptoir imposant commence près de la porte et s'enfonce dans les ténèbres de la salle, sur des kilomètres, sans doute. Le loft est parsemé de tables basses marocaines et les seules lumières proviennent de petites veilleuses bleues tremblotantes disposées sur les tables et le long du bar. Derrière celui-ci, les bouteilles d'alcool multicolores sont éclairées comme des œuvres d'art.

Leur beauté est à couper le souffle. En les voyant, je suis étreint d'un désir nostalgique. Ce n'est pas un désir lambda. C'est un désir amoureux. Car je ne fais pas que boire de l'alcool : je l'aime. Je détourne les yeux.

Deux femmes sont assises en tailleur sur des coussins en tapisserie, attablées devant des boissons bleues exotiques. Une volute de fumée de cigarette monte du cendrier en ondulant comme un cobra. Dans un coin, je vois un homme grand, en costume, qui chuchote à l'oreille d'une femme qui ressemble à Kathleen Turner jeune. Au plafond, quatre gigantesques ventilateurs aux pales épaisses tournent lentement. Je me rends compte qu'à Manhattan, c'est le dernier accessoire à la mode. Je pourrais tout aussi bien me trouver à Madagascar, vers 1943, dans un bar d'espions.

Jim, debout au comptoir, est lancé dans une conversation animée avec une femme. Ils me tournent le dos. Soulagé, je m'approche lentement, en veillant à ne pas trébucher sur un coussin ni heurter une table basse ou quelque autre élément invisible de cet invraisemblable décor. Ici, c'est le paradis, je n'ai droit qu'à un bref séjour. Je ne suis autorisé qu'à m'asseoir par terre – pas sur un nuage.

— Salut, vieux, lance Jim sitôt qu'il me voit. Ah, la vache ! Tu es transformé, quelle mine extraordinaire !

La vodka lui a dilaté les pupilles. Cela fait plus d'un mois que je ne l'ai pas vu. Je ne l'ai jamais vu en étant sobre. Sous l'ampoule de cent watts de la sobriété, il a tout d'une épave.

Il me désigne la grande et séduisante blonde à ses côtés.

— Augusten, Astrid – Astrid, Augusten.

Nous échangeons une poignée de main. La sienne est humide et fraîche, nullement de nervosité mais à cause du verre qu'elle serrait.

— Merde alors ! s'exclame Jim en me toisant une seconde fois de pied en cap. Je dois dire que t'es superbe – ben, je ne te chasserais pas de mon lit à coups de pied au cul…

Il éclate de rire et adresse un clin d'œil taquin à Astrid. Elle rit elle aussi et boit une grande rasade de son cocktail.

Jim oublie que, il y a deux ans, il ne m'a pas chassé de son lit. On avait traîné dans les bars jusqu'à la fermeture, et, à quatre heures du matin, on avait atterri chez lui. Lorsqu'on s'était réveillés le lendemain, on était tous les deux dans son lit, à poil, si horrifiés par la situation qu'aucun de nous n'en a jamais reparlé. Je suis tenté de le lui rappeler maintenant, mais je me retiens.

Le barman glisse vers nous, comme propulsé par des réacteurs silencieux attachés aux talons de ses pompes Prada. Il est tout en os et en muscles. Le mec super canon, qui sait aussi préparer des cocktails.

— Que puis-je vous servir ? s'enquiert-il en n'utilisant qu'un coin de sa bouche.

Je suis certain qu'il a passé des heures devant son miroir à prononcer cette phrase-là avec ce côté-là de sa bouche. Si on lui demandait comment il se voit, je parie qu'il répondrait : Quelques degrés à l'ouest de cool.

Un martini-vodka, s'il vous plaît, très sec, avec des olives, ai-je envie de dire.

— Mmm, une eau gazeuse avec un zeste de citron vert.

Franchement, autant commander de l'eau tiède du robinet. L'eau gazeuse, c'est carrément pas cool. Tout à coup, je vois bien à quel point l'alcoolisme est déprimant. Des entresols, des prières. Il manque le facteur frime.

— C'est OK, pour vous ? demande le barman à Jim et Astrid en désignant leurs verres.

— Deux autres, répond Jim en coulant vers Astrid un regard qui me laisse penser qu'il a peut-être bien trouvé son pendant féminin, question boisson.

— C'est parti, fait le barman avec une coolitude travaillée qui fait surgir dans mon esprit des images de piercing aux tétons, de poètes beatniks, et de vie nocturne palpitante.

Jim se tourne vers moi.

— Je parlais à Astrid de cette famille avec laquelle je traite en ce moment, au boulot.

Dieu merci. Un bonne histoire de croque-mort va permettre à mon esprit de s'évader.

— Ah ouais ? Raconte.

Jim tend la main vers son verre, s'aperçoit qu'il est vide et regarde le barman. Je sais exactement ce qu'il pense : *Hé, beauté, tu ne pourrais pas te magner un peu le cul ?*

— Bref, comme je disais à Astrid, je « prépare » la fille d'une famille de Park Avenue, des gens pleins aux as et prétentieux. (Il s'interrompt quand le barman pose les cocktails sur le comptoir. Astrid et lui se précipitent sur leurs verres.) Et écoute ça, reprend-il en s'essuyant les lèvres d'un revers de main. La mère me demande : « Elle ne risque rien, dans votre bâtiment, n'est-ce pas ? » Mec, je te l'ai regardée… J'avais envie de lui répondre : « Pensez-vous : je vais lui enfiler des bas résille noirs, une culotte rouge fendue, la charger dans mon corbillard et l'emmener tapiner sur Bowery pour racoler des paumés bien excités qui kiffent les nanas qui se la jouent distantes et glaciales. »

Astrid lâche un gloussement sonore et glisse son bras sous celui de Jim – un geste qui fait gicler un peu d'alcool de leurs verres.

Je ris, par politesse. Je me sens crispé, raide. L'expression *lubrifiant social* me vient à l'esprit et je m'aperçois que c'est exactement ce dont j'ai envie : d'un lubrifiant social. De cocktails. J'ai la bouche sèche. Je bois une gorgée d'eau gazeuse.

— Je ne pige pas, poursuit Jim en secouant la tête. Ils vont aller la planter dans une déchetterie du Queens reconvertie en cimetière et ils s'inquiètent de sa sécurité dans un salon funéraire ? (Il grimace de dégoût.) Dans deux jours, cette nana sera six pieds sous terre, une terre gorgée de liquide de batterie et de capotes usagées. Merde ! C'est dingue, ce qui turlupine les gens.

Je prends conscience d'une chose : ce qui nous liait surtout, Jim et moi, c'étaient nos boulots respectifs, qui fournissent une raison majeure de boire. Jim se tourne vers Astrid et glisse une main sur ses reins.

— Hé, bébé, tu es affreusement calme, ce soir.

J'apprends qu'Astrid a vingt-neuf ans, qu'elle est danoise et qu'elle est sortie une fois avec un type qui prétendait avoir couché avec Connie Chung.

Jim l'embrasse sur la joue puis commande une autre tournée.

C'est mon signal : *Sors de scène, Augusten. Côté jardin !*

— Je dois vous laisser, les gars. J'ai du boulot. (Je me tourne vers Astrid.) C'était vraiment sympa de te rencontrer.

Elle me regarde comme si elle découvrait ma présence. Jim, lui, a l'air ébahi.

— Hé ! Tu t'en vas déjà ?

— Ouais, je voulais juste passer vous dire bonsoir, je réponds en posant mon verre de glaçons au zeste de citron sur le comptoir.

Il me faut déguerpir d'ici sur-le-champ.

— Okay, bon, merci d'être passé. Je t'appelle la semaine prochaine.

Il se détourne aussitôt pour parler à Astrid.

— Super, dis-je en lui donnant une tape sur l'épaule.

En partant, je remarque que le barman canon bavarde avec un mannequin asiatique qui sort probablement d'un rendez-vous avec son agent. Ça me fait sentir tout ce qu'il y a de plus cosmopolite. *Et je suis quelqu'un.*

— J'avais vraiment envie de boire, et je ne l'ai pas fait. Je n'ai même pas failli, mais le seul fait d'être là, dans cette atmosphère, c'était vraiment… puissant. C'est la toute première fois depuis mon retour que j'ai réellement senti qu'un terroriste alcoolique était tapi dans ma tête.

C'est lundi, et je suis en train de me confesser dans le bureau de Wendy, écartelé entre la culpabilité de lui raconter cet épisode – j'ai l'impression de trahir une confidence – et ma répugnance à admettre que j'avais envie de boire avec Jim et Astrid.

— Je ne crois pas que ce soit une bonne idée d'aller dans les bars, mais je suis contente que vous soyez sincère, que vous ne gardiez pas ça pour vous. Êtes-vous allé ensuite à une réunion ?

Je lui réponds que non. Je suis rentré et j'en ai discuté avec Hayden jusqu'à minuit.

— La prochaine fois que ça se produit, ce serait une bonne idée de vous forcer à aller à une réunion aussitôt après.

Les réunions sont les confessionnaux des alcooliques. On peut tout faire, ou presque tout, tout éprouver, commettre n'importe quelle atrocité, du moment qu'on fait suivre ça d'un petit digestif AA, ça passe.

« Je lui ai tranché le pénis, je l'ai fait frire dans du beurre au romarin et je l'ai mangé.

— Mais ensuite, vous êtes allé à une réunion ?

— Oui.

— Dans ce cas, pas de souci. »

Wendy me demande comment ça se passe entre Hayden et moi. Je lui dis que c'est génial qu'il soit là, je lui raconte qu'il prend sa sobriété très au sérieux, et que nous nous faisons beaucoup de bien mutuellement. Nous avons consacré tout le week-end à assister à des réunions des AA, aller au cinéma et jouer au ping-pong.

Elle demande comment s'est passée la séance de la semaine précédente. Je lui réponds qu'elle m'a été d'un grand secours. Elle trouve que je me débrouille bien, que je « m'adapte aux challenges de la sobriété ». Je hoche la tête et pense : *Oui, je m'en sors pas mal.*

Alors que j'attends l'ascenseur, quelqu'un, dans mon dos, dit : « Auggie ? » Je me retourne et je vois Foster qui avance vers moi.

— Que fais-tu ici ?

— Un tête-à-tête avec Wendy.

J'aimerais que ma réponse soit plus longue. Qu'elle nécessite quarante-cinq minutes d'explication. En privé.

— Je sors de mon tête-à-tête avec Rose. Quelle coïncidence ! souligne-t-il en déplaçant le poids de son corps sur une seule jambe, sourire aux lèvres.

— Oui, c'est marrant, je réussis à dire, en sentant mon cœur s'emballer.

L'ascenseur arrive. Nous y entrons. Foster brise la loi des ascenseurs.

— Tu vas où, maintenant ? demande-t-il.

J'observe les numéros des étages qui s'éclairent au fur et à mesure de notre descente.

— Je ne sais pas trop, sans doute à la gym.

L'ascenseur s'arrête au quatrième mais personne ne monte. Foster sort la tête, regarde des deux côtés du couloir, hausse les épaules et appuie sur le bouton de fermeture des portes.

Nous regardons tous les deux devant nous et n'échangeons plus un mot jusqu'au rez-de-chaussée. Puis, tandis que nous marchons vers la sortie, Foster me demande :

— Tu ne voudrais pas aller boire un café, par hasard ? À moins que tu ne doives aller tout de suite à la gym..., ajoute-t-il.

— Ouais, bien sûr, pourquoi pas ? je réponds d'une voix posée du mieux que je peux.

Je n'obéis pas à ma première impulsion, qui est de sautiller sur place comme un môme de six ans, en criant : *On y va ? On y va ? On y va ?*

Nous atterrissons au French Roast, à l'angle de la Sixième Avenue et de la Onzième Rue. Nous prenons une table en terrasse et commandons des cappuccinos. Il y a une légère brise, qui me semble livrée par FedEx spécialement pour l'occasion, en provenance directe d'un complexe hôtelier de Cabo San Lucas.

— Alors, Auggie, c'est quoi, ton histoire ? me demande-t-il de sa voix au débit lent et à l'accent chantant.

Il se cale contre le dossier de sa chaise, comme quelqu'un qui a l'intention de rester là un petit moment, convaincu que, quoi que j'aie à dire, ce sera captivant.

J'adore l'été parce que le coucher du soleil dure longtemps. La lumière dorée arrive sur nous presque à l'horizontale. Je remarque que les poils noirs qui dépassent du V de l'encolure de sa chemise scintillent. Ses yeux sont d'un bleu si transparent que seuls des clichés me viennent à l'esprit.

Je souris, confiant : la lumière rasante va accentuer la fossette de mon menton.

Il sourit. Penche la tête de côté. Deux fossettes apparaissent.

Je détourne les yeux. Je les ramène vers lui.

Nos cappuccinos arrivent.

Je lui en bouche un coin en lui racontant que mes parents, originaires du Sud, ont divorcé quand j'étais petit, que ma mère m'a confié à son psychiatre à l'âge de douze ans, que j'ai vécu dans la maison de cette famille de dingues, que je ne suis jamais allé au lycée et que j'ai entretenu une relation amoureuse avec le pédophile qui vivait dans la remise derrière la maison.

En retour, je suis surpris d'apprendre que, il y a moins de deux mois, il s'est retrouvé dans un hôtel de fumeurs de crack, un tesson de bouteille appuyé sur la gorge. Qu'il sait avec certitude qu'il est un type impossible à aimer. Et qu'il a peur de chasser l'Anglais de l'appartement parce qu'il a la trouille qu'il se suicide.

— Mais au Groupe, tu dis qu'il te frappe et passe son temps à te gueuler dessus. (Même moi, je ne supporterais pas ça. Je le ficherais à la porte fissa, l'Anglais.) Il a l'air atroce.

— Je sais, Auggie. Il l'est. Mais il n'a que moi. Si je le chasse, où ira-t-il ?

Frais sorti de cure, je réponds :

— C'est son problème. C'est lui qui est responsable de sa vie, pas toi.

— Non, je suis responsable de lui, d'une certaine façon. Il n'a pas d'argent.

Foster se gratte la clavicule et son biceps prend la forme d'une grosse mangue.

— Tu es amoureux de lui ? je demande, impartial, tout en buvant une gorgée de café.

— Non, je ne suis pas amoureux de lui. Je ne l'ai jamais été. Nous étions juste deux loques qui se sont mises ensemble et le sont restées. (Il lâche un rire amer.) Voilà ce que je suis, une grosse loque. (Il boit une gorgée de café.) Et toi ? Ça se passe bien, avec ton mec ?

— Je n'ai pas de mec.

— Mais… J'aurais juré t'entendre parler d'un mec qui habite avec toi. Hector ?

— Hayden. Et ce n'est pas mon petit copain, je l'ai rencontré en cure. Je l'héberge un moment, avant qu'il reparte à Londres.

Foster a un petit rictus.

— Tu es sûr qu'il n'y a rien entre vous ?

Il essuie un peu de mousse sur sa lèvre supérieure puis se lèche le doigt.

— Tu crois que je ne m'en serais pas aperçu ? dis-je.

Cela dit, par le passé, j'aurais très bien pu ne pas m'en apercevoir.

Il rigole.

— Désolé, ça ne me regarde pas, de toute façon. (Il étire la nuque vers la droite, j'entends un craquement, puis il la fait craquer vers la gauche.) Donc tu es célibataire ?

— Ouais. Contrairement à toi.

Je surprends une légère hostilité dans ma voix, que je regrette aussitôt. Elle me trahit.

Il se gratte le menton et sourit, si imperceptiblement qu'il faut avoir les yeux rivés sur ses lèvres pour le remarquer.

Le serveur vient allumer la bougie sur notre table. Je suis en train de m'épouvanter moi-même, à raconter ainsi à Foster tous les détails de ma vie. Ma folle et psychotique de mère, mon méchant alcoolo de père, ma carrière dans la pub, le service du réveil téléphonique que j'ai longtemps utilisé pour que mon portable sonne pendant que je dînais avec des amis dans quelque restau branché de SoHo, à l'époque où les téléphones portables venaient de sortir et avaient la taille d'une baguette de pain.

La lumière se fait dans ses yeux bleus.

— Alors, dis-moi ce que tu trouves séduisant, chez un mec ? demande-t-il tout en glissant un bras sur le dossier de la chaise à côté de lui.

Je regarde ce bras comme un chien contemplerait une tranche de bacon et je bredouille :

— Oh, tu sais, c'est difficile à définir.

— Donne-moi une piste.

— Je déteste cette question… Okay, qu'il soit plutôt baraqué, drôle, intelligent, qu'il lise, et qu'il ait un grain, mais pas trop gros. On dirait une petite annonce vraiment nulle.

Il rit.

— Et sur le plan physique ? Qu'est-ce qui t'attire, chez un mec ?

Je soulève ma tasse et m'aperçois qu'elle est vide. Foster le remarque et vide le contenu de la sienne dans la mienne.

— Alors ?

— C'est embarrassant… J'ai cette attirance vraiment superficielle… pour… les bras… poilus.

Je réponds en espaçant les mots afin de diluer l'information.

Son rire m'évoque un énorme verre de vin rouge au bouquet puissant. Il est communicatif. Foster hoche la tête. J'ai l'impression d'être un hétéro qui, en plein rendez-vous galant avec Pamela Anderson, vient de lui avouer : *J'adore les gros seins.*

Tout en riant, Foster déboutonne avec désinvolture les poignets de sa chemise, roule les manches et pose ses bras poilus sur la table, sous mon nez.

— Je ne ris pas parce que je me moque de toi, nuance-t-il. Je ris parce que moi aussi, je suis attiré par un truc bien particulier.

Il sourit d'un air rusé.

— Quoi donc ?

Une brise me caresse la nuque. Je me sens aussi raide que si je venais de fumer un joint.

— Eh bien j'ai ce… truc… pour les mecs qui ont de la mousse de cappuccino sur la lèvre supérieure, explique-t-il avec un clin d'œil – à moins que ce ne soit le tic.

Sans le quitter des yeux, je passe l'index au-dessus de ma lèvre, puis le regarde : de la mousse de cappuccino, évidemment.

— C'est vrai ?

Je suis certainement écarlate. Son attention m'enivre.

— On ne peut plus vrai, renchérit-il avec cette voix de gorge qu'il doit savoir sexy.

— Désirez-vous autre chose ? demande le serveur.

— Non, c'est bon, dis-je. (Je jette un œil à ma montre parce que je l'ai vu faire dans des films.) Je crois que je devrais rentrer.

— Okay, Auggie.

D'après ma petite liste d'émotions, je serais tenté d'entendre dans sa voix à la fois de l'espoir, de la tristesse et de la déception. J'ai le sentiment qu'il serait bien resté là toute la nuit.

Je tends la main vers l'addition, mais il s'en empare avant moi, regarde le montant et fouille dans la poche de son jean. Il glisse un billet de vingt dollars tout froissé sous la bougie, pour éviter qu'il ne s'envole.

Nous nous levons, avançons jusqu'au croisement, et restons là un instant, à nous dévisager en silence.

— À demain, au Groupe, dit-il finalement.

Ma soif de lui n'est pas étanchée. Comme si Foster était un martini. Je voudrais quelques tournées supplémentaires.

— Salut, à demain.

Chacun attend de voir qui s'éloignera en premier. C'est lui. Mais très vite, il s'arrête et se retourne. Je m'aperçois que je ne m'étais plus entiché de quelqu'un à ce point depuis Pighead. C'était une sensation que j'aurais voulu ne jamais perdre. Et la retrouver, même sous cette forme minuscule, embryonnaire, est merveilleux.

Nous partons dans des directions opposées. Il rentre chez lui retrouver son petit copain anglais et alcoolique. Je rentre chez moi retrouver mon coloc anglais, alcoolique et accro au crack. En marchant, je me dis :

Ces sentiments que j'éprouve sont bien destinés à Foster, non ? Ils n'ont plus rien à voir avec Pighead, n'est-ce pas ? Je me réponds à moi-même que ces sentiments sont bel et bien destinés à Foster. J'en suis certain. Certain à presque cent pour cent.

Mes sentiments amoureux à l'égard de Pighead sont éteints depuis des années. Vu la façon dont tout a commencé entre nous, on pourrait penser que nous formerions aujourd'hui un couple baignant dans la félicité, un de ces couples écœurants et infréquentables où chacun a la manie de terminer les phrases de l'autre. J'étais grisé par ses costumes, son odeur, l'habileté avec laquelle il jouait avec le langage, comme s'il s'était agi d'un ballon de volley. Pighead, le spécialiste des investissements, avait toujours réponse à tout et pouvait vous amener à croire n'importe quoi.

Il nous fallait toujours aller dîner dans *le* restaurant à la mode, boire *la* boisson du moment. Nous sortions dans des clubs fréquentés par des gens très beaux, où nous dansions ensemble. Nous baisions, puis chacun rentrait de son côté, et ensuite, nous rebaisions par téléphone.

Pighead se dérobait sans cesse, et cela me poussait à essayer de l'attraper. Mais au bout d'un moment, ce petit jeu m'a lassé. Et puis est arrivée sa séroconversion et brusquement, ç'a été comme s'il me disait : « Okay, maintenant, tu peux m'avoir. » Sauf qu'à ce moment-là, je n'en voulais plus. Cela m'avait demandé un trop gros travail pour me détacher de lui.

Il me suffisait de repenser à cette scène sur la plage, à Fire Island – Pighead en caleçon de bain orange vif, en train de bavarder avec ce danseur, pendant que moi, loin derrière eux, je promenais le chien en le laissant pisser dans les arbustes. Pighead avait eu le culot de se procurer le numéro de téléphone du mec. « Où est le problème ? avait-il dit. Nous ne sommes pas mariés. On a déjà parlé de ça, Augusten. Je t'aime, mais je ne veux pas me sentir coincé. »

Alors, naturellement, j'ai passé des mois entiers à essayer de le tuer en pensée.

Ensuite, on l'a diagnostiqué séropositif, et brusquement un nouveau Pighead est apparu, qui n'avait plus peur de s'engager, celui-là, et qui était capable de dire : « Construisons une vie ensemble. » Ce à quoi je répondais : « À ton avis, je mets ma veste noire, ou la marron, pour mon rencard, ce soir ? »

Le mardi, à l'agence, je suis aux toilettes en train de pisser quand j'entends la porte s'ouvrir et Greer crier :

— Augusten, tu es là ?

— Ouais, qu'est-ce qu'il y a ?

Quelle emmerdeuse !

— Dépêche-toi, Pighead au téléphone. Il appelle de l'hôpital.

— Je ne comprends pas. Tu disais que le hoquet s'était arrêté. Quand je t'ai appelé dimanche, tu m'as dit que ça allait. Qu'il avait cessé au bout de vingt-quatre heures.

Je suis à mon bureau, en train de poignarder un bloc de Post-it jaunes avec un crayon. La panique me rend hargneux. Greer traîne sur le pas de la porte.

— J'allais bien. Mais hier soir, le hoquet a recommencé. Ça n'a pas arrêté de la nuit. J'ai appelé mon toubib, elle m'a envoyé passer quelques examens à Saint-Vincent.

— Combien de temps vas-tu y rester ?

— Deux-trois jours, m'a-t-elle dit.

— Bon... Qu'est-ce que... Que te font-ils ? C'est quoi, ces examens ? Qu'est-ce que tu as, selon eux ?

Je m'enfonce la pointe d'un trombone sous un ongle, jusqu'au sang. Personne n'entre à l'hôpital à cause du hoquet.

— Ils n'en ont aucune idée. Ils m'ont – *hic* – pompé du sang toute la journée.

Il s'interrompt. Je l'entends respirer. Puis j'entends un autre hoquet.

— Bon, je passe en sortant du boulot.

— Non, ne t'embête pas. Tu ne peux rien faire.

D'un côté, sa réponse me donne le sentiment d'être rejeté, mais en même temps, ce qui domine, c'est tout de même le soulagement de voir qu'il n'attend rien de moi. J'ai honte.

— Et Virgil ?

— Mon frère s'en occupe.

— Et le travail ? Tu n'étais pas censé reprendre aujourd'hui ?

— Je leur ai dit que j'avais une urgence familiale.

J'entends du bruit en arrière-fond, des voix, du remue-ménage.

— Il faut que je te laisse. On vient me chercher pour une IRM. Écoute, je te rappelle plus tard. Salut.

Je perçois une tension dans sa voix, et cela me déchire le cœur. Je veux le protéger des médecins. Je ne veux pas qu'ils lui sucrent son Valium.

Je raccroche lentement, et reste immobile une minute. Puis je regarde Greer.

— Je ne sais pas ce qui se passe. Et il ne le sait pas non plus.

Greer s'assied en face de moi, jambes étroitement croisées.

— Mais il va bien ?

— J'en sais rien.

Elle me regarde comme jamais elle ne m'a regardé auparavant. Je n'aime pas du tout que ce moment-là, en particulier, me vaille ce regard inédit.

Foster a raconté au Groupe qu'il avait chassé l'Anglais alcoolique, sans papiers et violent de chez lui. Il lui a filé un chèque de dix mille dollars, en même temps que l'ordre de sortir de sa vie et de s'en tenir à l'écart. Quand on lui a demandé pourquoi il s'était décidé à prendre le taureau par les cornes, il m'a regardé – un instant très bref, mais aussi enivrant que de l'alcool à quatre-vingt-dix – avant de détourner les yeux et de répondre d'un air vague :

— J'ai simplement pris conscience de ce que je pouvais louper.

J'ai parlé de Pighead, même s'il n'y avait pas grand-chose à dire.

— *Perdu* est-il un sentiment ? ai-je demandé au groupe.

— Je suis désolé, Auggie, m'a dit Foster, quand nous nous sommes retrouvés sur le trottoir.

— Merci.

Je me sens tout petit. Un nain de Disney enrôlé dans *Terminator 5* à cause d'une erreur de casting.

— Si seulement je te connaissais mieux, reprend-il tendrement, je pourrais te serrer dans mes bras.

— Ce n'est pas nécessaire. De me connaître mieux, je veux dire.

Il écarte les bras, je m'avance et j'appuie la tête sur son épaule. L'accolade qu'il me donne ne ressemble pas à celles qu'échangent les alcooliques à la sortie d'une réunion des AA. Elle ne ressemble pas à celle que je pourrais attendre de la part d'un accro au crack que je connais pour l'avoir vu trois fois en thérapie de groupe et avoir pris un café avec lui. L'accolade de Foster ressemble à celle qu'on donne à quelqu'un que l'on connaît depuis toujours. Il ne me tapote pas le dos, ni ne s'écarte après quatre ou cinq secondes. Il me serre fort dans ses bras, en respirant profondément, lentement, presque comme s'il m'apprenait à respirer.

— J'ai peur, dis-je dans son épaule.

— Peur de quoi ?

— De tout.

— Tu sais de quoi tu as besoin ?

Je le sens venir. Il va me dire : « D'une pipe. » Il n'est rien qu'un cochon de plus, finalement. Rien qu'un gay typique qui cherche à se vider les couilles, et qui a pris l'apparence de quelqu'un envers qui je peux imaginer nourrir des sentiments – bien que cela me soit interdit.

— Quoi donc ? je demande, même si je n'ai aucune envie d'entendre la réponse.

Il m'écarte doucement afin de voir mon visage.

— Tu as besoin d'un sandwich au Cheez Whiz et au piment, avec des chips. Et pas des chips allégées… non, des vraies.

Foster habite au quarante-septième étage d'un gratte-ciel de l'East Side, à quelques blocs seulement de mon agence. C'est un bel espace, encombré de cartons, de bibliothèques qui débordent de livres, avec des moutons dans les coins – par troupeaux entiers –, et plein de fringues abandonnées un peu partout. À l'évidence, nous avons le même décorateur.

Le voyant de son répondeur clignote.

— Bon sang, quoi encore ? lâche-t-il en allant appuyer sur le bouton Marche. « Vous avez quinze nouveaux messages… Aujourd'hui, à… » Foster appuie sur Stop, puis sur Effacer. Le répondeur, un vieux modèle à cassettes, rembobine la bande en ronronnant.

— C'était Kyle. Depuis que je l'ai fichu dehors, il m'appelle vingt fois par jour pour me demander s'il peut revenir, et quand je lui réponds de me foutre la paix, il me redemande du fric.

— Désolé pour toi, dis-je, comprenant parfaitement ce qui peut inciter quelqu'un à harceler Foster.

Il va dans la cuisine, ouvre le frigo et en sort les ingrédients nécessaires pour confectionner le sandwich préféré des petits Blancs du Sud.

— Je peux passer un coup de fil ?

— Bien sûr, vas-y, répond-il, la tête dans le réfrigérateur.

« Et tu es… où ? me demande Hayden, sur le ton du parent en lequel je l'ai transformé.

— Chez Foster. On mange un sandwich et on papote.

— Tu es chez le crackomane ? En train de manger un sandwich ? »

À son ton, on pourrait croire que je viens de lui annoncer que je traîne dans un jardin public, à côté du bac à sable, en arborant un tee-shirt de la NAMBLA[1].

— Bref. Je ne voulais pas que tu te demandes où je suis passé, ni que tu t'inquiètes. Je rentre bientôt.

Je raccroche avant qu'il ait le temps de me culpabiliser.

Foster réapparaît avec deux sandwiches accompagnés d'une portion de Ruffles sur des assiettes en carton.

— On peut pas manger ce genre de sandwich dans de la porcelaine, explique-t-il en faisant glisser les assiettes sur la table basse.

Je suis assis sur le canapé. Il s'installe dans le fauteuil.

Foster me parle de Kyle. Ce type est vraiment cinglé, me dit-il, et il espère que les coups de fil vont bientôt cesser. Il me dit aussi qu'il meurt d'envie d'adopter un chien. Que la Caroline du Nord lui manque. Puis il me parle de son boulot de serveur au Time Café. Il n'a pas besoin d'argent, m'explique-t-il, mais ce job occupe ses soirées – le moment où l'envie de fumer du crack le tenaille le plus. Foster parle tellement que j'ai terminé mon sandwich et ma part de chips avant même qu'il ait mangé la moitié du sien. Son genou tremblote à une cadence très soutenue. Il cligne des paupières. Tout d'un coup, il ressemble plus à un accro au crack qu'à une star de cinéma légèrement débraillée.

Pour une raison qui m'échappe, je trouve ça rassurant. Sa vie est un pétrin tellement distrayant qu'il me permet de m'échapper de moi-même. C'est un peu comme si je regardais un film d'art et d'essai vraiment étrange au Quad, sur la Treizième Est.

— Tu veux parler de Pighead ? demande-t-il finalement.

Je croque une chips.

— Non.

Je souris et croque une autre chips. Je ne veux pas en parler, parce que parler rend les choses réelles.

1. Voir note page 128.

— Tu sais, le jour où je suis arrivé en retard au Groupe, je t'ai remarqué à la minute où je suis entré.

Je déglutis et ma gorge produit un petit gargouillis. Assez sonore toutefois pour qu'il l'entende.

— Moi aussi je t'ai remarqué tout de suite, dis-je. Bon, il va de soi que si je t'ai remarqué, c'est également parce que tu étais en retard.

Je suis aussi cohérent qu'une bûche de bois pétrifié. Et doté d'autant de bon sens.

Suit un long silence inconfortable, où chacun s'efforce de ne pas croiser le regard de l'autre. Le téléphone sonne.

— Grrr, la barbe ! (Il tend le bras vers le combiné.) Que veux-tu, Kyle ? grogne-t-il. (Il lève les yeux au ciel.) Non, Kyle.

Silence.

— J'ai dit non.

Silence de nouveau.

— Au revoir, Kyle. (Foster raccroche, tend le bras derrière lui et débranche la prise téléphonique.) Désolé. On en était où ?

On en était au moment où l'on commençait à se peloter, et où tu m'avouais que tu mentais depuis le début. Où tu me disais qu'en réalité, tu n'es pas une pauvre loque accro au crack mais un garçon aussi tendre et chaleureux que tu le parais, et que tes jolis airs de star de ciné n'ont rien à voir avec ton vrai toi.

— Je ne sais pas, je ne me souviens pas. En tout cas, le sandwich était super bon. Merci.

— De rien. Tu te sens un peu mieux ?

— Beaucoup mieux, sincèrement. La panique est passée.

— Parfait.

— Je crois que je devrais y aller.

— Oh ! gémit-il à la façon d'un chiot. Déjà ?

Toute loque accro au crack qu'il est, je suis bien certain que c'est la seule fois de ma vie où un type plus beau que Mel Gibson me suppliera de rester un peu plus longtemps.

— Bon, dans un petit moment, alors.

— Parfait. Dans un petit moment, c'est mieux que tout de suite.

Il me demande de l'excuser, me dit qu'il doit absolument changer de chemise, que l'étiquette dans son col le rend dingue, et qu'il revient tout de suite. Ça ne m'embête pas ?

— Pas du tout, je réponds – au lieu de : *Puis-je t'aider ?*

Il disparaît dans le couloir. Une seconde plus tard, je l'aperçois qui entre dans la salle de bains, un tee-shirt blanc à la main. Il allume la lumière. Je vois son reflet dans la porte en miroir de l'armoire à pharmacie qui, allez savoir pourquoi, est ouverte, et renvoie son image en ligne droite jusqu'à mes rétines. À mon avis, il ne peut pas voir que je le mate. Or c'est bien ce que je fais : je le mate. Il se penche vers le miroir, sans doute pour vérifier qu'il n'a pas de points noirs sur le nez. Il déboutonne sa chemise, l'enlève, la pose sur la tringle du rideau de douche. Une toison brune couvre son torse musclé. Un chemin de poils parfaitement rectiligne descend jusqu'à sa ceinture. Quand il enfile le tee-shirt, ses abdos se contractent. Foster est le genre de type que même un hétéro materait. Même un hétéro serait prêt à débourser neuf dollars cinquante dans un peep-show – plus sept dollars pour le pop-corn et un petit Coca – pour le mater.

Il éteint la lumière et déboule dans le salon. Cette fois, il s'assied sur le canapé, mais à l'autre extrémité, loin de moi.

— Ça va mieux, soupire-t-il.

Les manches du tee-shirt blanc sont tendues à bloc sur ses biceps. Ses tétons pointent sous le tissu, et je distingue l'ombre brune de ses poils.

— Tu veux voir mon album de photos ? demande-t-il.

— Bien sûr.

Il se lève, va jusqu'à l'étagère puis revient s'asseoir à côté de moi. Nos genoux se touchent. Il ouvre l'album sur nos cuisses. Tout en le feuilletant, il commente : Tante Machin, Oncle Truc, Cousin Chose, etc. Je n'écoute pas un mot de ce qu'il dit parce que j'observe ses mains, ses bras. Je suis fasciné par les poils qui recouvrent ses avant-bras et s'arrêtent progressivement au milieu de chaque doigt. En gros, je suis comme un petit étudiant parachuté dans une réunion des Top Models Nymphomanes Anonymes.

De toute ma vie, jamais je ne me suis senti à ce point attiré par quelqu'un. C'est comme si Foster exerçait une attraction magnétique sur chaque cellule de mon corps. Mes cellules veulent fusionner avec les siennes. Et aussitôt que je prends conscience de la puissance de cette attraction, un souvenir me revient de mes treize ans.

Après m'avoir violé, Bookman est devenu mon ami. Nous avons pris l'habitude de nous promener tous les soirs. Au bout d'une semaine, il m'a dit que j'avais chamboulé tout son univers, et qu'il avait pris conscience qu'il était amoureux de moi. Il s'est excusé pour ce qui s'était passé le soir où j'étais allé chez lui pour voir ses photos.

Passé minuit, il entrait en douce dans ma chambre et nous couchions ensemble. Sa bouche avait un goût de noix. Il avait toujours les larmes aux yeux lorsqu'il me regardait. « Tu es beau. Tu es tellement beau. »

J'avais treize ans, et il était tout ce que j'avais au monde. Je détestais l'école, je n'y allais jamais. Je passais tout mon temps avec lui. Et j'ai fini par l'obséder, jusqu'à la folie.

Au bout de deux ans, le couvercle a sauté. « Je vais te tuer. Ou me suicider. » Un soir, il est parti acheter une pellicule photo, et il n'est jamais revenu.

Personne n'a jamais plus entendu parler de lui. Tout ce que j'avais, aussi détestable que ç'ait pu être, avait disparu en un clin d'œil. Sur le moment, ça m'avait semblé parfaitement normal[1].

— Auggie, tu te sens bien ? me demande Foster, l'air inquiet.

— Quoi ?

— Tu te sens bien ? Tu sembles si distant. J'espère que je ne t'embête pas, avec mes photos. Je vais les ranger.

Il referme l'album et se lève pour le replacer sur l'étagère.

— Non, je suis désolé, ce n'est pas ça. Je pensais à un truc…

C'est curieux, mais depuis que j'ai arrêté de boire, de temps en temps, des tas de souvenirs remontent à la surface. Comme si l'enfant amoché qui est en moi réclamait de l'attention, tenait à me faire savoir qu'il est toujours là.

— À quoi pensais-tu ?

— Je n'ai pas envie d'en parler. De vieilles histoires. Un souvenir, ce n'est rien. Une de ces photos m'a rappelé quelque chose. J'étais un peu dans la lune, je crois.

Il revient s'asseoir à côté de moi.

— Viens par là. (Il m'attire contre lui et me caresse la tête.) Ne pense pas, chuchote-t-il. Ferme juste les yeux.

Oh-oooooh.

J'ai attendu à côté du téléphone du matin au soir, des jours durant, pendant plus d'un an. Chaque fois qu'il sonnait, j'étais sûr que c'était lui. Je relisais ses lettres d'amour – une écriture appliquée sur du papier blanc ligné :

« Je crois que tu es Dieu. Non pas un dieu grec de la mythologie, non pas une idéalisation, mais

1. *Cf. Courir avec des ciseaux*, 10/18, n° 3955.

l'essence, la vérité, l'unique Dieu. Et pourtant, tu t'obstines à me maltraiter, tu cherches à me détruire chaque fois que tu tournes tes yeux tels des joyaux vers quelqu'un d'autre, que tu destines un de tes charmants sourires à quelqu'un d'autre. Je suis fou d'amour pour toi, et toi, mon amour, tu passes ton temps à piétiner ce sentiment. Tu cherches à m'anéantir par tous les moyens. À treize ans, tu avais déjà vécu plusieurs vies et tu te sers de la sagesse que t'a enseignée ton passé pour jouer avec mes émotions, tu me crées, je n'existe que pour toi, pour toi seulement. Et maintenant, je te hais. Je te hais d'abuser de ton pouvoir. »

La main de Foster glisse de ma tête sur mon torse. Je sens la pression délicate de ses doigts qui se déplacent avec une agilité d'araignée. J'ai du mal à croire à la réalité de ce qui arrive. Je ne peux pas laisser arriver ça. Je ne suis pas censé sortir avec l'un des membres de mon groupe de thérapie. Il n'existe quasiment pas pire crime que puisse commettre un alcoolique en voie de guérison. L'autre serait de cuisiner la tête d'un autre alcoolique au vin blanc.

— Il faut que j'y aille, maintenant. Vraiment.

Demeurer là un instant de plus sans réagir me semble au-dessus de mes forces. Oui, mieux vaut partir qu'être quitté.

— Ça va aller ?

— Mmm-mmm.

Nous nous levons. Je pose la main sur le bouton de porte en cuivre, je le tourne et je tire. Il ne se passe rien. Foster tend la main, tire le verrou et la porte s'ouvre. Nous restons un instant sans parler, mal à l'aise.

Il me serre dans ses bras. Je me laisse faire.

— Tu sens bon, me dit-il.

— Toi aussi, je réponds, réduit à ne m'exprimer qu'avec des mots de deux syllabes.

L'accolade se prolonge un peu plus longtemps que ne le veut l'usage.

— Et je me sens bien.
— Moi aussi.
Nous éprouvons tous les deux ce bien-être, le contraire serait impossible. Mais ça, aucun de nous ne l'avouera.
Je me dégage et dis :
— Bon, à plus. Merci pour le sandwich, et le reste.
— Je suis content d'avoir pu passer un petit moment avec toi.
Je m'éloigne dans le couloir en direction des ascenseurs. Je me retourne et vois qu'il est toujours sur son seuil, en train de m'observer. J'ai envie de rebrousser chemin en courant et de lui raconter tout ce qui se passait dans ma tête, mais je ne le fais pas. Ce type est un accro au crack membre de mon groupe de thérapie. Je ne dois pas nourrir ce genre de sentiments pour lui.
Dans le taxi qui me ramène chez moi, j'ai l'impression d'avoir sniffé de la colle toute la soirée. Je suis raide, et je me sens coupable. Je respire encore son odeur, emprisonnée dans mes narines.
— Ce que tu es en train de faire crève les yeux, dit Hayden en agitant un sachet de camomille dans sa tasse. Tu dé-polarises.
« Dépolariser », c'est polariser son attention sur quelqu'un d'autre, ou autre chose que sa sobriété. La sobriété doit en permanence demeurer votre priorité numéro un. Les alcooliques dépolarisent instinctivement. J'en suis la parfaite illustration. Dans un appartement encombré de trois cents bouteilles de Dewar's, je ne voyais rien d'autre que le mur. Maintenant, je ne vois rien d'autre que Foster.
— Je sais. Je veux dire, oui, il y a un peu de ça.
— Ça ne me dit rien qui vaille, que tu aies une aventure avec au crackomane de ton groupe de thérapie. C'est un comportement de mec dépendant.
— Mais je n'ai pas d'aventure !
— Tu m'as dit qu'il t'avait serré dans ses bras sur son canapé.

— Parce que j'étais bouleversé. C'est un mec gentil.

— Écoute, je ne suis pas là pour porter des jugements, mais selon moi, c'est... de la folie.

Si seulement Hayden pouvait se volatiliser en un nuage de fumée.

— Hayden, il va falloir que tu arrêtes, avec cette histoire d'équilibre mental. Sinon, je vais te frictionner le museau à la râpe à fromage.

— Tu fais une fixette sur lui, me rétorque-t-il, nullement ébranlé.

Il n'a pas tort. Il a même raison.

— Absolument pas.

— C'est le dépendant en toi qui parle. Le dépendant en toi qui cherche un truc à se mettre sous la dent. Il a faim. Il essaie de se nourrir.

On dirait qu'il décrit l'intrigue d'un film à mi-chemin entre la science-fiction et l'épouvante.

— Je suis bouleversé parce que Pighead est à l'hôpital. Foster se montrait gentil, il essayait de me remonter le moral. C'est tout.

— Comment ça, Pighead est à l'hôpital ?

Je veux de la bière. Un pack de six. Et ensuite, je veux sortir et continuer à boire.

— Ouais, à l'hôpital. Il m'a appelé aujourd'hui, à l'agence. Son toubib l'a fait admettre pour des examens, je n'en sais pas plus. Le hoquet ne se calme pas.

— Seigneur, je suis désolé. Il va bien ?

— Je ne sais pas. Ils cherchent encore ce qui déconne. Mais, ouais, il va bien, je suis sûr qu'il va bien. Il faut juste qu'ils trouvent ce qui provoque ce hoquet.

Hayden me regarde avec une totale compassion – le fils caché de Mère Teresa.

Pour quelque obscure raison, au motif que Pighead est à l'hôpital, Hayden me fiche la paix. Me voilà du coup en proie à un sentiment affreux : je suis content que Pighead soit à l'hôpital, parce que cela crée une diversion. Me revoilà un monstre.

Représentez-vous votre tête comme un quartier mal-famé, a dit Rae, une fois. *N'allez pas vous y promener tout seul.*

La porte de mon bureau est déverrouillée. Immédiatement, cela éveille mes soupçons. Je verrouille toujours ma porte. Et si j'oublie de le faire, la femme de ménage y remédie. Je balance mes affaires sur le canapé et approche de mon ordinateur. Il y a un Post-it jaune collé sur l'écran. COCKTAIL À L'ODÉON, NEUF HEURES CE SOIR – SOIS-Y. Et en dessous : (UN VERRE DE VIN N'A JAMAIS TUÉ PERSONNE.)

J'attrape le téléphone et compose le poste de Greer, mais elle n'est pas encore arrivée. Je me dirige vers mes étagères et remarque que les story-boards que nous avions faits pour le pitch de Pizza Hut ne sont plus rangés dans le même ordre. Ces story-boards datent de l'année dernière, mais ils traînent toujours là parce que nous n'avons jamais trouvé le temps de les jeter. Le résultat, c'est que je contemple depuis douze mois ce même panneau orné d'une pizza Suprême, et qu'aujourd'hui il n'est plus à la même place. Je passe tous les dossiers en revue, convaincu que quelqu'un est venu y fourrer son nez. Puis il me vient à l'esprit que c'est bien le genre de chose dont Rick serait capable. Rick serait capable de venir fouiller dans nos vieux story-boards Pizza Hut parce qu'il est en panne d'idées. Et les idées, ça se recycle.

À moi, elles me viennent facilement, ce qui n'est pas le cas de Rick. Lui, il bataille dur pour les trouver. Je peux écrire un script – et très bon de surcroît – en une poignée de minutes. J'ai créé des campagnes entières le temps d'avaler un sandwich au thon avec Greer. Rick, lui, doit suer sang et eau. Il lui faut des jours, des semaines parfois. Et il lui arrive souvent de pondre au final un truc qui n'a rien de génial. La plupart du temps, il l'a pompé dans un vieux numéro de *Communication Arts*.

D'un seul coup, je le vois très bien entrer dans mon bureau, un soir après mon départ, et feuilleter les story-boards en marmonnant : *Ce pédé. Il se prend pour un crack. Alors que ce n'est qu'un poivrot.* Puis il part en laissant le Post-it sur l'écran…

— J'ai du mal à croire que tu sois arrivé avant moi, dit Greer, qui se matérialise subitement sur mon seuil, essoufflée d'avoir marché d'un bon pas depuis le métro.

— Regarde ça, dis-je en gesticulant vers l'ordinateur.

Elle contourne la table, aperçoit le Post-it et se penche pour lire ce qui y est écrit.

— Quelqu'un a peut-être le béguin pour toi, hasarde-t-elle en relevant la tête.

— Le béguin ?

Je ressors le board Pizza Hut et le remets en place avant d'empiler les autres en tas net contre le mur.

— Ben ouais. Peut-être que tu plais à quelqu'un. (Elle esquisse un sourire.) Au nouveau responsable du budget, peut-être. Tu sais, celui avec le bouc.

— Greer, il n'est pas question de béguin ici. Mais de quelqu'un qui se conduit comme un con.

Elle détache le sticker de l'écran.

— Pourquoi faut-il toujours que tu sois cynique ? Peut-être s'agit-il seulement d'une blague ? Peut-être quelqu'un a-t-il sincèrement envie de boire un verre avec toi ? Tu devrais y aller.

Je lui raconte qu'on a fouillé dans nos story-boards.

— C'est ridicule, tranche-t-elle. La femme de ménage les a sans doute déplacés pour épousseter. Tu ne nettoies jamais rien, ici.

— Je crois que c'est Rick.

— Rick ? Mais pourquoi ferait-il un truc pareil ?

— Réfléchis : les pubs de bière dans mon tiroir, ses regards soucieux de faux cul et maintenant, ça. Toi et moi, on sait bien que ce type est nul et pathétique. Il est parfaitement capable d'un tel geste. Il cherche à voler des idées.

Greer considère mes arguments.

— Non, Rick n'est pas assez créatif pour imaginer un truc pareil. D'accord, il est con, mais c'est un con inoffensif.

Je n'en suis pas si sûr. Du coup, je l'ai à l'œil toute la journée. Je l'observe, en quête d'indices de sa culpabilité. Quand nous nous croisons dans les couloirs, j'essaie d'accrocher son regard. Il ne se dérobe pas et me sourit. S'il détournait les yeux, ça le compromettrait. Je suis tenté de provoquer une confrontation, mais s'il n'a rien à voir dans tout ça, je vais vraiment passer pour un pédé hystérique et alcoolo.

Je m'applique également à passer au moins deux fois devant le bureau du nouveau responsable du budget, juste pour voir s'il lève les yeux. Je marche avec décontraction, comme si je me baladais. Juste pour voir si, par une chance infime, Greer a raison, si la note n'était pas une blague et si ce mec craque effectivement pour moi. À mon troisième passage, il lève la tête :

— Je peux faire quelque chose pour toi ?

J'entre dans son bureau.

— Mmm… Je me demandais si tu aurais la cassette avec les propositions de nos concurrents sur Wirksam.

Il sourit.

— Non, pas ici. Mais je peux t'en trouver une copie. Je m'assurerai que quelqu'un la dépose sur ton bureau.

Je remarque sur sa table une photo dans un cadre – une belle femme, sur une plage, offerte au soleil. Elle rit. Son chapeau de paille est sur le point de s'envoler.

— Non, c'est sans importance.

— Tu en es sûr ?

— Certain.

Plus tard, lorsque je raconte à Greer que le responsable du budget n'a rien à voir avec l'invitation, elle me rétorque :

— Cette photo ne veut rien dire. Ça pourrait être sa sœur.

— Greer, quand bien même sa sœur serait Christy Turlington, il n'aurait pas une photo d'elle comme ça sur son bureau. Fais-moi confiance, c'est sa femme ou sa copine.

— Il ne sait peut-être plus du tout où il en est. Peut-être qu'il est fiancé mais qu'il se demande s'il est capable de sauter le pas. C'est peut-être le cri de détresse d'un type qui ne sait pas où il en est, sexuellement.

— Ô mon Dieu !

— Ben quoi ? C'est possible. Il est sous pression à cause de ses parents et de sa copine, et il a besoin d'en parler avec quelqu'un.

— Greer, tu as vraiment choisi le secteur professionnel qui te convient. Je n'ai jamais vu personne d'aussi doué que toi pour transformer des taupinières en montagnes.

Elle se rengorge.

— Tu n'es pas le seul à avoir une étagère qui croule sous les récompenses.

— Je m'appelle Augusten, je suis un alcoolique, et c'est mon quatre-vingt-dixième jour.

Les alcooliques de la réunion de Perry Street applaudissent. Je suis au pupitre parce que, aujourd'hui, j'ai quatre-vingt-dix jours de sobriété au compteur, et que dans mon « programme », je dois « décrocher mon diplôme ». Je lance un regard à Hayden qui me sourit.

Je suis surpris de me découvrir à ce point nerveux. Ma gorge est sèche, brusquement. Prendre la parole en public pour présenter des campagnes à des P-DG a beau être mon gagne-pain, je suis terrorisé et sans voix. Tout juste si mes mains ne ruissellent pas de transpiration. Je ne sais pas par où commencer ni quoi dire. Il me semble avoir la tête remplie de mouchoirs en papier double épaisseur. Pourtant, comme à mon insu, ma bouche enclenche le pilote automatique et les mots sortent, tels des pets involontaires. Je raconte à quoi ma vie ressemblait du temps où j'étais soûl. Je commence par le récit de l'exposition Fabergé, puis je raconte que ma patronne m'a obligé à partir en cure. J'évoque la cure, et mon retour à la vie active, sobre.

Je n'ajoute pas : *Et je suis obsédé par un beau mec aux bras poilus et accro au crack qui est membre de mon Groupe de thérapie.* Je dis que je suis reconnaissant de leur présence à ceux qui sont dans ma vie, reconnaissant d'être sobre, « À chaque jour suffit sa peine », etc.

— Tu as été remarquable, me dit Hayden, après coup.

— Comment ça ?

— Tu as été incroyablement honnête et profond. Tu ne t'es pas contenté de raconter des salades, ajoute-t-il en me tapant dans le dos.

— C'est vrai ? Je semblais normal ?

— Évidemment. Tu as été génial.

— Ouf ! Je n'avais pas la moindre idée de ce que je racontais. En fait, je pensais aux poils de mon torse que j'ai rasés et qui commencent à repousser.

Hayden pivote vers moi.

— *Quoi ?*

— J'avais pensé les décolorer cet été, mais ensuite, je me suis dit que ce serait affreux, d'avoir des racines. Humiliant. Des poils blonds, ça peut être joli et passer pour naturel, comme si j'allais tous les week-ends dans les Hamptons. Mais dès que les racines seraient visibles, les gens se diraient : « Quelle tristesse, ce garçon cherche manifestement quelque chose qu'il n'arrive pas à trouver. »

Hayden me dévisage en feignant d'être horrifié. À moins qu'il ne le soit vraiment.

— Tu me terrifies. Ta frivolité est abyssale.

— Allons manger indien.

Au restaurant à l'angle de la Première Avenue et de la Septième Rue, je raconte à Hayden que, selon moi, cet enfoiré de Rick, à l'agence, me cherche des noises.

— Je croyais que ton boss s'appelait Elenor, dit Hayden en mordant dans un samosa végétarien.

— Rick est son associé. Ils travaillent ensemble. Le bon flic et le ripoux.

— Tu disais que ton boulot se passait bien. Je ne comprends pas.

Je lui raconte que, la semaine dernière, quelqu'un a rempli mon tiroir de publicités de bière découpées dans des magazines, puis je lui parle du Post-it sur mon ordinateur.

Hayden est éberlué.

— Ça ressemble à de la malveillance.

— Rick est une ordure. C'est un pédé honteux et homophobe sans une once de talent. Il a juste raccroché son wagon à celui d'Elenor il y a des années, et elle est trop débordée pour remarquer qu'il est con comme un balai.

Hayden boit une longue gorgée d'eau.

— Il va falloir que tu le gardes à l'œil, ce Rick.

C'est bien mon intention.

— Passe chez moi à six heures et nous irons au Groupe ensemble, me dit Foster au téléphone.

Je jette ma carcasse dans un taxi pour foncer *Uptown*. Chaque pâté de maisons a triplé de taille depuis mon dernier trajet en taxi. Je grille d'impatience.

Il m'ouvre la porte simplement vêtu d'une serviette de toilette nouée autour de la taille, la moitié du visage couverte de crème à raser.

— Entre, je finis ça et on y va.

Je me poste dans l'embrasure de la porte de la salle de bains pendant qu'il se rase. La vapeur qui monte du lavabo embue le miroir. La serviette est assez courte pour me permettre de voir les muscles de ses cuisses se tendre chaque fois qu'il balance le poids de son corps d'une jambe sur l'autre. Des muscles compacts, enveloppés de peau bronzée et de pelage noir. Foster a un physique rétro. Il ressemble à un mec des années soixante-dix, une époque où les hommes ne se prenaient pas la tête avec des électrolyses ou des épilations à la cire. Tout en se rasant, il m'observe, sourire aux lèvres. Son regard va du lavabo à sa joue, à moi.

— Ça va aller ? Tu crois qu'on sera en retard ? demande-t-il en raclant la lame contre sa peau – je crois entendre le bruit d'un couteau à beurre aux prises avec du papier de verre.

— On est dans les temps, lui dis-je sans prendre la peine de consulter ma montre.

Foster tire sur sa serviette, qui révèle un boxer blanc.

Je me dis : *Est-il admis de voir un membre de son groupe de thérapie en sous-vêtements ? Est-ce que je franchis une limite ?*

Il se rince le visage, se redresse, attrape une serviette qu'il presse contre sa peau.

— Voilà qui est fait, annonce-t-il. (En passant devant moi, il m'effleure.) Oh, pardon, dit-il en souriant. Quel maladroit je fais.

Je le suis dans la chambre.

— À ton avis, je mets lequel ? demande-t-il en brandissant un jean noir et un pantalon de toile.

— Ni l'un ni l'autre.

Il hausse un sourcil. Une mimique dont je sais (par Greer, bien sûr) qu'elle requiert des heures d'entraînement devant le miroir.

— Okay, fait-il en laissant tomber les vêtements sur le sol.

Il avance vers moi d'un pas nonchalant, sourire aux lèvres. Je feins de reculer.

— Je voulais dire que tu devrais mettre un pantalon de jogging, je précise en riant.

— Vraiment ? (Il lève le bras et m'en caresse le visage.) Fourrure.

Je glisse une main autour de ses reins et l'attire contre moi. Il m'enlace et se débrouille pour nous diriger vers le lit, où nous nous effondrons.

Je désigne une petite cicatrice sous son menton.

— Comment t'es-tu fait ça ?

Il la frotte doucement du bout du doigt.

— J'ai planté mon pick-up quand j'étais à la fac, et j'ai heurté le volant.

Le lobe de son oreille s'emboîte à la perfection entre mes lèvres entrouvertes. J'avais oublié la sensation que procure un baiser. À l'époque où j'étais amoureux de lui, Pighead me laissait l'embrasser, mais je devinais toujours chez lui une certaine réticence. Là, c'est différent. La réciprocité fait toute la différence. Soudain, je prends conscience que je suis en train d'embrasser quelqu'un de mon groupe de thérapie.

— Foster, c'est de la folie. Qu'est-ce qu'on est en train de faire ?

— Tu as dit que tu aimais bien les mecs un peu barges.

— Je sais, mais ça ne concerne pas les mecs barges de mon groupe de thérapie.

Je fais un effort pour me redresser, mais Foster m'en empêche.

— Reste.

Je reste donc, allongé sur le dos. Je ferme les yeux. Il roule sur le côté et pose un bras sur ma poitrine.

— À quoi penses-tu ?

Je pense à Wendy, et au contrat que j'ai signé à HealingHorizons, qui stipule que je n'entretiendrai aucune relation de nature sentimentale avec un membre du groupe.

— À rien.

Foster m'embrasse dans le cou.

— Tu sais à quoi je pense, moi ?

— Je ne sais pas si je veux le savoir.

— Oh si, tu le veux, je te le garantis, dit-il en me secouant. Allez, demande-moi.

— D'accord. À quoi penses-tu, Foster ?

— Bon sang, Auggie, c'est gentil à toi de le demander ! Je pensais qu'il me tarde de voir la réaction du Groupe quand on va se pointer cet après-midi, tous les deux, en retard.

— Merde. Allez, on y va.

Foster rigole, je le tire par les bras pour le relever, puis je lui fourre le pantalon de toile dans les mains.

— J'entrerai après toi, dis-je.

Il enfile le pantalon, boutonne sa braguette.

— Oh, oh, où est passé ton sens de l'aventure ?

Nous descendons *Downtown* en taxi. Pendant le trajet, Foster, tout en regardant par la vitre, tient mon index emprisonné dans sa main. C'est un geste tendre, irréfléchi. Avant d'entrer dans la salle où se déroule la séance du Groupe, je consulte ma montre et constate que nous avons quinze minutes de retard.

Quand nous ouvrons la porte, les conversations s'interrompent et toutes les têtes pivotent. Foster entre le premier, en chuchotant :

— Désolé. Désolé, continuez.

Je m'assieds à l'opposé de lui dans la salle, bien qu'il y ait une chaise libre à côté de lui. Peter, l'un des alcooliques du groupe, reprend là où il en était avant notre entrée. Je le regarde et me concentre sur lui. Lorsque je risque brièvement un regard vers Foster, je vois que cet idiot, loin de s'intéresser à Peter, a les yeux braqués sur moi, et un immense sourire aux lèvres.

Ce soir, après dîner, tandis que Hayden et moi remontions Perry Street pour rentrer à la maison, je me suis demandé à voix haute où pouvait bien se trouver l'appartement de Linda Hunt, car j'ai lu qu'elle habitait dans cette rue, et je l'ai souvent vue promener son chien. La première fois que je l'ai croisée, j'étais accroupi, en train de ramasser un étron de Virgil et elle, debout, presque en face de moi, m'a demandé quel âge avait mon chien. La seule fois de ma vie où une célébrité distinguée par un Oscar – pas moins – m'a adressé la parole, j'étais plié en deux en train de ramasser de la merde.

Un homme en fauteuil roulant, sur le trottoir, nous a adressé la parole. Supposant qu'il faisait la manche, je l'ai ignoré. J'ai passé mon chemin, puis je me suis aperçu que Hayden s'était retourné, et arrêté. L'homme et lui étaient en train de parler. Je n'entendais pas ce qu'ils se disaient parce que j'étais à quelques pas de là, en train de fixer Hayden, le front plissé. J'étais agacé qu'il parle à un vieil homme en fauteuil roulant. Hayden m'a fait signe de la main en disant :

— Ce monsieur a besoin d'un coup de main pour rentrer chez lui. Il attendait qu'un costaud passe par là.

Je suis costaud, donc Hayden m'avait enrôlé. L'homme a reporté son attention sur moi. J'ai fixé l'intervalle entre eux deux, impatient, agacé.

Finalement, l'homme a dit :

— Merci de m'offrir votre aide. Si vous pouviez juste m'amener en haut des escaliers et déverrouiller la porte de mon appartement…

Il a sorti un trousseau de clés, qu'il a tripotées de ses mains à moitié paralysées pour trouver la bonne. Je me disais : *Tu n'as pas besoin de me la montrer maintenant ; tu me la montreras une fois devant ta porte si je ne la trouve pas tout seul.* Puisqu'il était dit que j'allais l'aider, je voulais en finir le plus vite possible.

— Laissez-moi juste une minute, le temps de garer mon fauteuil à côté des escaliers, a-t-il dit.

Une fois que le fauteuil a été en position, il a appuyé sur un bouton et coupé le moteur. Puis il m'a demandé d'extraire la chaîne antivol du sac qui se trouvait à l'arrière et d'attacher le fauteuil à la rampe.

J'avais l'impression de me faire avoir, mais je me suis tout de même forcé à sourire. J'ai extrait la chaîne du sac, j'ai attaché le fauteuil. L'homme m'a regardé faire, assis sur son fauteuil.

— Attention. Doucement, s'il vous plaît.

J'avais envie de lui répondre : *Tu vas la fermer, oui ?*

Cela fait, il m'a demandé de le porter.

— Soulevez-moi sous les genoux pendant que je…

Sa voix s'est brouillée dans mes oreilles, parce que brusquement, j'ai compris que j'allais tenir cet homme dans mes bras, et le porter jusqu'en haut des escaliers, jusque chez lui. J'ai entendu : « Comme un bébé. Exactement comme un bébé », et ça m'a donné la nausée. J'avais l'impression d'être en visite chez ma mère.

Il y a dix ans, ma mère a eu une attaque qui l'a laissée paralysée du côté droit et l'a condamnée au fauteuil roulant. Je n'arrivais jamais à me résoudre à lui rendre visite. Et lorsque j'y allais – ma dernière expédition devait remonter à un an et demi –, je ne réussissais jamais à rester très longtemps. Dès l'instant où je passais la porte de son appartement, son état de dépendance m'assaillait avec autant de force qu'une odeur nauséabonde. Pouvais-je lui changer une ampoule électrique ? Et lui faire traverser le pont ? Et acheter des boîtes de thon ? Et dévisser ceci ? Réparer cela ? Lui apporter encore ceci, et le lui poser sur les genoux ? Il y avait toujours un truc à allumer ou éteindre, à déplacer d'une pièce à l'autre. Comme si elle avait besoin de moi – de moi en particulier – pour exécuter ces corvées. Comme si elle me les avait gardées en réserve. Comme s'il s'était agi de cadeaux. De cadeaux d'amour. Telles des dépouilles d'oiseaux qu'elle aurait capturés, tués de ses griffes et mis de côté en mon absence pour les lâcher en vrac sur mon paillasson tel un festin censé me régaler. Naturellement, il ne s'agissait jamais que de broutilles, mais chacune me donnait l'impression d'être la mer à boire.

Quand je vais rendre visite à ma mère, je me sens sale. J'ai l'impression que son intimité est exposée.

Ses chemises de nuit sont si fines qu'on distingue la chair à travers l'étoffe. Sa dépendance me fait penser à un vagin, et c'est un spectacle qui me dérange.

Son appartement n'est pas aussi bien tenu que la maison dans laquelle j'ai grandi. Quand j'étais petit, tout était impeccable. Quelques grains de poussière sur la table en teck de la salle à manger suffisaient à déclencher un grand nettoyage de printemps.

Comme j'ai tenu cet homme dans mes bras ce soir, j'ai dû tenir ma mère – non pas porter, mais tenir. J'imagine qu'on appelle ça *prendre quelqu'un dans ses bras*. J'ai dû l'aider au restaurant, le visage brûlant de honte en regardant les autres clients dans la salle, mortifié que ma mère ait besoin de deux personnes pour accomplir les gestes d'une seule.

Je bouillais d'une rage rentrée en pensant qu'elle m'avait refilé à son cinglé de psychiatre quand j'étais gamin. Et maintenant qu'elle était paralysée, dépendante, elle avait le culot d'avoir besoin de moi ?

Je ne vais pas lui rendre visite parce que son corps m'est étranger. C'est ma mère dans le corps de quelqu'un d'autre. Celui d'une femme paralysée. Comme si elle avait échangé son corps athlétique contre celui-ci – mou, fragile, en demande perpétuelle. Je lui en veux parce que j'ai l'impression qu'elle l'a fait exprès, sous le coup d'une impulsion, et qu'elle s'en mord les doigts aujourd'hui. Comme si ç'avait été un moyen d'attirer une fois de plus l'attention sur elle.

Naturellement, ce n'est pas vrai. Son corps s'est tout simplement cassé, comme une voiture, et elle n'a pas pu le remplacer. Un vaisseau capillaire a éclaté une nuit pendant son sommeil, et lorsqu'elle s'est réveillée, la vie telle qu'elle la connaissait s'était évanouie, comme un rêve. Ma mère vit dans le corps d'une femme paralysée. Quand j'allais la voir, quand je la serrais dans mes bras, c'était comme si j'avais une étrangère en face de moi. Je rendais visite à un corps – un corps de médium handicapé capable de communiquer avec ma défunte mère. Je me sens particulièrement mal à l'aise lorsque je dois utiliser ses toilettes parce qu'il y flotte une odeur autre que celle de la javel et du détergent, et qu'on retrouve dans la cuisine. Ces pièces sentent la paralysie. Elles sentent le handicap.

Ma mère – cette femme qui semblait ne rien trouver à redire à ce qu'un pédophile m'encule pendant mon adolescence, et ce, trois ans durant – ne devrait rien attendre de ma part. Elle n'a pas gagné le droit que je lui remplace une ampoule électrique. Elle s'est débarrassée de moi quand j'avais treize ans, point final.

Quoi qu'il en soit, j'ai aidé l'homme en fauteuil roulant. Je l'ai porté jusque chez lui, au troisième étage. Il était aussi léger et silencieux qu'un sac de linge sale. Je l'ai livré devant sa porte. J'ai dû chercher les clés dans sa poche. Sentir sous mes doigts la chaleur de sa jambe morte me faisait l'effet d'une obscénité, d'une invasion. Lui, pourtant, ne semblait nullement mal à l'aise. Il donnait l'impression d'être habitué aux invasions. De les accueillir avec plaisir ou, du moins, de les tolérer. Tandis que je passais son trousseau en revue, en cherchant la clé de son appartement, il commentait : « Non, pas celle-ci, pas celle-là, celle en laiton, la ronde. » En glissant la clé dans la serrure, je me suis préparé à ce que j'allais découvrir. Je m'attendais à sentir s'en échapper une odeur atroce et putride de paralysie, comme un gros chien qui bondit.

J'ai ouvert la porte. L'appartement était saisissant. Spacieux, astucieusement aménagé et immaculé. Une chaise de Frank Gehry à côté d'un canapé de Le Corbusier. Des bibliothèques du sol au plafond, pleines à craquer. Des photos aux murs dans des cadres noirs agrémentés de maries-louises blanches. Des photos de lui, avant. Bel homme, avec des amis, sur la plage. Un ordinateur, un fax, et une somptueuse cheminée, remplie non pas de bûches mais de branches de lilas.

Il m'a demandé de sortir l'argent de ses poches et de le poser sur le comptoir. « Non, pas sur ce comptoir-là, sur l'autre, avec les autres billets. » J'ai fait ce qu'il m'indiquait. Je me suis dit : *Je pourrais prendre cet argent.* J'aurais pu voler le petit dessin signé de Picasso. J'aurais pu lui prendre la vie. Le rouer de coups. Il serait resté sans défense. Toute son existence repose sur la confiance et la bonne foi. Il m'a remercié et je lui ai répondu avec le sourire qu'il n'y avait pas de quoi.

Je me suis senti mal dans mes vêtements tout au long du trajet jusque chez moi, comme si quelque chose de cet homme m'avait déteint dessus. J'avais peur de me toucher le visage, peur du transfert de molécules. Je pensais à une petite fille que je connaissais quand j'étais gamin, Annie. À quatre ans, alors qu'elle jouait dans la cour, elle s'était mis de la merde de chien dans l'œil gauche et avait choppé un parasite qui l'avait rendue aveugle de cet œil. J'avais l'impression qu'un peu de la vulnérabilité de cet homme, de ses besoins, de sa dépendance, s'était cramponné à moi.

Lui et ma mère sont comme des palourdes sans coquille. Des palourdes, des escargots, des homards sans coquille ni carapace. Vulnérables et exposés.

Tous les deux jours, j'envoie un e-mail à ma mère. Elle se sent complètement isolée si nous ne correspondons pas. Ce soir, il n'y a pas de message, et je me sens curieusement mal à l'aise, déconnecté. Je me demande pourquoi elle n'a pas écrit, sans pour autant me mettre martel en tête. Je ne me dis pas qu'elle a pu faire une chute. Ou une attaque – comme celle qui l'a laissée paralysée du côté gauche. Il ne me vient pas à l'idée qu'elle puisse avoir faim, ou être déprimée. Je pense à elle comme à des mots qui apparaissent sur l'écran de mon ordinateur, parfois mal orthographiés mais toujours là, et que je peux archiver dans le petit dossier à son nom. Notre relation possède un fonctionnement séquentiel. Jamais deux mails à la suite, mais toujours en réponse, le cachet de la poste faisant foi. Non seulement la distance, le fait de vivre dans des villes différentes et de communiquer par ordinateur interposé, mais également le temps me tiennent à l'écart d'elle. Je l'appelle assez souvent, mais je ne l'aide pas financièrement, même si ce que je considère comme une petite somme représente beaucoup d'argent pour elle.

Est-ce une punition ?

Non. De la même façon que, dans un rêve, il est épuisant de courir sous l'eau, il est simplement trop fastidieux de trouver un timbre, de rédiger un chèque et de le poster. Je ne lui dois rien. Je la traite de la même façon que, selon moi, elle m'a traité.

Parfois, j'ai le fantasme d'une mère en jupe plissée bleu marine, chemisier blanc amidonné et pull bleu pâle noué avec décontraction sur les épaules. On n'entend pas de flacons de médicaments s'entrechoquer dans son sac à main quand elle le pose sur le siège de la voiture. Cette mère-là, on peut lui faire plaisir avec un cadeau choisi sur le catalogue de Macy – et non sur celui d'un spécialiste en fournitures médicales. Cette mère-là aurait les cheveux mi-longs, coupés au carré.

« Pourrais-tu m'aider à transporter ces bouteilles ? » me demanderait-elle, de retour d'un marché de petits producteurs à Hadley.

Elle prendrait de longs bains de lait de chèvre. « Le lait de chèvre fait un bien fou à ma peau. »

Quand je lui tendrais mon livret scolaire – uniquement des A –, elle dirait :

« Tu sais, ça peut paraître insignifiant, mais cet effort supplémentaire, ces dix pour cent de plus, peuvent faire toute la différence entre Princeton et Bennington. (Elle me sourirait avec un petit air de complicité taquine.) Bennington, chéri. Réfléchis bien. Des lesbiennes. »

Même dans mes fantasmes, parfois, je la haïrais. Je la jugerais étroite d'esprit et matérialiste. Je me plaindrais.

Quand je lui dirais : « Mais tu t'es déjà fait lifter les paupières une fois », elle me répondrait : « Non, c'est inexact, ça n'a pas été bien fait, alors cette fois-ci compte pour la première. »

Les hommes que fréquenterait ma mère seraient tous gérants de magasins franchisés. « Mais tu as toujours adoré les Blimpie[1], argumenterait-elle pour tenter de me convaincre.

— C'est un porc, maman. Il se gratte le derrière et ensuite, il se renifle les doigts. Je l'ai vu faire. En plus, il a les doigts velus. »

Elle accomplirait des pèlerinages mensuels à New York, d'où elle reviendrait les bras chargés de sacs de tous les magasins de la Cinquième Avenue. De loin, j'en serais venu à considérer Manhattan comme un centre commercial à ciel ouvert. Je ne trouverais rien de romanesque à cette ville. Dans ma tête, je prendrais note de l'éviter à tout jamais.

Et donc, à dix-huit ans, je poserais ma candidature à l'USC. Ma mère en serait atterrée.

« Bon sang, mais tu n'es pas sérieux ? L'Université de Californie du Sud ? Tu as fumé de l'herbe ? À quoi penses-tu ? Quel genre de diplôme vas-tu préparer ? Techniques culinaires du fast-food ? Surf ? »

Je répondrais :

« Non, mère. Entomologie. »

Elle serait exaspérée par ma réponse car elle ignorerait le sens de ce mot et aurait le sentiment que je ne l'emploie que par cuistrerie (je serais un vrai rat de bibliothèque).

« Si tu veux devenir médecin, je ne vois pas ce qui t'empêche d'étudier sur la côte Est.

— L'entomologie, c'est l'étude des insectes, maman. »

Elle resterait pétrifiée, le pinceau du flacon de vernis à ongles suspendu en l'air.

« Quoi ? »

Je la regarderais. Puis hausserais les épaules.

« Quoi "Quoi" ?

1. Nom d'une chaîne américaine de sandwicheries.

— Des insectes.
— Ouais. Entomologie. Insectes. »
Elle remettrait le pinceau dans le flacon et le revisserait fermement. Elle soufflerait sur ses ongles et nos regards se croiseraient.
« Comment pourrais-je tourner ça de façon à ne pas te blesser ? À ne pas démolir ton enthousiasme de jeunesse ? Mmmm… Okay, j'ai trouvé : NON. »
Je lui rétorquerais qu'il ne s'agissait pas de son choix, mais du mien.
Elle me rappellerait qu'il s'agissait de son argent.
Je lui dirais que j'allais me débrouiller pour en gagner.
« Ah oui ? Et comment ? demanderait-elle.
— En trouvant un boulot, et en faisant des économies. »
Elle conclurait que j'avais certainement perdu la tête et qu'elle allait m'emmener voir un psy. Elle dirait :
« Si tu n'es pas d'accord pour consulter un thérapeute, je te coupe les vivres. »
Je ne serais pas d'accord. Je prendrais la porte, furax.
Nous ne nous parlerions plus d'une semaine.
Pour finir, j'irais à Princeton. Parce que, sur bien des plans, ma mère aurait eu raison. Et me voir me ranger à son avis la rendrait tellement plus heureuse, sa vie en serait tellement plus belle. Et, parce que l'avenir des insectes n'a rien de vraiment prometteur, j'accepterais d'essayer les études de droit, au moins jusqu'à la fin du premier cycle.
Elle m'offrirait une Rolex.
Je la porterais le jour de la rentrée.

Évidemment, j'aurais probablement fini par devenir un avocat alcoolique haïssant sa mère hyper protectrice, alors j'imagine qu'au bout du compte, c'est du pareil au même.

Crack et craquelures

— Ça va ? demande Hayden depuis le canapé dont il a fait sa niche.

— Quoi ?

— Je te demande si ça va ?

— Ah, ouais. Pourquoi ? J'ai l'air bizarre ?

— Tu n'as pas l'air bien du tout.

Je ferme mon carnet et accroche mon stylo à la couverture. C'est vrai, je ne suis pas dans mon assiette.

— On peut parler ? Je crois que j'ai besoin de parler.

— Bien sûr, répond-il en cornant la page de son bouquin. C'est quoi ? (Il a l'air inquiet.) Pighead ?

— Non. (Maintenant que j'ai demandé si on pouvait parler, je n'en ai plus envie.) Je crois que c'est le pic d'angoisse du dimanche soir. Je hais les dimanches, je ne veux pas aller travailler demain.

Hayden attend que je me décide à accoucher de la vérité.

— Il me faut une clope, dis-je en me levant du lit pour aller chercher une Marlboro Light sur le comptoir de la cuisine.

— J'en veux bien une aussi, dit Hayden.

Il se lève et va prendre une Silk Cut dans le paquet posé sur sa valise. Nos briquets s'allument en même temps. Deux accros, synchro. Exactement comme les étudiantes d'un même dortoir qui ont leurs règles à la même période.

— C'est Foster, dis-je.

— Ô, bon Dieu. Tu n'as pas couché avec lui ?

Je recrache la fumée.

— Non, mais c'était moins une.

— Quand ça ?

— Jeudi dernier, avant le Groupe. Je suis passé le prendre chez lui, je le confesse. Je plaide coupable.

— Tu sais, je ne pense absolument pas que Foster soit quelqu'un de mauvais, commence Hayden. Mais je crois que pour toi, il est risqué de t'engager si prématurément dans une relation.

Il est assis sur le canapé et moi en face de lui, au bureau.

— Je ne sais pas ce qui m'arrive. Je suis détraqué.

Hayden se lève pour allumer le gaz sous la bouilloire. Il sort deux tasses du placard et jette un sachet de thé dans chacune d'elles.

— Pourquoi suis-je tellement en manque d'affection ? Quel est mon problème ?

Hayden se retourne.

— Il n'y a pas de mal à être en manque d'affection. Il n'y a pas de mal à avoir besoin d'amour.

— Je crois que je suis amoureux de lui.

— Peut-être bien.

— Mais je n'arrive pas à déterminer si c'est de l'amour ou une simple obsession.

— Tu en as parlé à Wendy ?

Je le regarde.

— Tu plaisantes ? Si elle le savait, on m'exclurait du Groupe.

— Je crois que tu devrais lui en parler. Te montrer franc avec elle. Tu te sentirais mieux.

Pour l'heure, je me sens terriblement frustré, et en colère. En colère contre Hayden à cause de sa suggestion. En colère contre moi pour m'être mis dans cette situation. En colère contre Pighead pour m'avoir foutu une peur bleue avec son putain de hoquet.

Je me mets à arpenter la pièce comme un animal en cage.

— Rien n'est assez, rien n'est jamais assez. On dirait qu'il y a un gouffre en moi, que rien, absolument rien ne peut combler. Une carence majeure.

— Mais non, tu es alcoolique, me rétorque Hayden, comme si ça expliquait tout.

Ce qui est évidemment le cas.

Je vais m'allonger sur le lit.

— J'ai juste besoin de dormir. Je suis fatigué, c'est tout.

Hayden verse l'eau bouillante dans les tasses et m'en apporte une.

— Le thé guérit tout. Ce qui manque dans ta vie, c'est une tasse de thé.

Étendu là, je songe au fait que si je ne parle pas à Foster au moins une fois par jour au téléphone, je commence à paniquer. Hier soir, il m'a dit qu'il regrettait d'avoir un jour touché au crack.

« C'est un sentiment dont on se passerait volontiers. »

Il a ajouté qu'il avait l'impression de mener une vie inutile.

« Je devrais faire quelque chose, comme toi.

— Je déteste ce que je fais, lui ai-je répondu.

— Ouais, mais tu le fais bien et tu gagnes plein de fric.

— Tu as déjà plein de fric, lui ai-je rappelé. Bien plus que je n'en aurai jamais.

— Je sais, mais je n'ai rien fait pour le gagner, sinon naître. Et par ailleurs, j'en fais quoi, de ce fric ? Est-ce que j'ai un bel appartement ? Est-ce que je pars en week-end à Paris ? Non. Il est bloqué sur un fonds commun de placement et je claque les intérêts en cocaïne et sous-vêtements de luxe.

— Comment ça, “en cocaïne” ? Tu ne consommes pas, n'est-ce pas ? »

Un ange est passé, puis il a rectifié :

« Non, je voulais dire que *c'était* comme ça que je le claquais. Aujourd'hui, je me contente des sous-vêtements de luxe. »

Je songe à ses boxers blancs Hanes, qui n'ont rien de luxueux, mais je ne relève pas.

« Foster, tu trouves pas ça bizarre, ce qui se passe entre nous ?

— Ben, oui, évidemment. C'est pour ça que ça me plaît.

— Non, je voulais parler de cette relation mi-chèvre mi-chou. On se câline, c'est très affectueux, mais il n'y a pas de sexe…

— Lorsque tu souhaiteras y remédier, tu me le feras savoir, j'en suis certain. »

J'imaginais son sourire en coin.

« Non, je voulais dire que ça me laisse un sentiment mitigé.

— Écoute, Auggie. Je sais que nous sommes supposés ne pas nous voir. Je sais que c'est strictement interdit, mais j'aime être avec toi – j'adore être avec toi. Plus qu'avec n'importe qui d'autre que je connais. Vraiment. »

« Pas de bouleversements dans votre vie pendant au moins un an. »

Allongé sur mon lit, je songe que Foster est un bar, un barman, un cocktail, une serviette en papier, un zeste de citron vert, du sel, un pourboire et deux Xanax, tout ça à la fois.

Je crains que les remous intérieurs autrefois canalisés par l'alcoolisme ne soient désormais déviés vers d'autres rivières tumultueuses. Je crains d'avoir drainé le lac pour inonder la ville.

Un membre du Groupe a rechuté, la semaine dernière. Il s'appelle Bill, il approche de la soixantaine. Voilà plus de trente ans qu'il vit avec son petit ami. Il est parti de chez ses parents vers l'âge de vingt ans pour s'installer chez son amant. C'est un homme grave, qui ne sourit jamais. Il lutte. Il a les cheveux gris et ce, à mon avis, depuis l'âge de treize ans. Aujourd'hui à la retraite, il était banquier d'affaires, comme Pighead. D'ailleurs, il me rappelle Pighead à bien des égards – son acharnement à comprendre les choses, sa façon d'envisager la vie comme une série d'étapes – comme s'il suivait une formule, ou des instructions.

Il y a quelques mois de ça, dans le cadre d'une succession, il a été nommé exécuteur testamentaire, et cette semaine, il s'est retrouvé dans la maison du défunt. Il y avait des bouteilles de whisky dans la cuisine et le salon. Sachant qu'elles étaient là, a-t-il expliqué, il évitait ces bouteilles. J'ai pensé que moi, à sa place, je ne les aurais pas évitées. Je les aurais tenues vers la lumière en me demandant comment tant de beauté peut bousiller quelqu'un. J'aurais voulu tenir en main le flingue qui a manqué me tuer. Mais Bill, lui, avait évité les bouteilles et les pièces où elles se trouvaient. Ensuite, il s'était disputé avec une femme, je n'ai pas très bien compris de qui il s'agissait. Et puis il avait bu. Et quand il était rentré chez lui, son amant avait senti l'alcool dans son haleine. Bill a ajouté qu'ils avaient passé une soirée paisible. Je n'avais aucun mal à me représenter la scène. Il a dit qu'ils avaient dîné. Et je pouvais entendre le raclement des couteaux dans les assiettes. Les verres d'eau qu'on pose sur la table. Je les voyais, tous les deux assis, en train de mariner dans l'échec. Et j'ai songé à quel point ce sentiment devait être horrible. À quel point je me serais senti perdu, si ç'avait été moi en train de raconter que j'avais rechuté. Quelqu'un aurait-il alors sorti : « Je dois dire que je l'ai vu venir » ? Ou tout le monde aurait-il été surpris ? Moi, je l'aurais été.

Trente ans avec le même homme.

Mon client allemand – le brasseur – est un type épouvantable. Il exige une campagne basée sur l'héritage allemand.

— Nous *f*oulons être une authentique bière allemande. Nous *f*oulons garder notre héritage allemand.

Je jurerais l'avoir entendu claquer des talons sous la table de la salle de réunion.

— L'héritage allemand ? je répète, pour m'assurer que j'ai bien entendu, que je ne suis pas en train d'assister à un spectacle parodique O*ff*-O*ff*-Broadway.

Le client me regarde en étrécissant ses yeux bruns, presque noirs, qui semblent rapetisser encore tandis que ses sourcils convergent l'un vers l'autre.

Je songe : *Toi mon coco, t'aurais moins fait le malin à une certaine époque. Cheveux bruns, yeux noirs. Une vraie tête de Rom. T'aurais même pu passer pour un Juif.*

— *F*ous a*f*ez compris ce que je *f*iens de dire ? *Che* crois que mon anglais n'est pas si mau*f*ais.

Il extrait un coupe-ongles de sa poche de poitrine. Des demi-lunes viennent s'éparpiller sur la table.

— Non, non, j'ai entendu... Je voulais juste m'assurer d'avoir bien compris ce que vous désirez..., dis-je en essayant de me montrer diplomate et professionnel. Sans tomber dans ces histoires de Troisième Reich..., j'ajoute.

Son visage vire instantanément au rouge – un *mood ring*[1] plongé dans l'eau bouillante. Il repose d'un geste brusque le coupe-ongles sur la table et me fusille d'un regard haineux. Je devine qu'il m'imagine suspendu aux sangles d'un parachute dans une cabine de simulation d'altitude, et sans masque à oxygène, bien entendu.

— J'en ai marre que *f*ous, les Américains, *f*ous associiez toujours l'Allemagne d'aujourd'hui... (Il consulte

1. Bague « magique », censée indiquer par sa couleur changeante l'humeur de la personne qui la porte.

son dictionnaire bilingue mental)... a*f*ec cette triste période de notre histoire. C'était il y a très longtemps. Je n'ai rien à *f*oir a*f*ec tout ça, l'Allemagne moderne n'a rien à *f*oir avec ça. C'est arrivé. Des choses terribles arri*f*ent en temps de guerre.

Barnes, le rouquin de la compta, Tod, le média planneur, Greer et moi échangeons un regard. Notre directrice de création, Elenor, a la chance d'avoir aujourd'hui une réunion « protections hygiéniques » à Cincinnati. Rick l'Enfoiré a séché la réunion pour aller au cinéma.

— Nous a*f*ons tra*f*aillé a*f*ec beaucoup d'agences, par le passé ; nous a*f*ons testé des campagnes, changé d'agence et *f*u nos *f*entes décliner. Tout ce que nous *f*oulons, c'est une solution, crache-t-il presque, ses deux poings serrés posés sur la table devant lui.

J'ai envie de lui répondre : *Putains d'Allemands, vous et vos solutions*. Mais je me contente d'un « Okay ». Plus tard, dans mon bureau, je m'assieds devant mon ordinateur. L'héritage germanique. Mmm... Je dresse une liste de spécialités allemandes :

lederhosen
sous-vêtements en cuir
douches
dobermans
papier millimétré
blouses blanches de laboratoire
automobiles de luxe, moteur de précision
uniformes
barbes bizarres
schnitzels assortis
choucroute
fours
pendules avec coucou
jumeaux

lampes à rayons ultraviolets, pour ressusciter cobayes humains inconscients après expériences de survie en eaux froides
produits pharmaceutiques
pas de l'oie
voyages en train
savants fous
musique techno
dentistes

Je regarde ma liste et m'aperçois que j'ai un problème, avec cette histoire d'héritage germanique. Il ne constitue pas, comme on dit, un territoire porteur. Je me cale dans mon fauteuil, je me frotte les yeux. Quand je les rouvre, je remarque la bouteille. Une petite bouteille comme celles qu'on sert à bord des avions. Une mignonnette de gin, coincée entre deux livres, sur l'étagère.

Rick.

Ce ne peut être que lui. L'angoisse m'assaille. Je me lève, j'attrape la bouteille. Je la tiens dans ma paume. Je regarde s'il y en a d'autre, mais non, c'est la seule. Une pensée me traverse l'esprit : je pourrais l'ouvrir et la descendre cul sec. Oui, c'est exactement ce que j'aimerais faire. Parce que j'en suis malade, de penser aux pubs de bière allemande et à la monstruosité de Rick. Je prends une profonde inspiration et balance la bouteille dans la poubelle.

Je viens d'acheter un pantalon en cuir noir et une chemise en velours bleu nuit que je compte porter lors d'une occasion encore non définie. Je n'ai rien essayé dans la boutique, j'ai tout emporté à la caisse, le visage empourpré, et j'ai payé en liquide. Ensuite, je suis rentré chez moi et j'ai essayé le pantalon et la chemise – déboutonnée quasiment jusqu'à la taille, col largement ouvert. Le Sexe personnifié. Je me faisais l'effet d'un de ces trucs dotés d'une languette parfumée détachable à frotter sur son poignet. Je me suis déshabillé, j'ai plié mes nouvelles acquisitions et les ai rangées sur l'étagère, tout en haut du placard.

Je suis allé au cinéma avec Foster et, assis dans le noir, tout en regardant l'écran, je songeais : « J'ai un pantalon en cuir noir et une chemise en velours bleu nuit dans mon placard. » Jamais on n'irait imaginer ça en me voyant. On doit penser que je possède des chemises en flanelle Eddie Bauer, des boots Timberland patinés, des Nike encroûtées de boue et des tee-shirts frappés de logos de maisons d'édition. On pourrait même deviner que je possède un costume Armani. Mais jamais on ne devinerait la vérité. La vérité toute récente.

Hier soir, dans une animalerie, j'ai trouvé un os en croûte de cuir. Un os fantaisie. Bien trop gros pour n'importe quel vrai chien. Je l'ai acheté et je suis allé chez Pighead pour l'offrir à Virgil. L'os l'a rendu euphorique ; il ne savait pas par quel bout commencer à le ronger. Pighead m'a appelé ce matin, et m'a dit :

— Maintenant, c'est sur l'os qu'il se précipite, pas sur moi ni sur son bol de flotte. Sur l'os.

C'est samedi, midi. Je fume cigarette sur cigarette et bois du café comme un alcoolique depuis ce matin sept heures. J'ai déjà vidé deux cafetières. J'ai l'impression d'être électrisé, comme si je m'étais servi du sèche-cheveux dans la baignoire. Je suis déchaîné – je chante à tue-tête en même temps que la radio, mais des chansons différentes de celles qui passent. Je suis comme un malade mental qui vient de décider d'arrêter les psychotropes. Je suis tellement fou, ce matin, que Hayden, ne pouvant plus me supporter, est sorti se balader.

Je descends acheter des pommes vertes. Quand je les prends dans la main, je m'aperçois qu'elles sont recouvertes de minuscules gravillons noirs. Le petit Indien qui surveille l'étal de fruits et de fleurs sur le trottoir me sourit et me dit, de sa bouche édentée et en désignant la chaussée :

— La poussière… des voitures…

Je me rabats sur un paquet de Jolly Raunchers.

J'ai envie de me sentir serein et détendu. Comme quelqu'un qui vit à Half Moon Bay, en Californie, et se prépare un bol de houmous. Au lieu de quoi j'ai l'impression d'être un des candidats de ces atroces jeux télévisés filmés dans un supermarché, et de disposer de soixante secondes pour me précipiter dans les rayons avec mon Caddie et le remplir à ras bord.

« Prends des viandes qui coûtent cher ! me crie le public du studio. Des *chutneys !* piaillent-ils. Non, laisse tomber le papier-toilette ! »

Quand j'ai appelé Pighead ce matin à huit heures, je l'ai réveillé.

« Lève-toi ! Fais un truc avec moi ! »

J'étais déchaîné.

Il m'a dit : « Non, va te recoucher », et puis il m'a raccroché au nez.

Ensuite, j'ai appelé Jim, mais il n'a pas répondu. À tout les coups, il était au lit avec Astrid, en train de filtrer les appels : célibataires et alcooliques en désintoxication, passez votre chemin, svp.

Peut-être devrais-je adopter un chien. J'adorerais avoir un chien, sauf que les alcooliques n'y ont pas droit. Pas de bouleversement pendant la première année.

Mais maintenant que je dispose de tout ce temps libre – tout ce temps que je consacrais autrefois à boire –, j'ai besoin de l'occuper de façon constructive. Avec des cambriolages, par exemple. Gamin, j'ai toujours eu des chiens, mais depuis que je vis à New York et que je bois, je n'ai jamais trouvé le temps d'en acheter un. On ne peut pas adopter un chien pour l'attacher tous les soirs à un parcmètre devant l'Odeon pendant qu'on se met la tête à l'envers tout en épiant Cindy Crawford qui grignote un assortiment de légumes verts.

Je déteste éprouver des émotions. Pourquoi la sobriété doit-elle s'accompagner d'émotions ? À un moment donné, je suis tout excité, et l'instant d'après, terrifié. Ou bien alors, je me sens libre, et l'instant d'après, perdu. Je pense aux lobotomies. Est-ce comme les rhinoplasties ? Suffit-il de prendre rendez-vous ? Ou bien faut-il une ordonnance ?

Ces derniers temps, les AA me tapent sur les nerfs, car j'ai beau y aller tous les jours, je ne m'y suis fait aucun ami proche, ni d'ailleurs d'ami tout court. Ça me semble beaucoup plus facile de nouer des amitiés dans les bars. Je dois me rappeler sans cesse que ces gens qui viennent aux réunions sont exactement les mêmes que ceux qui fréquentent les bars – ils sont des *piliers* de bar –, à cette différence près que leurs bars ont tiré le rideau. Je dois admettre que, du coup, ils sont moins intéressants à mes yeux.

Il me faut un hobby. Les gens sobres ont des hobbies. Mais le mien ne doit pas induire de bouleversement dans ma vie. Je pourrais m'investir dans une association caritative. *Feed the Children*, par exemple. Je pourrais recueillir les lettres d'orphelins mal nourris.

Récemment, j'ai vu le visage bouffi de Sally Struthers envahir mon écran de télévision. Son menton tremblait et elle semblait en proie à une douleur physique, comme si elle avait reçu un violent coup de poing. Mais, curieusement, elle avait également l'air affamé. Comme je regarde la télévision sans le son, il a fallu que je me mette en chasse de la télécommande pour écouter ce qu'elle disait. Et c'est là que je l'ai entendue me supplier, moi, personnellement, de lui envoyer de l'argent afin qu'elle puisse Nourrir les Enfants. Ensuite, plan de coupe sur la petite Anna, une fillette indienne toute rabougrie, aux yeux aussi étincelants que des joyaux. Ensuite, retour sur Sally, en train de marcher, cette fois. Et de se mettre de profil afin de pouvoir se faufiler entre deux maisons en torchis.

À dire vrai, j'ai eu l'impression que si j'envoyais un don à Sally, ce serait elle qui ouvrirait l'enveloppe. Je l'ai imaginée en train de glisser l'argent dans la poche de son jean à ceinture élastique, puis s'offrir à dîner chez Pizza Hut et se servir de mon enveloppe pour éponger la graisse des poivrons sur son menton. J'ai imaginé qu'elle commandait peut-être du pain à l'ail et au fromage, et une laitue iceberg avec une sauce au bleu et des croûtons. Je me la suis représentée en train de manger seule, sans jamais lever les yeux, et de mastiquer, le menton tremblotant. Elle a du mal à avaler, tant elle lutte contre les larmes. Puis elle abandonne son plateau sur la table et remonte dans sa Cadillac, une Fleetwood 1981, en gémissant. Refermer la portière lui demande un effort. Elle pose les deux mains sur le volant, y appuie son front, et se met à pleurer, là, sur le parking. Je la vois ensuite chasser ses larmes d'un battement de paupières, démarrer, passer un petit doigt dodu sous ses yeux et s'en aller. Elle descend peut-être La Cienega, ou Pico, en quête d'un Taco Bell drive-in. Plus tard, un sac en papier à la main, elle entre dans son appartement – je me le représente au premier étage d'un bâtiment impersonnel, sans style, dans West Hollywood. Là, elle regarde des cassettes de *All in the Family*. Les rideaux miteux sont tirés et, tout en engloutissant un Burrito Supreme, elle récite silencieusement les dialogues du feuilleton. Du fromage râpé s'échappe de son burrito, et tombe sur sa poitrine.

Je l'imagine ensuite qui entre à pas feutrés, pieds nus, dans sa cuisine. Elle a abandonné les emballages du Taco Bell sur le canapé. Elle ouvre le réfrigérateur, juste pour jeter un œil. Je la vois s'accroupir en poussant un grognement, puis ouvrir le bac à salade. Elle y trouve deux tranches de pain aux olives Oscar Meyer, en train de rassir dans leur emballage de plastique jaune. Elle roule les deux tranches ensemble, glisse ce tube entre ses lèvres, comme un cigare, et le grignote jusqu'à la dernière miette tout en cherchant des yeux autre chose à se mettre sous la dent.

— Je suis très fier de toi, déclare Pighead tout en versant des croquettes dans la gamelle de Virgil. Tu as réussi à réorganiser ta vie autour de la sobriété.

Je suis adossé au comptoir de granit de sa cuisine et mon coude heurte quelques flacons de médicaments. Deux ou trois d'entre eux dégringolent par terre.

— Merde.

— C'est bon.

Il les remet en ordre, se penche pour ramasser ceux qui ont roulé jusque devant la cuisinière, puis regarde les étiquettes, et range ces flacons à leur place attitrée.

Car le rangement des flacons obéit à un ordre précis, d'une rigueur quasi militaire. Pighead, le banquier millionnaire à trente ans, est incroyablement doué pour éliminer les variables.

Il y a les pilules du matin, celles de l'après-midi, celles encore qu'il prend au coucher. Des douzaines de pilules. Beaucoup trop pour un seul homme. Je devrais connaître chacune d'entre elles, être plus présent pour mon ami, mais je suis paralysé.

— Je suis désolé, lui dis-je avec sincérité.

— Pour quoi ? demande-t-il en s'appuyant contre le comptoir en face de moi.

— Je suis désolé, c'est tout.

— Augusten, dit-il en venant me rejoindre. Je t'aime énormément. Et je t'aimerai toujours. Il ne se passe pas un seul jour sans que je m'en veuille de n'avoir pas compris plus tôt à quel point je t'aimais. Au moment où tu étais amoureux de moi.

— Mais, Pighead, je…

— C'est bon. Je comprends pourquoi tu as dû aller de l'avant. Et je sais que tu m'aimes. Comme un ami. Et je t'en suis reconnaissant.

Je pourrais pleurer, mais je ne le fais pas.

— Comment se fait-il que je ne sois pas un meilleur ami ? Pourquoi faut-il toujours que je fuie ?

— Parce que tu as peur de me perdre.

Une phrase se forme dans ma tête. Je ne réussis qu'à articuler :

— Mais…

Pighead est secoué par un violent hoquet.

— Merde, lâche-t-il, contrarié. J'aimerais bien savoir ce qui le provoque.

— Ils ne peuvent pas te débrancher ton « hoqueteur » ?

— Ils n'arrivent pas à le trouver.

Et puis il me regarde, l'air de dire : *Sacré P'tite Tête. Et je le regarde – sacré Pighead.*

En sortant de l'agence, je vais chez Sophia, ma coiffeuse grecque attitrée d'Astor Place.

— Comme d'habitude ? s'enquiert-elle.

Ouais. Comme d'habitude – à savoir court sur les côtés, plat sur le sommet du crâne, nature derrière. Et là, la voilà qui innove. Elle commence à passer la tondeuse au-dessus des oreilles, puis à descendre, descendre jusque sur la nuque. Et lorsqu'elle en a terminé avec le dessus du crâne, ma tête semble luisante, comme si elle était couverte de duvet de bébé. Mon crâne me dit : *Coucou, me voilà*, à travers les cheveux qui ne cessent de se raréfier sur son sommet. Si j'avais une chevelure fournie, sans doute la raserais-je, comme tous les autres pédés. Et je m'en ficherais, parce que ce serait un choix.

Pendant que j'attendais mon tour, j'ai lu dans *Vogue* une remarque de Michael Kors : « C'est formidable que Calvin Klein ressorte ses premiers modèles de jeans, mais d'après moi, quand on les a portés à l'époque, ça n'a pas de sens de les porter aujourd'hui. »

Juste avant de lire cet article, j'en avais acheté deux paires. J'ai le sac avec moi.

Quand je quitte Astor Place, je regrette de ne pas avoir de cocaïne.

Nous sommes dans un cimetière à Mystic, dans le Connecticut. Foster a loué une voiture et est passé me prendre. Nous nous sommes arrêtés pour acheter des *fish & chips* dans un endroit un peu minable baptisé The Clam Shack et maintenant, nous sommes étendus dans l'herbe, en train de manger les beignets croustillants et gras directement dans les boîtes en carton. Foster porte un pantalon de toile, des mocassins sans chaussettes, un tee-shirt blanc une chemise à fines rayures et col boutonné de Brooks Brothers. Les beignets m'écœurent, je les mets de côté. Foster est allongé, appuyé sur un coude. Il a tout d'un acteur qui partage l'affiche avec Julia Roberts.

J'appuie ma tête sur sa cuisse.

— Tu m'as manqué, dit-il.

Je ne réponds rien. Je ne veux pas qu'il sache à quel point il m'a manqué, lui aussi.

— Je sais bien qu'on se téléphone tout le temps, mais je ne te vois pas assez. Je veux te voir davantage. Je veux te voir tous les jours.

Je roule sur le flanc, la tête toujours posée sur sa cuisse comme sur un oreiller. Il y a un cygne sur le lac devant nous. Je le montre du doigt.

— On pourrait l'attraper et le faire rôtir.

Foster rigole.

— On l'attrape, on lui met une laisse et on l'offre à ton ami Hayden, propose-t-il avec une soudaine animation. Tu imagines le petit Hayden en train de promener ce bon vieux cygne dans les rues de Manhattan ? Il pourrait le baptiser Dépendance. Il le prendrait sur ses genoux aux réunions des AA et l'oiseau se mettrait à trompeter. D'après ce que tu m'as dit de lui, je pense que Hayden adorerait avoir un animal de compagnie.

Je souris contre sa cuisse.

— Foster, c'est quoi qui te plaît, chez moi ?

Je fixe les brins d'herbe à mes pieds, effrayé à l'idée de connaître la réponse. De vouloir la connaître.

— Ce qui me plaît chez toi, c'est que jamais de ma vie je n'ai rencontré quelqu'un comme toi. Tu es intelligent, tu es drôle, ton âme n'est que bonté et gentillesse.

(Une brise venue du lac nous caresse.) Et j'admire ta force.

— Je n'ai aucune force, dis-je à sa jambe.

Il pose la main sur ma tête. Le contact est tiède, doux. Ses doigts sont déliés.

— Oh, que si. Tu es un survivant. Tu as la force d'être sobre, et celle d'avoir traversé tout ce que tu as traversé. (Sa main glisse jusque sur mon ventre, se faufile sous mon tee-shirt, et reste là.) Et tu es le plus joli garçon que j'aie jamais rencontré de ma vie.

Ce qui est effrayant, c'est qu'il semble en être totalement convaincu.

— Pur mensonge, Foster.

— Pas du tout.

J'entends bien à sa voix qu'il est sincère. Cela me donne envie de payer son loyer à vie.

— Et toi, qu'est-ce que tu aimes, chez moi ? reprend-il.

— Oh, plein de choses. Je ne sais pas… Je me sens bien avec toi. Ta compagnie est vraiment agréable. Tu es chaleureux, généreux, gentil et intelligent. Tu me fais rire. Tu me prépares des sandwiches.

— Et j'ai des bras poilus.

— Aussi.

— Tu sais, Auggie, toute ma vie, on m'a aimé pour mon physique. C'est toujours la même chanson : du sexe, du sexe, du sexe. Un des trucs qui me séduisent, chez toi, c'est que tu es différent. Tu ne te précipites pas sur le sexe.

— Je ne peux pas. J'ai signé un papier dans lequel j'ai promis de ne pas le faire.

J'imagine ce document expédié par fax à l'agence, complété au feutre rouge de la mention : « A entretenu une relation d'ordre sentimental avec un membre du Groupe. » J'imagine Elenor m'agitant ce document sous le nez – « Tu as baisé avec un mec de ton groupe de thérapie ? » – avant de me renvoyer.

Foster me frictionne le ventre.

— Il n'existe aucun papier qui puisse t'empêcher de faire ce que tu veux. Je sais ça de toi.

Je me sens flatté qu'il se figure savoir quelque chose de moi. Sa réponse me laisse penser qu'un jour peut-être, il pourrait savoir quel livre serait susceptible de me plaire, quels plats je déteste, quel film j'aimerais voir. Elle me donne à imaginer des projets, quelque part dans l'avenir, qui impliquent une ouverture de compte joint.

— Je sais juste que tu n'es pas avec moi à cause de mon physique. Tu es intéressé par ma personnalité. Je le sens.

— Non, c'est juste ton physique qui m'intéresse.

Il dégage la main de sous ma chemise, la pose sur mon front.

— Merci, Augusten, j'espérais que tu dirais ça.

Nous poursuivons jusqu'à Providence, dans l'État de Rhode Island. Foster a toujours cette idée de cygne en tête, et il roule très lentement le long des rues d'un quartier résidentiel en me demandant de regarder s'il n'y aurait pas, sur les pelouses, un cygne en plastique – ou un volatile ressemblant – qu'il pourrait faucher.

— Il nous suffirait de sauter de la voiture, d'embarquer le truc et de le fourrer dans le coffre.

Mais il n'y a pas le moindre cygne à l'horizon, aussi Foster part-il vers la côte. L'après-midi est bien avancé, il est quatre heures passées, la plage est déserte.

— Faisons une sieste, dit-il. Mais rapide, pour rattraper le temps qu'on a passé au bord du lac.

Il se gare sur le bas-côté. Nous escaladons le talus. Depuis combien de temps n'ai-je pas vu d'algues ? L'océan ? Depuis combien de temps n'ai-je pas contemplé l'océan à jeun ? J'ai brusquement envie d'un cocktail, d'un Cape Codder, par exemple.

Au début, l'eau est si froide que je ne peux même pas y tremper mes orteils. Ma mère et moi sommes en vacances dans la baie de Fundy, en Nouvelle-Écosse.

Le ciel est couvert, la plage déserte et, pendant que ma mère écrit dans son carnet, j'essaie d'entrer dans l'eau jusqu'aux chevilles. J'avance progressivement, à petits pas. Finalement, je suis capable de nager dans l'eau froide. Je décris des cercles en barbotant comme un chien. Je perds entièrement la notion du temps et de l'espace. L'eau glaciale semble m'hypnotiser.

— Augusten, sors de l'eau ! hurle ma mère depuis le rivage.

Je nage vers elle à grand renfort d'éclaboussures.

— Seigneur, tu es tout bleu. (Elle regarde sa montre.) Bon sang, tu y as passé plus d'une heure.

Je me sens tellement heureux, détendu et réchauffé que je pourrais m'endormir là, debout, tout en dégoulinant sur la page que ma mère vient de commencer. Jamais auparavant je n'avais à ce point perdu la notion du temps. Jamais plus, ensuite, je ne l'ai à ce point perdue.

Le rivage est rocailleux, jonché de bois flotté. Le sable n'est pas fin et doux, mais grossier, et mêlé d'éclats de coquillages. Foster roule son pantalon à mi-mollets, retire ses mocassins et les balance sur deux doigts à bout de bras.

J'enlève mes baskets, puis mes chaussettes, que je roule en boule et glisse dans une des baskets. Je retrousse les jambes de mon jean et j'avance vers l'eau.

Foster lâche ses chaussures à côté des miennes et m'emboîte le pas. Quand j'arrive sur le sable mouillé, je sens le courant qui aspire l'eau froide sous mes orteils. Une vague roule dans ma direction et m'asperge jusqu'aux genoux. J'inspire profondément, je ferme les yeux.

Foster arrive derrière moi et m'enlace. Il presse ses jambes et sa poitrine le long de mon corps, et je sens son érection contre mes fesses. Pourtant, il y a quelque chose d'étrangement non sexuel dans cette étreinte. Elle est sensuelle, j'imagine. C'est là la différence.

Face à moi, il n'y a que l'eau, et l'horizon. Entre la contemplation de ce spectacle et Foster que je sens si près de moi, j'ai l'impression d'avoir absorbé une bonne dose de NyQuil. Je renverse la tête contre son épaule. Il m'embrasse dans le cou, caresse du doigt la barbe naissante sur ma joue. Je me retourne. Et là, je le vois sur son visage.

Il est amoureux de moi.

Ses lèvres ont le goût du sel marin. Dans quelque région reculée de mon esprit, je m'entends murmurer : *Bon, un petit verre de vin ne serait pas du luxe.*

Au retour, la circulation est fluide. Nous roulons toit ouvert et, la tête posée sur les genoux de Foster, je contemple le ciel nocturne. Il est incroyablement dégagé, émaillé d'innombrables et minuscules éclats blancs. En ville, on ne voit jamais d'étoiles. C'est même facile d'oublier qu'elles existent. La dernière fois que j'en ai vu, c'était lorsque j'étais en cure. Celles-ci me semblent très différentes. Et immédiatement, je sais pourquoi. On ne devrait jamais contempler les étoiles seul. Voilà pourquoi il y en a tant. Il faut être deux, côte à côte, pour les observer. Une personne seule ratera à coup sûr les plus belles.

Foster n'ôte pas une seule fois sa main droite de ma poitrine. Il conduit quatre heures durant de la main gauche.

Je crois bien que nous n'échangeons pas un seul mot de tout le trajet.

Il est plus d'une heure du matin lorsque j'arrive chez moi. J'essaie d'entrer à pas de loup dans l'appartement pour ne pas réveiller Hayden, mais je n'ai pas plus tôt refermé la porte que la lumière à côté du canapé s'allume. Hayden, tiré du sommeil, me dévisage en clignant des yeux. Il se dresse sur ses coudes.

— J'étais en train de faire un rêve atroce, me dit-il. Je rêvais qu'on t'emportait sur une civière.

Toute la semaine, je reste à l'agence jusqu'après vingt heures. J'ai annulé ma thérapie de groupe, et j'ai complètement laissé tomber les réunions des AA. Pour être franc, ces réunions ne me sont pas d'un grand secours. Disons surtout qu'elles me dépriment. Pourquoi passer son temps à parler du fait de ne pas boire ? Pourquoi ne pas se contenter *de ne pas boire* ? De plus, ma vie est devenue trop stressante pour que je me préoccupe, en plus, de fréquenter assidûment des AA. Et de toute façon, je vais bien. Je deviens dingue, ça oui. Mais en ce qui concerne ma sobriété, ça va. Ça va bien, bien, bien.

Cela dit, je ne suis pas le seul à avoir une vie de dingue. Greer est sur le point de péter les plombs.

— Bon sang, j'aurais dû être gynécologue, n'arrête-t-elle pas de répéter à longueur de temps, comme une folle.

Parfois, je me dis que Greer est en fait la candidate idéale pour perdre la boule. Mardi, je l'ai surprise en train de s'observer dans le miroir de son poudrier, mains appuyées sur les tempes.

— Qu'est-ce que tu fabriques, Greer ?

Elle n'a pas levé les yeux. Elle s'est contentée de pencher la tête de côté et, tout en continuant à fixer son reflet, elle a dit :

— Ce serait bizarre si on n'avait pas d'oreilles, non ?

Hier, nous avons présenté à Elenor notre seconde fournée d'idées pour la campagne sur la bière.

— Qu'avez-vous pour moi, les petits ? a-t-elle demandé en nous voyant sur le seuil de son bureau.

Greer s'est appuyée contre le chambranle, en croisant les chevilles.

— Tu as deux minutes pour regarder d'autres propositions ?

Elenor a écrasé sa cigarette dans le cendrier déjà bien rempli.

— Ouais, ouais, bien sûr. Entrez. Asseyez-vous, nous a-t-elle dit en désignant le canapé.

J'ai pris place à un bout, Greer à l'autre, puis elle a contemplé l'espace qui nous séparait, a levé les yeux au ciel et s'est rapprochée. Elle a posé les story-boards retournés sur ses genoux.

— Je suis à vous dans une seconde, a lancé Elenor tout en pianotant sur son Mac. Le temps de finir un truc.

Greer a soulevé une photo, dans un cadre, posée sur la table basse en verre.

— C'est ta fille ?

— Oui, c'est ma petite Heather, a répondu Elenor sans détacher les yeux de son écran.

— Elle est adorable. Je ne savais pas que tu avais deux enfants.

— Je n'en ai qu'un.

Greer a reposé la photo.

— J'aurais juré que tu venais de l'avoir, il y a quelques mois à peine.

Elenor s'est levée et est venue s'asseoir dans le fauteuil en face de nous.

— C'était il y a trois ans et demi, a-t-elle précisé.

— Trois ans ? Déjà ? J'ai du mal à le croire. Où sont passées les trois dernières années ? s'est exclamée Greer en se tournant vers moi.

— UPS, Burger King, Credit Suisse…, ai-je répondu.

Elenor a rigolé.

— Ouais. C'est la pub, ça. On perd ses repères, au bout d'un moment.

Greer était immobile, comme hébétée par cette histoire de compression de temps.

Elenor a décroché le téléphone.

— Je vais demander à Rick de nous rejoindre, a-t-elle annoncé en collant le combiné contre son oreille. Ramène tes fesses, a-t-elle ajouté à son adresse un instant plus tard. Je vais regarder les nouvelles propositions Wirksam avec Greer et Augusten.

Il fallait que l'enfoiré soit de la partie, lui aussi. Génial.

— Salut Greer, a-t-il dit en entrant.

— Mmmm, lui a-t-elle répondu froidement.

Greer est la seule autre personne à discerner, derrière ses poses de Gentil Mormon, son âme noircie par les flammes.

Il m'a souri et s'est assis dans un fauteuil à côté d'Elenor, jambes croisées.

— Comment te sens-tu, Augusten ?

— Très bien, Rick, merci de poser la question, lui ai-je répondu avec le sourire.

Il a fermé les yeux une seconde, en me souriant d'un air crispé.

— Mais c'est un plaisir, a-t-il riposté – sauf qu'en réalité, aucun son n'est sorti de sa bouche, il a juste articulé ces mots.

— Bon, a fait Elenor. Regardons un peu ces propositions.

Nous avons commencé à lui présenter les story-boards.

— Cette campagne aurait pour cadre de vrais bars, des lieux contemporains, à Berlin..., a commencé Greer.

— Oh, oh, il y a une mordue des voyages dans cette pièce, ou je me trompe ? s'est exclamé Rick de son agaçante voix haut perchée.

Greer l'a ignoré et a poursuivi :

— Des bars pleins d'une foule super branchée, excentrique. Des nains, des serveuses albinos, des travestis.

Avant même que nous ayons pu les amener jusqu'à la fin du story-board, Elenor nous a interrompus :

— Inutile de partir sur ces aspects excentriques de l'Allemagne. Je peux déjà vous dire qu'ils ne seront pas preneurs. Je suis d'accord avec vous, les Allemands sont un peu pervers, mais le client ne suivra jamais. Désolée.

J'ai regardé Greer.

— Montrons-lui le suivant.

Greer a sorti les story-boards de l'autre campagne.

— D'accord, laissons tomber l'excentricité. Et si on jouait la carte des produits allemands importés ? Claudia Schiffer, les BMW, Albert Einstein…

— Ce pourrait être sympa, a approuvé Elenor en hochant la tête.

Pendant que Greer lui montrait les visuels, je lisais le texte à voix haute.

Elenor a pris un air inquiet.

— Ça ressemble trop à la pub Apple. Rien d'autre ?

Nous lui avons présenté alors notre campagne sur le perfectionnisme allemand. Elenor et Rick ont jugé que ça évoquait trop les camps de concentration. Elenor a allumé une cigarette, s'est mordillé la lèvre et, tout en recrachant la fumée par le nez, elle a demandé :

— Quoi d'autre ?

Greer a toussoté.

— Nous étions en train de creuser la piste des vieux stéréotypes allemands – les laitières, les culottes de cuir – pour les détourner en un truc nouveau et branché.

— L'idée, c'est : « L'Allemagne, ce n'est pas ce que vous croyez », ai-je ajouté.

— J'aime bien ce concept, a dit Rick tandis que je brandissais une photo de blonde avec des tresses.

J'ai étudié son visage déplaisant, sa queue-de-cheval ringarde, son jean Diesel qu'un type de quarante-quatre ans devrait s'abstenir de porter. Je l'ai trouvé triste, sinon pathétique. J'aurais voulu qu'il passe sous un bus, et dans les meilleurs délais.

— Quoi ? m'a-t-il demandé avec enjouement en s'apercevant que je le dévisageais.

— Rien.

— Bon, a tranché Elenor, ce n'est pas encore ça. Continuez à bosser. On veut vraiment innover sur ce coup. Creusez-vous la cervelle. Pensez aux campagnes de Nike.

Greer s'est forcée à sourire.

— Okay. On va continuer.

— Je suis d'accord, a renchéri Rick. Continuez à chercher. Mais à votre place, je laisserais de côté tout ce qui est susceptible de poser problème. (Il se frappe les genoux à deux mains.) Et méfiez-vous de tout ce truc sur la Nouvelle Allemagne, c'est une planche savonnée.

Elenor a regardé Rick, l'air déconcerté. Comme pour dire : *Quel truc sur la Nouvelle Allemagne ?*

J'ai regardé Greer. Nous ne leur avions pas présenté notre campagne sur la Nouvelle Allemagne. Nous avions décidé, entre nous, qu'elle était à côté de la plaque. Cette campagne n'existait qu'à deux endroits : dans nos têtes, et dans mon sac à dos, sous forme de croquis.

— Rick ? Comment es-tu au courant de la campagne sur la Nouvelle Allemagne ? ai-je demandé.

Il s'est redressé dans son fauteuil et a cligné des yeux.

— Vous venez de nous la présenter.

— Non, a répliqué Greer.

Rick a regardé Elenor, qui l'a regardé à son tour, attendant sa réponse.

— Que veux-tu dire ? s'est enquis Rick.

— Comment sais-tu que nous avons envisagé une campagne sur le thème de la Nouvelle Allemagne ? ai-je répété.

J'ai croisé les bras. Mon cœur s'emballait. Je bouillais de rage.

— Ben, je voulais dire… en général, s'est-il défilé avec gaucherie.

— Espèce de sale connard ! Tu as été fouiller dans mon sac à dos ! Tu es entré dans mon bureau et tu as espionné notre boulot.

— Attends une seconde, Augusten, est intervenue Elenor.

J'ai fait volte-face vers elle.

— Il n'arrête pas de farfouiller dans mon bureau. Il me laisse des petits mots méchants, il déplace mes affaires. Il a mis une bouteille de gnôle sur mes étagères.

— C'est ridicule, s'est défendu Rick. Augusten, tu es à cran. Tu deviens complètement parano. Je sais que tu traverses un moment difficile, mais personne n'en a après toi. Je t'assure.

Greer lui a décoché un regard assassin et il m'a semblé qu'il se ratatinait dans son fauteuil.

— Tu es pathétique, ai-je craché. Je vois clair dans ton jeu, tu sais. Tu ne me la fais pas.

Elenor s'est levée.

— Okay, changeons de sujet. Je ne vais pas passer la journée à écouter vos jérémiades. On se croirait à la maternelle. Non, on a du pain sur la planche.

Greer et moi nous sommes dirigés vers la porte.

— Quand veux-tu voir les prochaines propositions ? ai-je demandé.

— Je ne sais pas. Demain matin ?

J'ai regardé ma montre. Il était presque dix-huit heures.

Dans l'ascenseur, Greer a rageusement appuyé sur le bouton du rez-de-chaussée.

— Je les hais ! a-t-elle craché. Je ne peux pas croire qu'on doit encore passer la nuit à bosser. Ils n'ont que des conneries à la bouche ! Nike ! Ils ne veulent pas un truc cool : ils veulent juste un jingle ignoble.

— J'aimerais que Rick se fasse violer par un gang d'éboueurs musulmans, ai-je répondu.

Je fulminais. À présent, j'étais fixé. Les pubs découpées dans des magazines, la bouteille, et maintenant, ça.

Les portes ont coulissé et Greer a traversé le hall à la vitesse de l'éclair. Nous avons commandé deux grands cafés à emporter dans le coffee-shop voisin et, une fois de retour dans l'ascenseur, Greer a dit :

— Quant à Elenor, je suis sûre que son horrible gamine est gâtée pourrie et odieuse.

— Oui, j'imagine. Les publicitaires ne savent dire que des conneries. « Innover. » Tu parles ! Pour trouver qu'une idée est cool et percutante, il faut qu'ils l'aient déjà vue deux ou trois fois.

— Exactement. J'aimerais bien la lui foutre là où je pense, son innovation, a sifflé Greer.

Une nuit, en sortant de l'agence, j'appelle Foster. Si je ne le vois pas tous les jours, je dois au moins lui parler au téléphone. C'en est arrivé à ce point.

— Passe, me dit-il.

Quand j'arrive chez lui, je suis épouvanté par sa mine : il est tout dépenaillé, il a les yeux injectés de sang et une barbe de quatre jours.

— Que t'arrive-t-il ?

Il va s'asseoir sur le canapé.

— Je ne me sentais pas dans mon assiette, cette semaine.

Il fume du crack, je me dis.

— Tu consommes ?

— Non.

Foster a deux pendules dans son salon. Une sur le manteau de la cheminée, et l'autre sur la table à côté du canapé. Aucune des deux n'est à l'heure. Mais il connaît précisément leur décalage. La pendule sur la cheminée retarde d'une heure et quatre minutes, l'autre avance de cinq minutes. Si bien que lorsqu'on lui demande l'heure, ses yeux font la navette entre les deux pendules et il calcule de tête l'heure exacte. Il pourrait avoir non pas une, mais deux pendules qui donnent l'heure juste, mais non. Ce serait trop simple. C'est mieux d'en découdre avec un petit calcul. D'être obligé de se donner du mal pour connaître l'heure, et parfois, de se tromper dans le calcul et d'arriver avec une heure de retard.

Je lui demande si j'ai raté quelque chose d'intéressant dans le Groupe, cette semaine.

— Non, pas vraiment.

Quelque chose en lui semble éteint. À moins que cela vienne de moi ? Peut-être qu'il ne m'aime plus... Je vérifie cette hypothèse en m'allongeant contre lui.

Il m'enlace.

— Ah, exactement ce dont j'avais besoin, dit-il de sa voix chaude. Tu m'as manqué à un point, tu ne peux pas savoir... Je déteste ton boulot, Auggie.

Je me dis que dans la mesure où aucune bougie parfumée n'est allumée dans la pièce, on ne peut pas ranger cette scène dans la catégorie « romantique », et que, par conséquent, elle ne viole nullement la clause de l'engagement que j'ai signé.

Il attrape un livre sur la table basse.

— Laisse-moi te lire quelques pages de Dorothy Parker, ça va nous remonter le moral.

Il lâche un de ses rires chaleureux et rassurant de gars du Sud – un rire qui m'évoque des balancelles sous les vérandas et des verres de limonade. Il commence à lire. Je ferme les yeux. Personne ne m'a plus fait la lecture depuis l'époque où j'étais petit. Ma mère me la faisait tout le temps. Tout en lisant, Foster enroule ses jambes musclées autour des miennes. Je me représente Wendy, ma thérapeute, en train de me demander : « Alors, que faites-vous, Foster et vous ? », et moi lui répondant : « Oh, rien, on bavarde au téléphone, on se balade. »

Quelles sont mes chances de me trouver un autre mec aussi beau qu'une star de cinéma, cultivé, gentil, loyal, viril, indépendant financièrement et célibataire, qui semble fou de moi ? Comparé à ça, « crack » n'est jamais qu'un petit mot de cinq lettres.

La semaine dernière, après notre virée en voiture, Hayden m'a demandé si Foster et moi avions déjà couché ensemble.

— Non, lui ai-je répondu – ce qui est la vérité.

— Sois prudent. Fais gaffe où tu mets les pieds.

— Que veux-tu dire ?

— Que si tu veux coucher absolument avec un mafieux, OK, fais-le. Mais ne fais pas semblant de croire que c'est un Stradivarius qu'il trimballe dans son étui à violon.

Nous n'avons pas couché ensemble. Mais nous avons fait la sieste.

Le week-end se déroule ainsi : Hayden arpente l'appartement, complètement à cran, à cause d'un opéra dont il doit éditer la partition et qui est, dit-il, « incompréhensible, impossible ».

J'arpente l'appartement en me demandant pourquoi Foster ne m'a pas appelé. Pourquoi, quand moi je l'appelle, à savoir toutes les cinq minutes, il ne répond pas. J'ai laissé des messages, j'ai passé un temps fou à essayer de me concentrer pour faire sonner mon téléphone par transmission de pensée. Rien. Pourquoi n'ai-je aucun mal à l'imaginer en train de fumer du crack dans quelque hôtel borgne ?

Dimanche, Hayden va assister à quatre réunions. Je ne vais à aucune.

Dévoré d'anxiété et en proie à un dysfonctionnement mental généralisé, je me rase la poitrine, et je file voir un film de Gus Van Sant à l'Angelika. Je vais deux fois à la gym. Je ne suis plus très loin d'avoir le ventre plat, maintenant. Je commence même à collectionner les tablettes de chocolat. Je les soigne avec autant de dévouement que si elles étaient l'animal domestique de Foster. Je considère qu'elles sont sa propriété.

Quand arrive le dimanche soir, Hayden a recouvré un peu de calme : son travail sur la partition a progressé.

En ce qui me concerne, mon état a empiré. Le mardi, pas de Foster à la séance de Groupe. Et la raison en est, ainsi que l'a expliqué Wayne, l'animateur, qu'« il a interrompu la thérapie. Il a appelé quelqu'un de l'équipe lundi pour expliquer qu'il consomme depuis un mois, et qu'il n'est pas prêt à arrêter ».

Ma première pensée, c'est : *Éviscération – immédiate et totale.* Ma seconde pensée : *Donc, ce goût sur ses lèvres, à la plage, ce n'était pas le sel. C'était le crack.*

En sortant du Groupe, j'entre dans la première cabine téléphonique que je trouve et je l'appelle. Je laisse sonner une douzaine de fois. Pas de réponse.

— Devine ? dis-je à Hayden quand j'arrive à la maison, ivre de fureur. Foster a arrêté la thérapie. Il fume du crack depuis un mois, en cachette.

— Pu-tain, lâche Hayden, lentement.

Mais je détecte dans sa voix une nuance… d'admiration ? D'envie ?

Je rappelle Foster ; toujours pas de réponse. J'ai perdu la raison, je ne vois que cette explication. Où avais-je la tête ? M'enticher d'un fumeur de crack de mon groupe de thérapie ? D'un mec même pas foutu de régler une horloge ? Qui m'assurait que tout allait pour le mieux dans le meilleur des mondes en me caressant les cheveux et qui, le soir venu, partait acheter sa saloperie de dope ?

Tout à coup, Hayden déclare :

— J'ai besoin d'aller faire un tour. J'ai besoin de prendre l'air.

Je n'ai pas le temps de lui demander quel est le problème qu'il a déjà passé la porte.

Je me cherche un truc à grignoter. Il s'avère que je fais le mauvais choix. Il n'y a pas pire goût dans la bouche que celui du chocolat associé à la cigarette. Le second serait le tandem thon-menthe. J'ai essayé toutes les combinaisons, alors je sais de quoi je parle.

— Je suis désolé, Auggie. Je suis désolé de t'avoir lâché.

Je suis assis sur le canapé de Foster, parce que j'ai pris un taxi jusque chez lui et que j'ai donné cinquante dollars à son portier pour qu'il me laisse monter. J'ai tambouriné à sa porte jusqu'à ce qu'il réponde, l'air complètement groggy.

— Pourquoi ?

C'est tout ce que je suis capable de dire.

Lui ne dit rien.

Je le regarde, vautré sur son canapé. Un accro au crack forcené, un mec qui vient d'abandonner sa thérapie de groupe, déguisé en pub pour Banana Republic. Quand je remarque ses orteils qui se tortillent dans ses chaussettes, je pense aussitôt : *J'ai envie de les lui couper au sécateur.* Non seulement il ne mérite pas de tortiller des orteils, mais il ne mérite pas d'avoir d'orteils. Il ne mérite que des moignons. Comment lui faire confiance, s'il a des orteils ? Ils lui permettent de marcher, et donc d'aller fréquenter des dealers de crack. Le personnage de Kathy Bates, dans *Misery*, a parfaitement bien compris ce concept.

— Je te hais, lui dis-je. Je te hais vraiment. (Je penche la tête contre sa poitrine.) Tu es mauvais pour moi.

Là, j'adopte le point de vue de Hayden. Mon sentiment sincère, c'est plutôt : *Tu es parfait pour moi.*

Il m'embrasse le sommet du crâne et je m'écarte.

— Tu as une mine épouvantable, Foster.

C'est la vérité. Étant donné son physique de base, pour l'heure, il est horrible. Question allure, il a dégringolé sous la barre de la moyenne. Je me détourne. Il m'en coûte.

La table basse est jonchée de débris : mégots, verres sales, vieux journaux, son spray contre l'asthme. J'ai envie d'enfoncer une épingle de nourrice dans l'ouverture de l'inhalateur et *ppppffffftttt*, de laisser s'en échapper la totalité du produit. Comme ça, quand il l'attrapera pendant la nuit, il n'y aura plus rien – envolé, tout comme la sobriété qu'il avait capitalisée. Et tandis qu'il suffoquera et virera au bleu, je lui ferai remarquer l'ironie de la situation : « Tu vois, Foster, on ne doit jamais tenir pour acquis tous ces trucs inventés pour nous maintenir en vie. »

— Ne me hais pas, Auggie, me dit-il en prenant sa voix de chiot – et malheureusement, son imitation est parfaite.

— C'est un peu tard, Foster.

Au panier, le chien. À coups de savate.

— Auggie, réponds-moi franchement. Tu me hais ?

Je pousse un long soupir contemplatif.

— Non, je ne te hais pas, Foster.

Je ne lui dis pas que ce que j'éprouve est bien au-delà de la haine pure, proche d'un sentiment que seuls les criminels considérés comme les plus dangereux par le FBI ont pu éprouver. Et Jim aussi, peut-être.

— C'est tellement facile pour toi, Auggie. Tellement simple ! Tu pars en cure, et hop ! Tu reviens et c'est réglé – tu ne bois plus. Tu n'assistes même plus aux réunions. Dans mon cas, cette thérapie de groupe n'a pas fonctionné.

— Ben, comment le pourrait-elle, si tu es défoncé en permanence ? (Il me dégoûte. Je me dégoûte tout autant.) Écoute, tu sais quoi ? Vas-y, continue de fumer autant de crack que tu voudras. Continue de traîner avec tes gigolos, tes dealers ou qui bon te semble. (Je me lève, prêt à partir.) Mais sois conscient de ce à quoi tu renonces.

Il se lève d'un bond et m'agrippe le bras.

— Auggie, s'il te plaît.

— S'il te plaît quoi, Foster ?

— Ne disparais pas de ma vie.

Je pourrais lui faire la peau. Vraiment.

— Donne-moi une seule bonne raison de ne pas disparaître.

— Parce que je t'aime.

Mmm mmm.

— Ouais, mais pas autant que le reste. Pas autant que le crack, par exemple.

Je dégage mon bras et me dirige vers la porte. Je me dis : *Ne t'arrête pas. Marche jusqu'à la porte, tourne la poignée. Ne te retourne pas. Laisse-toi porter par le flux de l'équilibre psychologique.*

— Auggie ?

Je m'arrête, mais je ne me retourne pas.

— Quoi ? dis-je avec hargne.

— Voudrais-tu, s'il te plaît, te retourner et me regarder ?

Je ne bouge pas d'un poil.

— Auggie, s'il te plaît ?

Je me retourne.

— Me laisse pas tomber.

— Quelle différence ça fera, si je te laisse tomber ? Tu t'es déjà laissé tomber toi-même.

Cette repartie mélodramatique à souhait me semblait s'imposer. Je suis vraiment dans le navet de la semaine.

Et là, on dirait que quelque chose *s'enclenche* en lui. Un genre de mécanique interne. Très lentement, il avance vers moi, la tête légèrement baissée, ses yeux bleu glacier brillants fixés sur moi. Son jean est froissé, son tee-shirt à moitié sorti de la ceinture du pantalon. Je recule, jusqu'à avoir le dos collé contre la porte. Parvenu à quelques centimètres de mon visage, il incline la tête de côté. Avance ses lèvres vers les miennes, les effleure et murmure :

— Une…

… dernière…

… chance.

Aurais-je su par avance que ce serait ce soir-là que je coucherais pour de bon avec lui, je suis certain que je me serais épargné le déplacement.

QU'EST-CE QUE JE VOUS SERS ?

Je rentre à la maison peu après minuit. Hayden est allongé sur le canapé, en train de lire Elizabeth Berg.

— Coucou, lance-t-il quand je passe la porte.

— Salut.

J'essaie de paraître décontracté, en espérant qu'il ne va pas me demander d'où je viens.

— J'ai failli replonger, dit-il en posant le bouquin sur sa poitrine.

— Quoi ? je hurle.

— Tu sais, quand tu m'as dit que Foster fumait depuis un mois, ça a titillé un truc en moi. Je te jure que j'ai vraiment cru sentir l'odeur du crack. (Il y a comme une étincelle de démence dans ses yeux.) Et j'en voulais.

— Qu'as-tu fait ?

L'idée qu'il soit passé si près d'une rechute est à la fois fascinante et effroyable. En ce qui me concerne, en arriver à ce point de bascule est inimaginable, quelque terrible que devienne la situation.

— Je suis entré dans un bar et j'ai commandé un verre de vin.

— Je n'en crois pas mes oreilles !

— Et puis je suis ressorti aussitôt et je suis allé à une réunion.

Soulagement.

— Mais je vais te dire, c'était moins une.

— Hayden, je suis tellement content que tu n'aies pas replongé.

Et lui d'enchaîner aussitôt, avec son accent le plus anglais :

— Et toi ? Tu étais où, ce soir ?

Hayden est sidéré qu'en plus d'être allé chez Foster pour une confrontation, j'aie – par-dessus le marché – couché avec lui.

— Techniquement parlant, nous n'avons pas baisé, dis-je pour ma défense.

— Bon, ou tu l'as fait, ou tu ne l'as pas fait. Décide-toi.

— Oui et non.

— Augusten…

— Okay, je sais que ça va te paraître curieux, mais je ne l'ai pas regardé.

Hayden me regarde, lui, comme s'il hésitait à vouloir comprendre le sens de mes paroles.

— C'est… *quoi*, que tu n'as pas regardé ?

— Ben, tu sais bien, son truc.

— Son pénis ? dit Hayden – un mot qu'un Anglais respectable ne devrait jamais prononcer à voix haute.

— Ouais. Je ne l'ai pas regardé. Donc, techniquement parlant, ne l'ayant pas vu entièrement à poil, ce ne pouvait pas être du sexe à proprement parler.

Hayden écarte le livre posé sur sa poitrine. Il s'assied et me dévisage, bouche bée.

— Et par ailleurs, Hayden, même si tu considères que c'est bel et bien du sexe, je n'ai franchi aucune ligne rouge puisqu'il ne fait plus partie du même groupe de thérapie.

Hayden éclate de rire et lève les yeux au ciel.

— À t'entendre, on croirait qu'il a permuté avec un autre groupe. La raison pour laquelle ton petit copain *« ne fait plus partie du même groupe de thérapie »*, c'est parce qu'il a abandonné pour pouvoir fumer du crack à plein temps.

— Mais je l'aime, je proteste d'un ton pathétique.

Hayden se lève et prend une cigarette.

— Si... – essaie juste d'imaginer un instant – si ce Foster n'était pas, comme tu dis, *d'une beauté dévastatrice*, s'il avait un physique banal, serais-tu encore amoureux de lui ?

Sa question me prend vraiment de court. Jamais encore je n'ai réfléchi à ça. La réponse vient pourtant immédiatement :

— Non. Je ne sais pas. Si. Non.

Hayden allume sa cigarette et recrache la fumée avec une moue suffisante.

— Tu vois ? Ta superficialité pathologique causera ta perte.

Tout d'un coup, je me sens frappé de paraplégie émotionnelle. Je sens que toutes mes victoires et ma connaissance intérieure ne reposent que sur le déni et sur ma propension à tout vouloir contrôler. J'ai peur que mon apparence de bonne santé et d'équilibre ne soit en fait que le signe du mal profond qui me ronge.

Une fois, j'ai passé une petite annonce pour chercher un paralysé, ou un type amputé d'un bras ou d'une jambe. J'étais très soûl, certes, mais je l'ai fait. Je pensais qu'ainsi, j'avais des chances de tomber sur un mec vraiment bien, dont personne d'autre ne voulait. Je suis comme la mère de Greer, qui, chaque année, avant de servir la dinde de Thanksgiving, annonce à la tablée : « Je me contenterai du cou, ce n'est pas un problème. »

Aurais-je passé une petite annonce pour rencontrer Foster, elle aurait pu ressembler à ça :

> Beau mec, tempérament viril, alcoolique en sevrage, cinq mois de sobriété à son actif et en train de se dégarnir. Sexuellement inhibé, musclé, gros fumeur. Aimant lire, écouter, et amateur de photographie. Recherche consommateur de substances avec casier judiciaire, petit ami abusif et problèmes médicaux non traités pour relation durable. Je suis très sincère,

honnête, de compagnie distrayante et je dispose de bons revenus. Tu n'as pas besoin d'avoir un service téléphonique ni d'emploi stable. Bras poilus seraient un énorme plus. Aimerais tenter le coup et voir si ça peut coller.

— Foster te consume. Il est devenu ta drogue. Tu ne vois plus Pighead, me sermonne Hayden. Pighead est ton meilleur ami, et pourtant, tu ne le vois jamais. Tu ne l'appelles jamais. Il n'y en a que pour ton boulot. Et pour Foster.

Je prends deux Advil. Non pas parce que j'ai mal à la tête, mais parce que c'est la seule chose que je peux encore consommer.

Je suis dans le bureau de Wendy, en train de me confesser. Hayden m'a culpabilisé avec les slogans appris en cure : *Les secrets rendent malade ; le dépendant en toi est prêt à tout pour boire un verre, ébranler ta volonté et la dévoyer.* Dégoulinant de honte, je raconte à Wendy que j'ai mangé des *fish & chips* avec Foster dans un cimetière. Que je l'ai embrassé sur la plage. Je lui parle même de ses pendules.

— Ma relation avec Foster a progressé. Bon, progressé n'est peut-être pas le terme approprié. Elle a fait des métastases. Je suis allé chez lui pour lui dire que ça ne marchait pas. Et puis, il s'est passé un truc, et nous avons fini au lit. Enfin, par terre, plus exactement – devant sa porte. Mais c'est vous dire à quel point j'étais déterminé à partir.

Wendy, en gentille thérapeute compatissante, hoche la tête. Puis elle dit :

— J'aimerais vous lire quelque chose.

Elle tend le bras vers la bibliothèque derrière elle, passe un doigt sur les tranches pour trouver l'ouvrage qu'elle cherche et extrait un mince fascicule qu'elle me tend. Je lis le titre : *Petit Guide de survie de la femme codépendante*. Je le relis. Il n'a pas changé.

— Ne faites pas attention au titre, me dit-elle. Ça ne s'adresse pas qu'aux femmes.

Non, bien sûr que non, me dis-je. C'est pour ça qu'ils ont choisi des lettres roses sur fond bleu ciel. *Comme ça, les mecs voient du bleu et se disent : Hé, ça s'adresse aussi à nous !*

J'ai l'impression qu'elle me tend un tampon hygiénique. Je laisse tomber le fascicule par terre.

— Je ne crois pas que ma superficialité soit seule en cause, lui dis-je. Une des raisons pour lesquelles je suis attiré par Foster, je crois, c'est que c'est une épave. Tous ceux que j'ai aimés n'étaient pas des gens faciles. Je ne suis pas habitué à la normalité. Le désastre, lui, m'est familier. Je ne sais pas… Toute épave qu'il soit, il m'excite. C'est comme un défi. En matière d'amour, je suis habitué à trimer.

Wendy s'humecte les lèvres et hoche la tête avec enthousiasme.

— Quoi ? Je mets le doigt sur quelque chose, là ?

— Oui, je crois.

Je décide de poursuivre :

— Une part de moi croit que l'amour a plus de prix lorsqu'il faut bosser dur pour l'obtenir. C'est comme restaurer une vieille bagnole qui n'est qu'un tas de ferraille au lieu de courir acheter une Lexus flambant neuve. Au final, on a une voiture de collection.

— Une question, m'interrompt Wendy en croisant les jambes. Sur quelle voiture compteriez-vous pour vous conduire au travail jour après jour ? Le tas de ferraille restauré ou la Lexus toute neuve ?

C'est vraiment pathétique. Comme se regarder dans le miroir, remarquer que son grain de beauté a changé d'aspect et se demander si c'est grave. J'ai du mal à croire que j'aie besoin de demander à un docteur en psychologie si mon attirance vis-à-vis de cet homme est malsaine. Comme si Wendy allait me dire : « Bon, dans la mesure où vous en êtes conscient, je ne vois pas pourquoi vous ne continueriez pas à le fréquenter. Tenez, d'ailleurs, je connais un super restau thaï... »

Ce dont j'ai vraiment envie, c'est de me pelotonner avec quelqu'un sous un plaid en cashmere, sur une plage en automne, pour partager une tasse de café. Je ne veux pas d'une Ford Pinto hors d'âge et toute rouillée dont le réservoir risque d'exploser si on l'emboutit sur le parking du supermarché. Alors pourquoi est-ce que je m'obstine à chercher une vieille bagnole ?

Planté au milieu de mon appartement, je me rends compte que j'ai acheté tous mes meubles en étant soit soûl, soit assommé par la gueule de bois. D'où ces tables trop basses, ces surfaces qui ont constamment besoin d'être cirées. *Bah, ce n'est pas un problème, je les épousseterai tous les jours.* Tous ces trucs correspondent à quelqu'un d'autre – à un autre style de vie ! Qu'est-ce qui m'a poussé à acheter un beurrier à deux cents dollars alors que je ne cuisine pas ni ne mange jamais chez moi ? C'est pour celui que je voulais être, que je l'ai acheté. Et ces bibliothèques trop petites ? *J'achèterai moins de bouquins.* Et cette caméra vidéo à douze cents dollars que je n'utilise jamais ? Ces fauteuils Adirondack, destinés à la maison de vacances que je n'ai pas ? *Bah, c'est pas grave. Je vais changer. Je vais me ratatiner pour m'adapter au format de mon canapé riquiqui.*

Quand Hayden rentre, il me trouve planté au milieu de la chambre en train de fixer la table de chevet.

— Que se passe-t-il ? Tu as vu un rat ? demande-t-il, alarmé.

— Non, je pensais juste qu'à une époque de ma vie, chaque décision que j'ai prise l'a été sous l'influence de l'alcool. Et aujourd'hui, je me sens si loin de ça que c'est à peine si je peux me souvenir à quoi je ressemblais. Parfois, je me dis : « Tu dois être dans le déni. Ton envie de boire est telle, et tu es si près d'empoigner la bouteille que tu ne peux même pas te permettre de l'admettre. »

— Je ne crois pas, tu te trompes, me rétorque Hayden. Je pense que tu as fait un choix. Selon moi, la raison pour laquelle tu es sobre et n'as aucun mal à le rester, c'est que tu le fais pour toi.

— Merde ! Tu crois que je peux être à ce point équilibré ?

— À mon avis, sur certains plans, tu es équilibré et, sur d'autres, tu es un vrai désastre. Tiens, à propos, Foster a appelé pendant que tu étais au Groupe, il a demandé que tu le rappelles.

Foster répond à la première sonnerie.

— Je suis allé à une réunion des Narcotiques Anonymes, et j'ai trouvé un parrain par intérim. Je voulais te mettre au courant. En plus, ajoute-t-il, j'ai nettoyé l'appartement de fond en comble, et j'ai contacté un agent immobilier pour lui demander de me trouver un petit truc sur la côte, peut-être même à Providence. Il cherche aussi du côté des *Bed & Breakfast*. Je pourrais peut-être acheter quelque chose.

Je ne dis rien.

— Auggie ? Tu es là ?

— Ouais, ouais, je suis là. Je… t'écoute.

— Je veux prendre un nouveau départ… Tu n'as pas idée de la puissance de ton influence sur moi… Je veux vraiment changer de vie… Peut-être me mettre à écrire, finalement… Peut-être adopter un petit chien… Tu adorerais un petit chien…

— Ne le prends pas mal, Foster. Je suis vraiment content de te voir si motivé, mais tu m'as l'air un peu… survolté, non ?

Il rigole.

— J'ai dû boire dix cafés, aujourd'hui. Et j'ai avalé deux Xanax.

— Tu prends du Xanax ?

— Ma mère est infirmière, Auggie. Elle m'en envoie.

— Bon, je suis heureux d'entendre tout ça, mais faut que je file. Je dîne avec Pighead et je suis déjà à la bourre.

J'appelle Pighead.

— Je peux passer ? Tu as des hot dogs ?

Je suis chez lui en dix minutes.

— Hé, mon vieux, qu'est-ce que tu fous, à traîner avec ce type ? Il est complètement instable. Passe-moi cette spatule.

— Pourquoi faut-il qu'il soit aussi adorable, aussi déraisonnable, et aussi beau ?

Pighead retourne les hot dogs dans la poêle. Le beurre grésille.

— Je suis adorable, déraisonnable et beau. Je ne te vois pas pour autant défoncer ma porte.

— Je sais. Tu n'as pas assez de problèmes psychologiques, à mon goût. Il me faut quelqu'un qui a subi plus de dégâts.

— En termes de dégâts, le VIH, ce n'est pas assez, pour toi ?

Je lui file un coup sur l'épaule.

— Tu sais très bien ce que je veux dire.

Il se retourne et me dévisage.

— Non, je ne sais pas ce que tu veux dire.

Je cherche le poivre en ignorant son commentaire.

— Je crois que tu es obsédé par ce mec et que… Tu mérites d'aimer quelqu'un qui ne soit pas accro à des substances illicites et mortelles. Attrape deux assiettes.

— C'est passé, le hoquet ?

— Jusqu'ici, oui.

— Et ils ne savent toujours pas ce qui l'a provoqué ?

— Pas l'ombre d'une idée.

Je vais dans le salon.

— Où est la télécommande ?

— Là où elle a toujours été.

— Non, elle n'y est pas.

— Okay, elle est peut-être…

— Je l'ai trouvée.

Tandis que nous dînons devant la télé en nous ignorant mutuellement, je songe : *Quel incroyable soulagement ! Être simplement assis là, sans devoir tenter de dissuader quelqu'un de se livrer à une activité criminelle.*

En rentrant chez moi, je passe devant un bar à vins. Un lieu inondé de lumière, d'esprit contemporain, aux lignes claires – terriblement attirant, pas sombre comme un bistrot ordinaire. *Pourquoi ne puis-je pas boire un verre de vin de temps en temps ? Pourquoi faut-il que je sois aussi extrême ?* Et, dans une contrée reculée de mon cerveau, je me dis aussi que si Foster est retombé dans le crack, je suis tout aussi capable de me remettre à picoler. Je passe mon chemin, en me disant que je vis bien mieux depuis que je suis sobre.

Mon affreux client allemand a fini par acheter une campagne. Celle – dépourvue d'originalité et d'inspiration – que nous aimions le moins, évidemment. En langage publicitaire, il s'agit de ce qu'on appelle un « montage commercial ». En lieu et place d'un concept, le film se contente d'aligner de joyeuses images de gens séduisants à la vie débordante d'activité. Sur l'une des images, on voit un chiot. Et, naturellement, on ne montre personne en train de boire la bière en question, vu que c'est illégal. Le client a jugé ça « plus que satisfaisant ». Il a tout particulièrement apprécié le fait que nous ne soyons pas obligés d'aller tourner en Allemagne, et qu'il puisse économiser cent mille dollars en faisant ça à L.A.

— Quel soulagement ça va être de se tirer d'ici ! dis-je à Greer.

— Tu m'étonnes ! On va essayer de manger sainement. Faisons comme si on partait dans un centre de remise en forme. Je n'ai pas envie de traîner sur le plateau en me gavant toute la journée de M & M et de chips.

En gros, la production d'un film publicitaire se résume à ceci : pendant que le réalisateur tourne son spot, le client, en tenue « décontractée », passe son temps à se ronger les sangs et à harceler l'équipe de l'agence, qui l'ignore et préfère rester près du buffet pour se gaver de saucisses de cocktail et de biscuits. Sur un plateau, le buffet est un élément magique, magnétique.

— On avalera des pilules brûle-graisse, dis-je à Greer.

— Merci, mon Dieu d'avoir inventé le chitosan.

Greer comme moi avalons ces trucs-là avec une ferveur religieuse. Greer possède même des actions de la société qui les fabrique.

— J'ai besoin de sortir de New York, lui dis-je. Trop de stress.

— J'apporterai quelques bouquins. *Les Sept Lois spirituelles du succès* pour moi et... (Elle réfléchit.) *Quand un échec devient la clé d'un nouveau départ* pour toi.

Deux jours passent sans nouvelles de Foster. Il est hors de question que je remette les pieds chez lui. Quand il a décidé d'être bon, il l'est vraiment. Il m'a fait rire plus fort que je n'ai jamais ri quand je buvais. Il est tellement chaleureux, aimant, attentionné, sensible. Mais tout d'un coup, *il n'y a plus personne*. Exactement comme s'il voyait quelqu'un d'autre. Comment puis-je concurrencer le crack ?

Pourquoi en aurais-je envie ?

Il m'a dit : *Je t'aime*. Ensuite, il n'a eu de cesse de m'appeler pour me dire combien j'avais transformé sa vie. Et maintenant, plus rien. Alors moi, j'en suis réduit à des hauts et des bas, mon humeur est entièrement tributaire de son état. Ça ressemble à ce tableau de Van Gogh, tout lacéré. Certes, c'est un Van Gogh, incroyablement beau, mais regardez un peu toutes ces entailles !

Je peux voir celui qu'il pourrait être, celui qu'il est presque. Et c'est cette personne-là que je veux. Que je veux aimer. Je veux que ce soit celle-là qui me reproche de monopoliser les couvertures. Je ne peux pas, à un moment donné, contempler les étoiles par le toit ouvrant et, l'instant d'après, me demander, mort d'angoisse : *Est-ce qu'en ce moment, quelqu'un n'est pas en train de lui coller un tesson de bouteille sous la gorge ?*

C'est là ce que je ne veux reconnaître devant personne, pas même Hayden : une part de moi veut le voir quand il se défonce. Je veux savoir à quoi il ressemble, quand il est drogué. Je veux connaître tous les aspects de sa personnalité. Je veux voir s'il a l'air plus heureux quand il est avec moi ou avec son crack.

Quand Hayden rentre, il a un air suspect. Coupable. Je songe aussitôt : *Tu as replongé.*

— Augusten, il faut qu'on parle.

Nous y voilà.

— Je rentre à Londres.

Parce que c'est le dernier truc auquel je m'attendais, je lui demande de répéter.

— Il est temps pour moi de rentrer. Je suis ici depuis plus de six mois. Et j'ai du boulot qui m'attend, là-bas.

J'ai l'impression d'avoir reçu un coup de poing. Je devrais plutôt être soulagé, j'imagine. D'avoir de nouveau l'appartement pour moi tout seul, de ne plus devoir enjamber ses valises. Au lieu de quoi, je me sens abandonné.

— Quand pars-tu ?

— Après-demain.

— Quand l'as-tu décidé ?

Je ne peux pas croire que ce soit aussi soudain.

— Aujourd'hui, quand j'ai reçu un coup de fil concernant ce projet, à Londres. C'est un compositeur célèbre. Ce serait de la folie de ne pas sauter sur l'occasion.

Il allume une cigarette. Je dois me réjouir pour lui. Je ne peux pas, égoïstement, ne penser qu'à moi. Et même si je le désire très fort, Hayden ne peut rester jusqu'à la nuit des temps.

— Alors, on devrait faire un truc spécial avant ton départ. Peut-être pourrais-je essayer de nous trouver des tickets pour *Rent*[1].

— Ce serait génial, mais je doute que tu réussisses.

— Je vais appeler Ticket Master.

Hayden va partir travailler avec un compositeur célèbre et moi, ce qui me pend au nez, c'est de poireauter dans un taxi, sur la Huitième Avenue, le temps que mon petit ami, qui semble sorti tout droit d'une pub pour Banana Republic, ait acheté son crack à un ado qui tapine. Et ce, à supposer qu'il soit toujours vivant. Je déteste être amoureux de lui.

L'interphone lâche un couinement pathétique. Hayden et moi échangeons un regard. Nous ne l'avions jamais entendu auparavant. Personne ne me rend jamais visite, et je ne me fais jamais livrer de repas à domicile, je les emporte toujours directement.

Je vais appuyer sur le bouton.

— Ouais ?

— Auggie ? C'est Foster.

— Génial ! jubile Hayden en se frottant les mains.

Hayden n'a jamais vu Foster. L'éventualité d'une scène à forte teneur dramatique se précise dangereusement.

Je déclenche l'ouverture de la porte d'entrée. Quelques secondes plus tard, il frappe à la mienne. J'ouvre.

— Il fallait que je te voie.

Et là, il se met à pleurer, il s'agrippe à moi et sanglote dans mon cou. Je regarde Hayden qui articule

1. Immense triomphe à Broadway, cet opéra rock met en scène deux jeunes hommes – un réalisateur et un compositeur – qui partagent un appartement dans l'East Village.

silencieusement : *Crack*. Et je lui réponds sur le même mode : *Putain, merde*.

— Foster, que se passe-t-il ? Allons, reprends-toi et dis-moi ce qui t'arrive.

Il renifle, s'essuie le nez sur son épaule et dit :

— Salut. Hayden, sans doute ? Foster. Enchanté. Désolé de débarquer comme ça mais…

— Oui, c'est bien moi. Enchanté.

— J'ai replongé, Auggie. À fond. Je n'ai pas pu résister. Je n'arrive plus à contrôler ce truc.

— Où étais-tu passé ?

— À l'hôtel. Au U.N. Plaza.

— Quoi ? Pendant deux jours ?

— Ils ont des fenêtres qui s'ouvrent, ça permet d'évacuer la fumée. Bref, je veux aller mieux. Je me fais admettre en désintox.

— Bon, je vous laisse, les tourtereaux. Je vais faire un tour chez Barnes & Noble, pour me trouver un truc à lire dans l'avion. Un truc inspiré, dans le genre *Last Exit to Brooklyn*.

— Merci Hayden. À tout à l'heure. J'appelle Ticket Master pour *Rent*.

— Vous allez voir *Rent* ? demande Foster. Je veux venir.

— Ça ne te plairait pas. On ne peut pas fumer dans les théâtres.

Hayden s'en va. Foster m'attrape par le bras et me tire vers le lit, où il s'assied.

— Je n'avais jamais vu où tu habitais. C'est… petit.

Il me vient à l'esprit que même s'il touche un jour le fond du fond, jamais Foster ne sera capable de vivre dans un lieu aussi modeste que mon appartement. Qui n'a sans doute rien de si modeste selon des standards ordinaires. Ce type est gâté pourri.

— Ouais, je sais, pour l'appart. Écoute, tu ferais mieux de partir en cure. Tu es une loque, tu es à bout.

— Je sais, Auggie. S'il te plaît, tu me pardonneras ? C'est plus fort que moi. Tu sais ce que c'est. Tu te souviens ? Toi aussi, tu as été comme ça.

— Ouais, je sais. Je me souviens comment c'était de partir en vrille.

C'est curieux que je dise ça au passé.

Foster me fait un petit sourire gentil.

— Je t'aime vraiment, tu sais. Même si je ne suis pas un cadeau génial, je suis *ton* cadeau pas génial.

— Pourquoi ai-je un jour accepté d'aller en thérapie de groupe ?

— Auggie, ça t'a apporté beaucoup, crois-moi.

— Toi, par exemple ? dis-je méchamment.

Il m'attire contre lui.

— Oui, moi, par exemple.

En sortant de *Rent*, nous marchons jusqu'à la Neuvième Avenue et prenons un taxi pour redescendre *Downtown*.

Tandis que le taxi dévale l'avenue en profitant de tous les feux au vert, je remarque qu'il n'y a vraiment aucune raison de s'aventurer au-delà de la Quatorzième. Mis à part pour aller voir des spectacles à Broadway.

— Les samosas à la viande sont farcis au bœuf ou à l'agneau ? demande Hayden au serveur du restaurant indien.

— À la viande, nous répond-il fièrement.

Hayden commande les samosas végétariens.

— Maintenant que je l'ai vu, je comprends mieux ton attirance pour lui, dit Hayden en rompant un *papadom*. C'est sans doute le mec le plus séduisant que j'aie vu de ma vie. Il est à couper le souffle. Je ne te blâme plus du tout pour ta superficialité et ton manque de jugement.

Je grimace.

— Ouais… Bon.

Je bois une gorgée de Coca Light, le martini-vodka des alcooliques en sevrage. J'en ai ras-le-bol de ce putain de Coca Light.

— C'est un peu une histoire à la Liz Taylor, version mec.

— Comment ça ?

— Tu sais bien, si elle n'était pas aussi belle, les gens n'auraient aucune admiration pour son combat contre l'alcool et les pilules. Ils se contenteraient de la cataloguer comme une poivrote sans espoir et de la chasser de leur esprit. Notre société est très visuelle.

— Je ne sais pas. Mon obsession pour Foster est en train de s'atténuer. Comme s'il avait tranché mon nerf J'en-ai-quelque-chose-à-foutre. Je me fiche complètement de lui.

— Arrête tes conneries ! Il a fait précisément l'inverse. Il t'a reconnecté avec ton nerf J'en-ai-quelque-chose-à-foutre.

— Non, ce n'est pas vrai. Je ne mérite pas d'être amoureux d'une telle épave.

— Je ne parle pas de ce que tu mérites, mais de ce que tu ressens.

— Je déteste quand tu joues les thérapeutes. Et tout particulièrement avec ton accent. On croirait entendre une émission de la BBC.

Les entrées arrivent et nous abordons le sujet de la cure de désintox.

— Tu ne trouves pas ça bizarre, demande Hayden, de passer trente jours super intenses avec tous ces étrangers, de former avec eux une vraie petite famille dysfonctionnelle super unie, et de ne plus entendre parler de personne, après ?

J'enfourne une bouchée de poulet tikka.

— Si, j'y pense aussi, parfois. Par exemple, je me demande comment va le Dr Valium. Ou le Gros Bobby. Je me demande s'il est devenu accro aux White Castle[1].

1. White Castle Burgers : chaîne de fast-food.

En cure, nous avons appris qu'il était facile de développer une autre dépendance. Par exemple, on décroche du crack mais on devient héroïnomane. Ou bien on décroche de l'alcool et on devient accro au crack.

— Je suis sûr que Paul, l'Homme enceint, a replongé, affirme-t-il. Je n'ai aucun doute là-dessus.

— Et cette fille, comment s'appelait-elle ? Miss Cutter.

— Sarah.

— Ouais, Sarah. Je suis sûr qu'elle est chez elle, une fourchette à volaille plantée dans la cuisse et une seringue enfoncée dans le bras, en train d'avoir des orgasmes multiples.

— Tu n'as vraiment couché avec Foster qu'une seule fois ? demande Hayden en déposant une cuillerée de *maatar paneer* sur son riz au safran.

— Non, deux fois, en fait.

— C'était quand, la deuxième fois ?

— Hier, quand tu as été parti chez Barnes & Noble. Mais je la compte comme la première officielle.

— Et pourquoi ?

— Parce que cette fois, j'ai regardé.

De retour à l'appartement, Hayden rassemble ses affaires, les enfourne dans ses valises, vérifie deux fois qu'il n'a rien oublié sous le canapé ou dans la salle de bains.

Foster m'appelle au moment où nous sommes sur le point d'éteindre les lumières pour dormir. Juste pour me dire qu'il va bien, et qu'il ne consomme pas. Il ne veut pas que je m'inquiète, me dit-il. Ce soir, il est heureux d'être chez lui, pelotonné dans son canapé, en train de lire *Histoire de Bone*. Quand l'opérateur intervient pour lui demander d'ajouter vingt-cinq cents pour trois minutes de plus, il met fin à la conversation. Je l'imagine dans une cabine à l'angle de la Huitième Avenue et de la Quarante-Septième Rue, en train de se taper la tête contre la vitre, devant le combiné décroché qui pendouille, en répétant : *Merde, merde, merde !*

J'aide Hayden à descendre ses valises jusqu'à la Lincoln noire qu'il a commandée pour le conduire à l'aéroport.

— Pas de cocktail à bord, hein ?

Il me serre dans ses bras.

— Bonne chance, Augusten. S'il te plaît, va assister à quelques réunions, ça te fera du bien.

— Je sais, je sais. J'irai. Promis.

Je dis ça en sachant pertinemment que je n'irai pas. Les AA me sortent par les yeux.

— Et bonne chance avec Foster. Sois prudent.

Hayden est devenu mon bon sens. Je ne veux pas qu'il parte. J'ai peur de ce que je pourrais faire, de ce qui pourrait se passer. Lui parti, qui va me surveiller ?

Il grimpe sur la banquette arrière, descend la vitre et se penche. Et tandis que la voiture démarre, il crie, avec une fausse candeur :

— Et n'oublie pas : *tu es quelqu'un !*

Hayden est parti. Et d'un coup, je me sens totalement seul. Je suis sur un trottoir, cerné par des immeubles, des taxis, des voitures, des gens entassés sur le moindre centimètre carré, et pourtant je me sens seul. Je n'ai pas l'impression que nous partons chacun de notre côté poursuivre nos routes respectives. Il me semble qu'il avance et que moi, je reste en rade.

Je commence à la sentir dès le couloir. L'odeur gagne en puissance et quand j'arrive devant ma porte, je me rends compte que j'ai atteint l'épicentre du foyer olfactif. Je me penche, passe la main sur la moquette grise, la ramène sous mon nez et renifle. Aucun doute, c'est du whisky.

J'ouvre la porte. L'odeur me saute au visage, comme si elle avait une présence physique. Les émanations sont si puissantes que si je craquais une allumette, la pièce exploserait certainement.

Mon bureau a picolé. Il a replongé, sans moi.

Désemparé, je m'assieds à ma table. Et curieusement, les émanations d'alcool sont encore plus intenses. J'ai l'impression d'être un morceau de barbaque dans une marinade.

Un instant plus tard, Elenor passe devant mon bureau en lançant : « Salut ! » Puis elle fait volte-face et se fige dans l'encadrement de la porte en plissant le nez. La panique se lit sur son visage. Elle entre en reniflant.

— Augusten, que se passe-t-il, ici ? demande-t-elle en fouillant la pièce du regard.

Que cherche-t-elle ? Une fête qui bat son plein ?

— Je n'ai pas bu, Elenor, si c'est la question que tu te poses.

Elle me dévisage avec suspicion. Compte tenu de l'évidence olfactive, ma crédibilité ne tient qu'à un fil.

— On se croirait dans une distillerie.

— Je l'avais remarqué.

Elle se penche, regarde dans ma corbeille, sous mon bureau.

— Tu as une idée de la raison pour laquelle ton bureau pue l'alcool ?

Un nom me vient à l'esprit.

— Rick, dis-je en la regardant. Il a vidé une bouteille de whisky sur ma moquette. C'est sans doute l'idée qu'il se fait d'une bonne blague.

Elenor me dévisage, impassible.

— Je ne crois pas Rick capable d'un truc pareil. (Elle croise les bras et me fait un petit sourire, comme si j'étais un chenapan qui ment pour expliquer la présence du dentifrice sur la brosse à cheveux.) Tout se passe bien, pour toi ? Je veux dire, dans ta vie… privée ?

Je n'arrive pas à le croire. J'ai envie de l'empoigner, de la secouer, de hurler : JE N'AI PAS BU ! TU NE

TE SOUVIENS PAS QUE CE CONNARD A FOUILLÉ DANS MON SAC ? TU NE COMPRENDS PAS QU'IL VEUT MA PEAU ? Au lieu de quoi je me lève et j'attrape mon sac.

— Tout va bien, Elenor, merci de poser la question. Et je crois que tu te trompes au sujet de Rick. Je crois que c'est exactement le genre de chose dont il est capable.

— Où vas-tu ?

J'expire et je la regarde, l'air de dire : *Tu es vraiment bouchée.*

— À une petite fête arrosée chez des potes, Elenor.

Tout en marchant sur le trottoir, je fulmine. Je me fraye un chemin à coups d'épaule à travers la foule des gens qui partent bosser, cramponnés à leur tasse de Starbucks, leur *Wall Street Journal* ou leur mallette. Le vacarme de la circulation, qu'en général je n'entends même pas, est assourdissant, oppressant. Je dépasse un gardien d'immeuble qui nettoie le trottoir au jet. En passant, je piétine l'arc-en-ciel né dans le faisceau de gouttelettes et me trempe les chaussures.

Je ne peux pas appeler Foster, je ne peux pas compter sur lui. Et Pighead a assez de soucis en tête sans devoir s'inquiéter en plus à mon sujet. Hayden est probablement en train de dormir pour récupérer du décalage horaire. Voilà tous les gens sobres que je connais. La liste n'est vraiment pas longue. Je marche d'un bon pas, j'imagine que je ne vais jamais m'arrêter. Pourrais-je parcourir tout le chemin jusqu'à la Californie ?

Si je m'étais trouvé un parrain aux AA, comme j'étais supposé le faire, je pourrais l'appeler. Il pourrait me dire : « Laisse couler, pense à Jésus », et je pourrais penser : *Foutaises.*

Je pourrais aller à une réunion déballer ce que j'ai sur l'estomac. Je pourrais.

À un carrefour, j'aperçois un pub irlandais. Il est ouvert, même à dix heures et demie du matin. *Pathétique*, je me dis. *Il faut vraiment être alcoolique jusqu'au trognon pour mettre un pied dans ce genre d'endroit.*

J'entre.

Cette odeur. Un remugle de bière éventée, de fumée de cigarette, de bois, de gin. Aucune autre odeur ne ressemble à celle-là. C'est une odeur de bar. Et tout à coup, il me semble être de retour à la maison.

Mes yeux ont besoin d'un petit moment pour s'accoutumer à la pénombre. Je me dirige vers le comptoir et m'assieds sur l'un des tabourets. Je pose mon sac. Mes mains tremblent. Je ne peux pas faire ça. Je ne peux pas être là. Ça n'en vaut pas la peine.

— Qu'est-ce que je vous sers ? s'enquiert le vieux barman décati.

Il a la voix rauque, la peau autour de ses yeux est striée de rides profondes, sa moustache est jaunie par des années de tabagisme.

Je suis écartelé. Partagé tout du long par le milieu. L'anxiété se répand en moi, comme si ce qui l'avait contenue jusque-là venait de craquer, d'éclater. Mon cœur s'emballe. Juste un petit verre. Je pourrais commander juste un petit verre. J'ai besoin de faire retomber la pression. Elle est trop forte. Elle m'écrase.

— Un Coca Light, dis-je après un long silence.

Le barman me regarde une seconde de plus que nécessaire. Comme s'il avait pu lire dans mon esprit, qu'il savait ce qui se passe en moi. Et je comprends qu'il a probablement déjà vu ça bien des fois, les démons intérieurs qui se démènent.

Quand il pose mon verre de Coca sur le comptoir, il me dit :

— À la vôtre.

J'aspire le Coca à la paille. J'aspire jusqu'à ce qu'il ne reste plus que les glaçons.

Les miroirs de L.A.

Greer et moi sommes à L.A. où se tourne le film pour Wirksam. Le Shutters étant complet, nous sommes logés dans des bungalows près du Château Marmont. La surprise est générale. Notre client est tellement pingre que je suis étonné qu'on n'ait pas atterri dans un refuge pour animaux. Toutefois, il nous a prévenus qu'il ne défraierait aucun repas, et nous sommes tenus d'utiliser nos cartes de téléphone personnelles si nous avons des coups de fil à passer. Il a même essayé – mais sans trop insister, je dois le reconnaître – de nous caser à deux par chambre.

Une fois installés à l'hôtel, nous flânons au bord de la piscine. Deux figurantes à forte poitrine prennent un bain de soleil sur des serviettes à rayures rouges, et un homme se baigne dans le bassin ovale. Un homme au dos si velu que j'ai d'abord cru qu'il s'agissait de son torse. On autorise ça, à L.A. ?

— Ce n'est pas ici que John Belushi a fait son overdose ? demande Greer.

— Non. Mais quelqu'un d'autre est probablement mort ici.

— Ouais, ce doit être assez simple de faire une O.D. dans cette ville.

Elle me regarde et je peux lire dans ses pensées. Elle est en train de se dire : *J'espère que tu n'as pas oublié d'emporter ta littérature pour alcooliques.*

Elle fait glisser ses lunettes de soleil sur son nez.

— Bon, je suis épuisée. Je vais faire une sieste. Où dîne-t-on, ce soir ?

— À l'Ivy. Le Teuton arrive à dix-sept heures. On se retrouve devant le restau à dix-neuf heures.

— Je déteste baby-sitter les clients. Ils croient qu'on leur appartient parce qu'ils nous logent dans un bel hôtel. Si seulement le Teuton se contentait de sonner le service d'étage et de nous foutre la paix !

— J'espère qu'il ne va pas se pointer en short.

— Beurk, fait Greer en plissant le nez. Je n'avais pas pensé à ce détail.

— Bon, à tout à l'heure, dis-je en partant vers ma chambre.

Tout en m'éloignant, je peux entendre ce que se dit Greer tandis qu'elle passe devant les figurantes qui se dorent au soleil : *Vous allez choper des mélanomes malins, les filles, et aucun directeur de casting ne vous embauchera.*

La chambre est très agréable. Par habitude, j'ouvre le minibar et j'ai un coup de blues en prenant conscience que son contenu m'est interdit. Il existe des chambres non-fumeurs, pourquoi n'existe-t-il pas des chambres sans tentation ? Je prends une bouteille d'eau de source à sept dollars, que j'avale cul sec. J'ai quatre heures à tuer avant le dîner. Autrefois, j'aurais pu en profiter pour m'immerger dans une brume confortable et nouer des liens avec le barman. Maintenant, il me semble disposer de plus de temps qu'il ne m'en faudrait pour écrire un scénario. Quand on boit, le temps est d'une nature très différente, il devient fuyant, alors que quand on est sobre, il est comme les poils de chat : une vraie plaie pour en venir à bout.

Je rouvre le minibar. L'effet produit est tout-puissant. Je dis tout haut, en pensant que ça va castrer mon désir : « J'ai envie d'un verre », et ça produit l'effet inverse. En l'admettant, j'ai affirmé mon envie, je l'ai rendue plus féroce. Une fois, j'ai lu l'histoire d'un type qui avait perdu les deux bras dans un incendie. L'infirmière a eu pitié de lui et lui a fait une branlette. Je n'ai même pas droit à cette consolation.

Je tourne en rond dans la chambre. Elle est tapissée d'innombrables miroirs qui m'obligent à me regarder chaque fois que je passe devant l'un d'eux. Il est impossible d'aller dans la salle de bains, même pour chercher un gant de toilette, sans voir mon corps sous tous les angles et contempler mes pores grossis et illuminés. Je regarde attentivement mon ventre et pince la couche de graisse mince mais opiniâtre qui couvre mes abdos. Je me dis que ça vient des miroirs de L.A. Dans mon miroir de New York, mes tablettes se voient mieux. Ce miroir-là me fait paraître gringalet, mais épais du bide. Et là, une idée terrifiante me traverse l'esprit : peut-être les miroirs à L.A. sont-ils de meilleure qualité, plus précis, plus rigoureux. Peut-être est-ce pour cela que la perfection physique est à ce point monnaie courante dans cette ville – parce que les gens ont droit à un reflet qui ne leur ment pas. Je me suis leurré en me berçant de l'illusion que j'avais un beau corps, mais manifestement, cela n'est vrai que selon les standards en vigueur à Manhattan, que d'après les miroirs approximatifs de New York.

En fait, je me trouvais meilleure allure du temps où j'étais soûl, car je ne me regardais jamais que d'un seul œil à moitié ouvert, et à travers la brume de mon petit nuage de gloire intérieure. Je ne me voyais que lorsque je brandissais devant le miroir un verre de whisky aussi étincelant qu'un Academy Award, tout en prononçant quelques mots émus de remerciement. Sigourney Weaver était toujours à mes côtés, l'œil humide de fierté.

L.A. est une ville épouvantable. Bien trop ensoleillée. Cela me rend encore plus complexé et superficiel que je ne le suis déjà. Brusquement, je regrette de n'avoir pas de Valium, ou de rendez-vous chez un médecin du cru pour des implants de fossettes. Il me faudrait quelque chose à attendre. Si je ne peux pas boire, il me faut un substitut, un objectif – qui sous-entende, de préférence, l'utilisation de points de suture résorbables.

Je ne suis là que depuis quelques heures, et je me sens déjà au trente-sixième dessous. Au fond, je suis un être vain et superficiel, et le fait d'être à L.A. fait remonter cette vérité encore plus près de la surface. Je crains que mon âme n'aspire nullement à la paix et à la sagesse, mais à des extensions de cheveux blonds qui frôleraient négligemment mes sourcils, et à un ventre musclé et liposucé. J'ai des envies d'implants de pectoraux, de peeling, de mocassins Gucci. Je veux que Rupert Everett tombe amoureux de moi, je veux une Range Rover, et un de ces nouveaux minitéléphones portables.

Je veux des tables réservées dans les restaurants à la mode. Non, ce n'est pas vrai. Je veux être quelqu'un qui n'a jamais besoin de faire de réservations. Quelqu'un à qui tout est dû.

Je veux que mon nez, tout en conservant sa forme, soit plus petit, mieux proportionné. Je veux gagner le respect de ces miroirs de L.A. Je veux être capable de dire à tout bout de champ, avec cette intonation traînante et désinvolte des habitants de la Valley : *Quelle importance !*

Je vais devant la fenêtre, que je recouvre de buée à force d'hyperventiler. Je prends conscience qu'en fait, je redoute de rentrer à New York parce que maintenant que Hayden est reparti à Londres, j'ai peur qu'il n'ait embarqué avec lui mon équilibre psychologique. Qu'il ne l'ait accidentellement rangé dans sa valise en même temps que ses chaussettes sales et le fromage acheté chez Dean & Deluca avant son départ.

Je voudrais être plongé dans un jacuzzi. Mais pas ivre mort à quatre heures du matin, comme la dernière fois. Je ne veux même pas repenser à cet épisode.

Au dîner, Greer et moi sommes assis de part et d'autre du Teuton, par obligation professionnelle. Notre client lance des regards mauvais à tous ceux qui réclament du beurre. À ses yeux, c'est une faiblesse. Nous essayons de rendre la conversation légère et agréable, mais il n'y participe pas. Il extrait le fascicule de préproduction de sa sinistre mallette noire et commence à nous déballer ses inquiétudes concernant les costumes.

Greer contemple sa salade de cresson en tambourinant machinalement sur son verre d'eau. Elenor passe son temps à se resservir du vin. Rick zyeute l'entrejambe du serveur, et je le prends sur le fait à chaque coup. C'est incroyablement satisfaisant de le regarder et de penser : *Pédé honteux*, et de savoir qu'il a lu dans mes pensées quand il détourne le regard, le rouge aux joues. Je crois que tous les mormons sont gays. Rick n'est qu'un exemple de plus.

Les responsables du budget mastiquent en souriant, et hochent la tête à chaque phrase du Teuton. Je regarde ses bras et m'aperçois pour la première fois qu'il a des bras poilus, ce qui fait que sa cote remonte un peu. C'est pathétique. Ça me fait aussi penser à Foster. Il me manque.

Si j'étais hétéro, je suis sûr que je ferais partie de ces types qui assistent à des concours de tee-shirt mouillés et votent avec un enthousiasme débordant.

Quand on vient nous présenter la carte des desserts, tout le monde autour de la table est bourré, sauf le Teuton et moi. Même Greer a bu deux verres de chablis, ce qui pour elle équivaut à approcher du trou noir. Je songe combien il est injuste que je ne puisse pas boire, pas même un peu. Je réalise que c'est parce que j'ai dilapidé en dix ans le capital de consommation d'alcool de toute une vie.

Merde.

En regagnant l'hôtel à pied, près de la jetée de Santa Monica, je remarque que ça grouille de sans-abri drôlement sexy. Je les vois soudain comme un gisement de mecs totalement inexploité. Je n'y avais jamais pensé auparavant. Tous ces Mel Gibson alcooliques au chômage. Des pâquerettes qui poussent dans les fissures du trottoir.

Le lendemain matin, Greer et moi attendons que le feu passe au vert au passage piétons à l'angle de Pico et d'Ocean. Un bus fonce vers le croisement. Il est vide, à l'exception du chauffeur et d'un unique passager, à l'arrière. AU SECOURS... APPELEZ POLICE défile sur le bandeau au-dessus du pare-brise.

— Oh, merde ! s'écrie Greer en cherchant son portable dans son sac.

Je vois le bus griller le feu rouge.

— Sharon ? dit Greer dans le téléphone, une main en coupe sur son autre oreille. Écoute, rappelle-moi de faire redimensionner les affiches Wirksam pour qu'elles s'adaptent aux bus. J'ai complètement oublié de m'en occuper avant de partir. Je te rappelle plus tard.

Elle referme le téléphone et le range dans le sac.

— Greer, mais qu'est-ce qui te prend ? Je croyais que tu appelais le 911. Il faut prévenir les flics !

— Oh, fait-elle, se mordant la lèvre.

Le bus bifurque brutalement à gauche et disparaît.

Greer hausse les épaules.

— Bon, trop tard.

Je me tourne vers elle et la dévisage.

— Ne me regarde pas comme ça ! Bon sang, je ne suis pas la seule personne à L.A. à avoir un portable. Quelqu'un d'autre va appeler.

— Tu es incroyable ! C'était vraiment flippant, de voir ça.

Nous traversons l'avenue. Greer s'arrête et me fait face.

— Écoute, les tournages sont toujours stressants. Je suis concentrée sur le boulot. Quand j'ai vu ce bus, ça m'a rappelé autre chose, voilà tout.

— Mais tu n'as pas vu le message ? Sur le bandeau lumineux ?

— Je ne peux pas m'occuper de tout le monde. Tu veux que je fasse quoi ? Que j'aille nager au large de la Floride pour escorter les clandestins cubains jusqu'au rivage ? Que j'aide les Mexicains à creuser des tunnels sous la frontière ?

— Quoi ?

— Augusten, je ne suis pas alcoolique, comme toi. Je n'ai pas droit à des thérapies gratuites et je ne passe pas ma vie à changer de peau. Je suis une personne normale, avec une vie normale. Je ne peux pas être Florence Nightingale.

— T'inquiète pas, il n'y a aucun danger.

Après déjeuner, nous sommes assis au bord de la piscine et Greer lève la tête de son *Town & Country*.

— Tu crois qu'il s'est passé quoi, dans ce bus ?

Je la regarde.

— La personne qui était à l'arrière a certainement flingué le chauffeur pour lui faucher son portefeuille, avant de filer.

Greer secoue la tête.

— Il faut être fou pour utiliser les transports publics de nos jours.

— Il est intéressant, ton magazine ?

Elle sourit.

— Scandinavian Airlines a eu l'idée d'imprimer des poèmes sur les réacteurs de ses appareils à l'intention des passagers installés près des hublots. Je trouve ça super.

— Mmm-mmm. Super.

Elle me décoche un regard agacé.

— Eh bien oui, c'est super. Ça prouve qu'ils pensent au confort des passagers.

— Ils pensent surtout aux articles que l'initiative va générer, je lui rétorque.

Elle pose le magazine sur ses jambes.

— C'est fou ce que tu peux être cynique. En dépit de tout ton discours sur la désintoxication, tu es plein de colère et d'amertume.

— La Happy Hour est terminée, je lui réplique sèchement. À quoi t'attendais-tu ?

— Il existe d'autres moyens d'être heureux. Autres que boire, riposte l'experte en bonheur.

— Par exemple… ?

— Par exemple, lézarder ici, prendre du temps pour soi, profiter du soleil.

Elle me sourit – un de ces sourires de commande qui, selon elle, ont l'air authentique.

— Oui, pendant qu'un pauvre chauffeur de bus est en train de se vider de son sang sur le bord de la route parce que tu n'as pas appelé la police.

— Ce n'est pas juste !

— Tu l'as dit.

Greer reprend son magazine et recommence à le feuilleter nerveusement.

Je ferme les yeux et imagine combien il me serait facile d'entrer dans le bar de l'hôtel et de commander un Cosmopolitan. Personne ne s'en apercevrait.

Greer lâche une exclamation.

— Waouh ! Une nouvelle pilule qui prévient la calvitie masculine. Efficace dans cent pour cent des cas, disent-ils.

Je me redresse.

— Où ça ? Laquelle ?

Un rictus aux lèvres, elle fait semblant de lire :

— Fabriquée à partir du plasma de chauffeurs de bus tombés au champ d'honneur.

C'est atroce, mais je ris.

Greer aussi.

— Bon sang, je suis un monstre diabolique.

— Mais non.

— Qu'en sais-tu ?

— Parce que si tu étais vraiment diabolique, le Teuton t'apprécierait davantage.

— Exact, dit-elle après réflexion.

— Tant que le Teuton nous déteste, nous ne pouvons pas être si mauvais que ça.

— On est plein de bonnes intentions…
— La plupart du temps, du moins.
— C'est la pub, conclut-elle. C'est la pub qui nous rend comme ça.
— Je déteste la pub.
— Je sais. On devrait être chauffeurs de bus.

Plus tard dans l'après-midi, nous sommes convoqués sur le plateau pour approuver le choix des costumes. Vu que nous détestons le film que nous nous apprêtons à tourner, à mes yeux autant qu'à ceux de Greer, la validation des costumes apparaît comme une tâche titanesque – un truc qu'on ferait mieux de laisser décider à Dieu le père, ou de donner à jouer à pile ou face entre les stylistes, au cas où Dieu aurait d'autres chats à fouetter.
— Je ne pourrais pas m'en foutre davantage, souligne Greer pendant le trajet en minivan.
— Habillons-les tous en noir. Avec des brassards verts assortis à la bouteille.
À ce stade, nous ne tournons pas notre deuxième ni même notre troisième choix de campagne. Nous tournons le truc qu'Elenor et Rick nous ont en quelque sorte imposé. Un truc qui implique des danseurs, le drapeau allemand, et même quelques chiots.
— C'est vraiment le grand n'importe quoi, déplore Greer avec amertume.
Une fois sur le plateau, je localise la table avec les M & M et les chips. Elle se trouve à côté des fauteuils régisseur destinés au staff de l'agence. Greer et moi déposons nos affaires sur un des fauteuils et nous servons une pleine poignée de chips de maïs.
— La pub n'est-elle pas un univers excitant et glamour ?
— C'est mieux que le travail manuel, fais-je remarquer. Un minimum de travail pour un maximum de fric.
— Sans doute, concède-t-elle en croquant une chips. Si ça ne te pose pas de problèmes de brader ta dignité.

— Je n'ai aucune dignité, lui dis-je. Je n'en ai jamais eu. C'est pour ça que je bosse dans la pub. (Je gobe quelques M & M.) De plus, j'ai été soûl pendant tellement d'années que je n'ai même pas compris que je travaillais dans la pub.

— J'en étais pour ma part douloureusement consciente, me rétorque Greer en me fusillant du regard.

Nous validons les costumes d'un hochement de tête, discutons cinq minutes avec le réalisateur, choisissons un verre pour l'image du produit, et il est temps de regagner l'hôtel. Deux heures à peine de travail effectif, et pourtant, nous sommes complètement vidés.

— Je vais aller mariner dans le jacuzzi, annonce Greer, la tête appuyée contre la vitre du minivan.

— Et moi commander une salade, mater un peu la télé et m'effondrer, dis-je, à peine capable de garder les yeux ouverts.

Il n'est jamais que dix-huit heures, et pourtant on croirait que nous avons contracté une maladie qui anesthésie le cerveau. La menace de ce qui nous attend demain nous met groggy.

— Les gens normaux ne s'imaginent pas à quel point c'est stressant, de produire des films de pub. Ils se disent que ça doit être marrant, de bosser dans la pub. Ils ne se rendent pas compte à quel point c'est infernal, se lamente Greer en jouant distraitement avec son bracelet pavé de diamants.

Inconsciente, Belinda gît sur la couchette de sa caravane. Belinda est le mannequin que nous avons embauché pour enfiler un maillot argenté et danser sur une capsule de bière géante. Malheureusement, Belinda est boulimique, et après s'être enfilé une cinquantaine de langues de chat au chocolat et à la menthe, elle s'est évanouie dans le vestiaire, près des toilettes.

— C'est bien notre chance, peste Greer en arrachant des peluches de sa manche. Premier jour de tournage, et on a déjà un problème avec la vedette.

Nous montons la garde à côté du buffet. Elenor et Rick distraient le Teuton en lui exposant le plan Médias sur l'ordinateur d'Elenor.

— C'est génial. Pile ce dont on avait besoin. Du rab de temps perdu, dis-je en enfournant une poignée de mélange apéritif.

Greer fait les cent pas comme un furet anxieux.

— Ne jamais travailler avec des enfants, des chiens ou des boulimiques, résume-t-elle.

Le réalisateur vient vers nous.

— Quelle merde ! s'exclame-t-il en croisant ses bras musclés et tatoués. Elle s'est gerbé dans les cheveux. Faut lui refaire son brushing.

— Ça, c'est le pompon ! s'écrie Greer. Merci aux rédactrices de *Vogue* de promouvoir une telle image du corps féminin…

— A-t-elle repris conscience ? je demande.

— Ouais, mais elle a des vertiges. Elle a peur de remonter sur la capsule. Elle a la trouille de se casser la gueule.

— Vous n'avez qu'à la soudoyer avec une tranche de cheese-cake et quelques laxatifs, ordonne Greer, l'air mauvais.

D'après ce qu'on distingue sur le moniteur, il est évident que ce film sera le pire que Greer et moi ayons jamais commis. Le Teuton ne nous harcèle pas, ne grince pas des dents, donc nous savons qu'il est content. Ce qui signifie que le film est un sous-produit de la pire espèce.

Greer est assise, jambes croisées, et fouette l'air du pied.

Elenor est scotchée devant son ordinateur.

Rick se demande tout haut si oui ou non un assistant particulièrement mignon « est pédé ». Sans rire, il le mange des yeux.

Et moi, j'essaie de voir si j'arrive à me souvenir du goût d'un martini. C'est comme essayer de se représenter mentalement un parent décédé, son visage, son sourire.

Pendant ce temps, livide et décharnée, Belinda se trémousse sur la capsule de bière, en équilibre instable.

— Ne vous inquiétez pas, on pourra lui rajouter un peu de couleur en post-prod, lance quelqu'un.

Dans l'avion du retour, je décide de me lancer dans ma note de frais. Greer est en train de rédiger une lettre comminatoire à la boîte qui fabrique sa crème aux AHA parce que, dit-elle, elle lui a cramé la peau. Je lui demande un crayon.

— Comment écris-tu « catastrophique » ? me demande-t-elle.

J'épelle le mot et déplie ma facture de l'hôtel. J'abaisse ma tablette et j'étale la facture en même temps qu'un des formulaires de défraiement de l'agence.

— « Pilori », ça prend un *r* ou deux ?

— Nom d'un chien, Greer ! Quel genre de lettre écris-tu ?

Elle renifle avec dédain.

— Il faut frapper fort quand on veut obtenir un résultat.

— Qu'escomptes-tu obtenir d'eux ?

— Un an d'approvisionnement.

— « Pilori » prend un seul *r*. Maintenant, fous-moi la paix.

Je commence à additionner le prix de ma chambre, plus les taxes, plus les repas. Puis je tombe sur la note du minibar. Le total s'élève à mille six cents dollars.

— C'est impossible !

— Quoi donc ? demande Greer en se tournant vers moi.

— Qu'est-ce que c'est que ce bordel ?

— Augusten, que se passe-t-il ? Que t'arrive-t-il ?

— Ma note de minibar. Regarde.

— Tu n'as pas consommé tout ça ? demande Greer en jetant un œil à la facture que je lui tends.

— Bien sûr que non ! Je n'ai bu que des bouteilles d'eau.

Elle arrête de mastiquer son chewing-gum.

— Tu as bien lu la note apposée sur le minibar, n'est-ce pas ?

— Quelle note ?

Greer, l'éternelle bonne élève, de citer de mémoire la note en question :

« Pour votre confort, chaque article retiré du minibar vous sera automatiquement facturé. »

— Mais je n'ai bu que de l'eau !

— D'accord. Mais est-ce que tu t'es amusé à sortir des trucs pour les y remettre ?

— Ils te facturent ça ? me récrié-je, horrifié.

— Évidemment, comme tous les bons hôtels en Europe, maintenant.

Mais nous n'étions pas en Europe, bordel.

Je ne dis rien.

— Qu'est-ce que tu as fabriqué ? Tu as sorti chaque bouteille d'alcool du frigo pour la re-ranger aussitôt ?

Elle rit, comme si cela n'était pas du domaine du possible.

Malheureusement, ça l'est. Parce que c'est très précisément ce que j'ai fait. J'ai passé mon temps à caresser ces petites bouteilles. Je leur ai fait pour mille six cents dollars de caresses. C'est comme louer les services d'une prostituée tous les soirs pendant une semaine. Et n'avoir rien à boire pour briser la glace.

Une fois chez moi, j'appelle l'hôtel et j'explique la situation.

— Je suis navré, me répond-on.

— Et… ?

— Et c'est pour cette raison que nous avons apposé cette note sur la porte du minibar, m'explique le chargé des relations clientèle avec une morgue sidérante.

Une morgue qui semble sous-entendre : *Richard Gere ne s'en vanterait pas, lui.*

Voilà. J'ai perdu. Alcoolique un jour, alcoolique toujours. J'aurai des notes de bar jusqu'à mon dernier jour.

— Il est allemand, il est censé être ponctuel, s'énerve Greer en consultant sa montre Cartier. J'aurais pu dormir plus longtemps !

Je suis dans la salle de réunion 34A avec Greer, Barnes, Tod, et les quelques autres personnes qui constituent l'« équipe de la Bière » à l'agence. Nous devons montrer le film au Teuton et obtenir son aval pour que le spot puisse être expédié aux chaînes de télé et, malheureusement, diffusé.

Le Teuton a une demi-heure de retard.

On a eu le temps de dévorer la moitié des viennoiseries que le service traiteur nous a livrées, d'écorner les croissants, de délester les beignets de leur confiture.

Barnes, le responsable du compte, regarde sa montre et souffle d'agacement.

— Bon, les gars, s'il n'est pas là dans un quart d'heure, je propose que tout le monde reparte bosser, et je vous appelle quand il arrive. C'est d'une grossièreté !

Greer se penche et me chuchote à l'oreille :

— À quel point méprises-tu la pub ?

— Je la honnis.

Le téléphone sonne et Barnes décroche. Il ouvre grands les yeux, nous regarde et hoche la tête.

— Enfilez vos brassards, le client arrive, dis-je à mi-voix.

Barnes raccroche.

— Je vais le chercher à l'ascenseur, annonce-t-il en quittant la salle.

— Je ne suis pas d'humeur à le supporter, aujourd'hui, dis-je à qui veut l'entendre.

Un instant plus tard, Barnes réapparaît en compagnie du Teuton qui a l'œil noir, le front plissé et son atroce mallette noire rivetée au poing. Tout le monde se lève poliment. Je suis tenté de le saluer d'un bras tendu.

Le Teuton se dirige directement vers la table où se trouvent les *bagels*, le *cream cheese*, le saumon fumé, les viennoiseries, le café.

— Ce serait drôle qu'il prenne du saumon fumé, non ? me chuchote Greer.

— Ta gueule, je lui réponds avec un sourire diabolique.

Le Teuton se sert une tasse de café, tripote quelques viennoiseries du bout des doigts puis, avec une grimace de dégoût, prend place à la table de réunion. *Fwap ! Fwap !* Les serrures de sa mystérieuse mallette noire claquent en s'ouvrant. Il sort un bloc de papier quadrillé, puis extrait un porte-mine de la poche de sa veste. Il consulte sa montre.

— *F*a *f*alloir *f*aire *f*ite, parce que *ch*'ai une autre réunion de l'autre côté de la *f*ille avec des c*h*ens des *herrrrpé*.

RP, pour Relations Publiques. Cet homme a un don pour faire sonner chaque phrase comme si elle était un câble d'acier tendu jusqu'au point de rupture.

Greer me lance un coup de pied sous la table, tourne la tête et me fait un clin d'œil.

Barnes donne le coup d'envoi de la réunion :

— Bien, nous sommes là aujourd'hui pour vous montrer le montage final. Laissez-moi vous dire que nous sommes tous super contents de ce film. À notre avis, le résultat est vraiment top. Et l'objectif, aujourd'hui, c'est d'obtenir votre aval pour que nous puissions l'envoyer aux télés à temps et respecter notre programme de diffusion.

Et il ponctue son discours en frappant dans ses mains.

Le Teuton prend des notes, je me demande bien sur quoi. Son visage renfrogné est rivé sur le bloc, et ses phalanges sont blanches, tant il agrippe fermement son porte-mine.

— *Ja*, continuez, *ch'*écoute, dit-il sans relever la tête.

— Bien… Je laisse la parole à Greer et Augusten, nos créatifs. Les gars ? ajoute-t-il avec un mouvement de bras qui m'évoque une animatrice de jeu télévisé présentant au public un téléviseur 16/9e à écran plat.

Le Teuton ne relève pas la tête et continue à écrire.

Greer lève les yeux au ciel.

Barnes la regarde et, d'un geste, lui indique de poursuivre tout en articulant silencieusement : *Allons-y*.

Greer pose une main devant elle sur la table, puis pose l'autre par-dessus, dans l'alignement de la première. Quand elle le veut bien, Greer peut être sexy, ensorcelante, hypnotique. Et là, elle le veut.

— Hans ?

Le Teuton relève la tête immédiatement.

Elle lui lance son sourire à la Meg Ryan.

— Bonjour, j'espère que je ne vous dérange pas. Vous semblez si absorbé par vos notes.

Elle lâche un rire subtil, parfaitement rodé. Cela dit, le Teuton n'a aucun moyen de savoir qu'il a été peaufiné à force de pratique. Peut-être est-ce mon imagination qui me joue un tour, mais je crois qu'il rougit. À moins que ce ne soient plutôt des vaisseaux capillaires qui éclatent dans son cerveau, par contrariété d'avoir été interrompu. L'équivalent d'un sourire apparaît sur ses lèvres et, d'un geste théâtral, il pose son porte-mine sur le bloc-notes, croise les bras sur la table et dit :

— *Guten Morgen*, Greer. Désolé si *che* me suis montré grossier. Allez-y, *che f*ous en prie.

— Bien. Je voudrais juste éviter de perdre du temps puisque je sais que vous avez ensuite un rendez-vous important.

Elle la joue encore à la Meg Ryan. Elle le fait super bien. Je connais Greer, et je sais qu'à l'intérieur elle pense : *J'aimerais te découper en petits morceaux, te faire griller sur un hibachi et te filer à bouffer à mon sharpei.* Mais ce qui sort, c'est le style : *Bienvenue chez Moviefone*[1] *!*

Greer et moi nous levons en même temps. Nous exécutons le Pas de deux du duo qui affecte d'être captivé. Une petite représentation privée destinée à notre client. Greer s'écarte d'un pas et me fait signe d'aller lancer la cassette. Elle fait ça parce qu'elle serait incapable de trouver l'interrupteur de l'appareil, quand bien même sa vie en dépendrait.

Je glisse la cassette dans son compartiment et me tourne vers le client pour délivrer mon petit speech de pré-visionnage.

— Bon, Hans, comme vous le savez, il s'agit d'une copie de travail. L'image n'a pas encore été remastérisée, les titrages ne sont pas parfaits, donc ce que vous allez voir est juste un brouillon.

Greer, toujours impeccablement pro, est déjà postée à côté du tableau électrique.

— Prêt ? lance-t-elle.

— Greer…

D'un doigt soigné – à soixante-dix-sept dollars la manucure –, elle abaisse le bouton du variateur. L'obscurité tombe lentement dans la salle. J'enclenche le magnétoscope. Il produit un son guttural, puis des craquelures défilent sur l'écran et immédiatement après

1. Service d'informations téléphoniques consacré au cinéma et aux spectacles.

apparaît le décompte familier : 5-4-3-2-1. Un écran noir. Et c'est parti pour notre affreux film ringard.

Images de bouteilles de bière qu'on sort d'une glacière.

Mannequins hommes et femmes qui se donnent l'accolade.

Chiots qui gambadent dans l'herbe.

Un cerf-volant qui monte dans le ciel.

Un homme qui saute dans une fontaine, malgré ses souliers vernis et son pantalon de smoking.

Une femme à bicyclette, bras et jambes tendus devant elle.

Une mariée en blanc qui jongle avec des citrons.

Et par-dessus tout ça, une rengaine entraînante et motivante. Le nom du produit est mentionné dans les six premières secondes et répété huit fois. Mélodie facile à retenir, conçue pour s'imprimer dans le cerveau de façon indélébile. Une tumeur qui incite à l'achat. À la fin, les chanteurs entonnent le slogan : « L'Allemagne en harmonie… avec l'Amérique. » Et puis la bouteille de bière apparaît alors que le slogan s'imprime en bas de l'écran.

Après avoir passé le film une première fois, je rembobine la cassette.

— Je vous la repasse.

J'ai dû dire ça un millier de fois dans ma carrière.

Et tandis que la cassette se rembobine et que la salle est toujours plongée dans l'obscurité, Greer dit :

— Je devrais peut-être vérifier s'il a appuyé sur le bon bouton. Il me fait peur, quelquefois.

Ça aussi, elle a dû le dire un millier de fois.

Je relance la cassette.

Pile au moment où le mannequin roux ouvre ses mains et libère les lucioles, la porte de la salle s'ouvre, un rai de lumière pénètre dans la pièce. Ma secrétaire referme la porte et vient vers moi. Main en coupe autour de mon oreille, elle chuchote quelques mots.

Je repars vers Greer.

— Viens par là, lui dis-je en la tirant d'autorité par le bras.

J'ouvre la porte et l'entraîne dans le couloir.

— Qu'y a-t-il ? demande-t-elle en tournicotant autour de moi.

— C'est Pighead.

— Ô mon Dieu ! Que se passe-t-il ?

— Il est à l'hôpital. On l'y a transporté en ambulance.

Je sens quelque chose monter en moi. Terreur, panique, confusion, je ne sais pas. Quelque chose qui monte, ou dégringole, je ne sais pas trop non plus.

— Tu devrais y aller tout de suite, dit Greer.

— Mais je ne peux pas, la réunion…

— Je suis sérieuse, Augusten. File. Je m'occupe de tout.

Je me ronge l'ongle du pouce.

— Merde. Je me suis tellement laissé bouffer par ce cinglé de mon groupe de thérapie que j'ai complètement négligé Pighead. Entre lui et ce boulot à la con… Je ne l'ai même pas appelé une seule fois pendant le tournage. Et maintenant, il est à l'hosto.

Je veux un verre. Un verre d'alcool à 90, même. Avoir envie d'un verre d'alcool est mon paramètre par défaut. Et quel que soit le nombre de cures que je puisse faire, ou le nombre de réunions des AA auxquelles je pourrais assister, jamais je ne pourrai échanger ce paramètre par défaut contre – disons – un jus d'orange. Je veux un putain de verre d'alcool. Je ne veux pas aller à l'hôpital voir Pighead. Je veux aller dans un bar.

— Vas-y, Augusten.

Je suis paralysé. Je sais que je dois y aller, et tout de suite, mais je ne peux pas. Mes pieds s'entendent vraiment bien avec cette dalle de moquette.

— Augusten, quoi qu'il en soit, tu ne peux pas te défiler. C'est peut-être rien, c'est peut-être grave, mais tu dois y faire face.

— Dis donc, qui c'est qui parle comme un manuel de développement personnel ? dis-je pour gagner du temps.

Elle ne sourit pas, se dirige vers les ascenseurs et appuie sur le bouton d'appel. Je la rejoins.

— Appelle-moi si tu as besoin de quelque chose. Fais ce que tu as à faire.

— Merci, Greer.

L'ascenseur arrive. J'entre dans la cabine. C'est parti.

Courir sous l'eau

— Pighead ? dis-je doucement en ouvrant la porte de sa chambre.

— C'est toi, P'tite Tête ? gémit-il d'une voix fêlée.

J'entre. Il est allongé sur le lit, les pieds surélevés. Mêlée à un autre effluve douceâtre et nauséabond, l'odeur de la javel imprègne la chambre. Je suis à n'en pas douter dans un hôpital. Je m'assois sur le lit. Je me penche et serre Pighead dans mes bras.

— Attention aux fils, me prévient-il.

Je m'écarte. C'est vrai, Pighead ressemble à l'arrière de mon ordinateur, il y a des myriades de connexions dans tous les sens.

— Excuse-moi. Je t'ai fait mal ?

— Non, mais c'est facile de s'emmêler.

Sa voix trahit une immense faiblesse. Il a aussi une mine de déterré.

— Comment te sens-tu ? je demande, comme si j'avais vraiment besoin d'une réponse.

Je suis raide, empesé.

— Oh, super bien. Je ne me suis jamais senti aussi bien.

La dernière fois que je l'ai vu, il semblait être lui-même. Là, avec son visage très émacié, il a l'air d'un grand malade. C'est ce regard, le regard estampillé *Sida.* Comme une mention *Vu à la télé.*

— Sérieusement, je ne vais pas très bien, reprend-il.

Je m'éclaircis la gorge. Cligne des yeux. Fort.

— Mmm… que se passe-t-il, exactement ?

Il soupire et regarde dans le vague.

— Ben, mon vieux, je ne sais pas précisément. Et eux non plus, ajoute-t-il en agitant la main vers le couloir.

— Je ne comprends pas.

— Moi non plus. Ni personne. Le bilan sanguin est normal. Mon taux de T-4 est OK. Mais compte tenu de tout ça, il y a des trucs qui devraient aller mieux.

— Quoi donc ?

— Tous les trucs auxquels on ne prête guère d'attention.

Il dit ça sans colère. Juste un peu de tristesse. Je me rends compte de la différence que cela aurait fait pour lui, si je lui avais accordé ne serait-ce qu'un peu plus d'attention.

— Quand sors-tu ?

Il lève les yeux au ciel.

— J'en sais rien. Dans deux-trois jours, selon eux. On va bien voir.

— Ils ne te disent rien ?

— Ils s'inquiètent pour le hoquet parce qu'ils ne comprennent pas ce qui le provoque. Il ne veut pas passer.

— Alors, ils ne font rien ?

C'est insensé. Complètement insensé.

— Eh bien, il y a une nouvelle famille de médicaments, les inhibiteurs d'intégrase. Barbara, mon médecin, a décidé de m'en donner, mais une fois de plus, le traitement n'est pas encore disponible, et les protocoles ne sont ouverts qu'aux patients naïfs.

— Naïfs ?

— Les gens qui n'ont jamais suivi aucun traitement. (Pighead, lui, a fait la totale.) Si j'ai de la chance, elle a dit que d'ici octobre, il pourrait être disponible en protocole compassionnel. Mais octobre, c'est loin.

— Pas tant que ça. C'est même bientôt.

— Ce qu'il y a d'incroyable, à propos de ce traitement, c'est qu'ils essaient de le développer en une pilule à prise quotidienne unique. Une seule pilule. Tu imagines ?

Je me représente le plan de travail de sa cuisine, envahi de médicaments. Ce que j'ai toujours trouvé curieux parce qu'il n'a jamais été malade ni n'a jamais semblé en mauvaise santé. De temps à autre, il lui est arrivé d'être fatigué, ou malmené par les effets secondaires des médicaments. Mais dans l'ensemble, il se porte bien. De toute façon, personne n'est plus vraiment malade du sida, de nos jours. On n'en meurt certainement plus.

— J'ai dit à Barbara : « Je veux en finir avec le traitement lourd d'antibiotiques que je prends soi-disant pour la prévention des infections mycobactériennes. Je veux laisser un peu de répit à mon corps. »

Il cherche quelque chose des yeux.

— Tu veux de l'eau ?

Il hoche la tête.

Je prends le pichet en plastique jaune pisseux sur sa table de nuit et verse de l'eau dans un gobelet en carton que je lui tends.

— Pourquoi tes mains tremblent-elles ? je demande en m'efforçant de contrôler le tremblement de ma voix.

— Encore une nouveauté inexplicable.

De l'eau jaillit du gobelet et mouille le devant de sa chemise d'hôpital.

— Pourquoi es-tu venu en ambulance ? Pourquoi ne m'as-tu pas appelé à l'agence pour que je t'y conduise en taxi ?

Il y a dans ses yeux quelque chose qui m'effraie.

— Parce que le hoquet ne s'arrêtait pas assez longtemps pour me permettre de parler. Je n'arrivais plus à respirer.

Nom de Dieu.

— Il n'a pas l'air si terrible, maintenant.

— La morphine a dû le calmer.

Il me vient à l'esprit que les deux personnes qui me hantent le plus s'envoient de sacrées doses de narcotiques. Je pose la tête sur sa poitrine, j'écoute son cœur. Il bat si vite, j'ai peur que le seul fait de l'écouter provoque l'emballement du mien, et une crise cardiaque dans la foulée. Son cœur bat comme celui d'un oiseau, pas du tout comme celui d'un humain.

Quand Pighead s'endort d'un coup, et sans que je comprenne pourquoi, cela m'attriste profondément.

Arrêterai-je un jour de fumer ? Ai-je besoin d'autres serviettes en papier ? J'ai nettoyé l'écran de la télé au Windex, mais je devrais peut-être retourner nettoyer également les grilles de ventilation à l'arrière ? Voilà ce qui me trotte dans la tête, et tout ce à quoi je suis capable de penser, alors que Pighead est au plus mal, cloué sur un lit d'hôpital.

Mes pensées sont épaisses – aussi épaisses que le dépôt au fond d'une bouteille de ketchup. C'est comme essayer de sentir le visage de quelqu'un avec des moufles rembourrées de duvet d'oie. J'ai passé toute la musique triste que j'ai chez moi. Rien ne marche. Rien ne me fait prendre conscience que c'est Pighead qui est là, sur ce lit.

Sa main tremblait quand il a tenu ce minuscule gobelet en carton. Elle tremblait sous le poids de quelques centilitres d'eau. Il a grimacé de douleur en déglutissant et s'est effondré contre les oreillers, aussi épuisé que s'il venait de soulever des haltères.

Je suis à court de savon dans la salle de bains. Et il n'y avait pas de courrier aujourd'hui. Bizarre. Il y a toujours quelque chose. Des prospectus, au moins.

La dernière chose qu'il m'a donnée avant que je quitte sa chambre hier soir, c'est un Post-it jaune sur lequel il avait griffonné N'OUBLIE PAS QUE JE T'AIME.

Je devrais retourner à l'hôpital, m'allonger à côté de lui sur le lit et le tenir dans mes bras. C'est ce que je devrais faire. M'adosser sur son lit d'acier, m'asseoir sur ces draps d'hôpital minces et rêches, poser sa tête sur ma poitrine, enlacer son nouveau squelette tout frêle et le bercer. Mais s'il venait à mourir dans mes bras ? Si l'étreinte, trop réconfortante, lui retirait toute envie de se battre ? Je ne veux pas voir Pighead pousser un profond soupir, se détendre et mourir.

Du coup, je regarde la chemise que je n'ai portée qu'une seule fois, juste le temps de faire un saut à l'épicerie, et que j'ai négligemment abandonnée sur une chaise. Je vais la plier. La ranger. Un poltron tétanisé, avec des chemises pliées.

Je lâche presque un sanglot. Ça ressemble à un éternuement qui au dernier moment rebrousserait chemin. Je lâche presque un sanglot, et ensuite je me sens vidé. J'allume une bougie parfumée à la pêche pour masquer l'odeur de cigarette, pour adoucir l'atmosphère.

Je viens d'appeler. À l'instant. Il est si fatigué que c'est à peine s'il a pu parler pendant une minute, même avec moi. Je lui ai dit que je pouvais passer, mais il a quarante de fièvre, des frissons, peut à peine respirer, on doit lui donner ses médicaments dans une heure et il est complètement à plat. Apparemment, ce n'est pas un problème si je ne suis pas là. Se concentrer sur sa respiration l'occupe à plein temps.

Il a dit : « Je veux qu'ils trouvent ce que c'est et qu'ils s'en occupent. Même si le traitement est horrible, peu importe. » Les toubibs disent que ça peut être un parasite, un lymphome, ou n'importe quelle autre des nombreuses affections opportunistes contre lesquelles son système immunodéficitaire ne peut pas se défendre.

Qui peut savoir ? Personne. J'ai l'impression que quelque chose d'essentiel s'échappe de moi, et que je suis impuissant à le retenir. Je me vide de mon sang, je me dégonfle. J'ai une sensation de vitesse. De tourbillon. De chute.

Foster est allongé sur mon canapé, torse nu, en train de manger une glace Ben & Jerry Rocky Road à même le pot tout en lisant le *Livre bleu des Narcotiques Anonymes.*

— C'est vraiment fascinant, ce truc, dit-il la bouche pleine. Tellement bien analysé. J'y vois tellement clair, à présent – merde ! c'est trop froid, ça brûle.

Il ouvre la bouche pour réchauffer la crème glacée, puis pose le pot par terre, à côté du canapé. De temps en temps, il éclate de rire, ou bien remarque : « Tellement bien vu, tellement vrai. » Il pourrait passer pour un petit ami on ne peut plus normal, si le titre de son bouquin était plutôt quelque chose dans le genre : *Stratégies d'investissement pour vivre de ses rentes.*

Foster est installé chez moi depuis cinq jours, le temps qu'il emménage dans son nouvel appartement. Il a décidé que son comportement insensé s'expliquait en partie par le fait qu'il vit encore dans l'appartement qu'il a partagé avec l'Anglais dingo. Quand il m'a demandé de l'héberger, j'ai jugé que c'était, de ma part, le geste amical qui s'imposait. Je me suis dit aussi que ce serait un bon test pour notre relation. Une sorte de terrarium pour relation sentimentale. Et puis la vérité, c'est que j'avais besoin de lui. J'avais besoin de quelqu'un à mes côtés. Quelqu'un qui arrête le tourbillon.

Je vais vers le canapé.

— Pousse-toi, dis-je.

Il pose son bouquin à côté du pot de glace et ouvre les bras.

— Viens par là, dit-il avec chaleur.

J'enlace mon épave, et je ferme les yeux. Foster est ma source de réconfort. Révélation effrayante.

— Je suis vraiment inquiet.

— Je sais, murmure-t-il. Ferme les yeux et fais la sieste, là, contre moi.

Merde, si seulement je pouvais compter sur toi, me dis-je.

— Je sais, chuchote Foster.

Lors de mon ultime séance de thérapie, je raconte à Wendy que Pighead est à l'hôpital, que Foster habite chez moi, et que moi, je suis une loque ambulante.

— Allez-vous aux réunions ? me demande-t-elle.

— Non, je réponds platement.

— Ça pourrait vous aider. J'aimerais vraiment que vous y alliez.

Je hoche la tête, comme si j'avais l'intention d'y aller. Mais la vérité, c'est que je déteste les réunions des AA et que je n'ai aucune intention d'y retourner, jamais.

Comme d'habitude, la conversation en arrive à Foster.

— Même s'il entreprend vraiment une cure, ou s'il commence à prendre sa sobriété au sérieux, je vais vivre en permanence à cran, à attendre qu'il replonge. Je ne vois pas comment c'est possible. C'est déjà assez dur de veiller à ne pas replonger moi-même, alors, devoir en plus s'inquiéter pour lui…

Je lui demande s'il y a des précédents.

— Les alcooliques sevrés peuvent-ils cohabiter avec des alcooliques en voie de rétablissement ? Ou doit-on fréquenter uniquement des gens qui ne boivent jamais une goutte d'alcool ?

Wendy, évidemment, me répond qu'on ne peut établir de règle générale rigide et hâtive. Ce qui me contrarie, car j'attends d'elle qu'elle m'indique quoi faire.

— Seul un autre alcoolique pourra jamais me comprendre vraiment, je poursuis. Comprendre comment mon esprit fonctionne, comprendre le vide qui m'habite.

Mais vivre avec l'un d'eux me fait peur, car il me semble que si jamais il rechute, je le perds.

Elle opine.

— Je crois que je l'aime, mais je crois aussi qu'on peut aimer des gens qui ne vous font pas du bien.

Elle croise les jambes.

— Une des qualités – un des « traits », si vous voulez – que j'ai observées au cours de mon expérience de thérapeute chez tous les gens abstinents à long terme, c'est un certain sens de la perspective. Une sorte de capacité à prendre du recul, une aptitude à mettre le spectacle de sa vie à distance pour mieux le regarder avant de porter un jugement. Vous possédez cette aptitude, me semble-t-il.

J'ai l'impression qu'en guise d'estampille d'agrément, je n'obtiendrai jamais rien de mieux. J'aimerais presque qu'elle m'écrive ça sur son papier à en-tête pour que je puisse le trimballer avec moi, comme preuve d'équilibre émotionnel. Une preuve que je pourrais produire, lors d'un troisième rendez-vous, pour contrer les doutes naissants d'un petit ami potentiel.

— Comment vous sentez-vous, à l'idée que c'est aujourd'hui votre dernière séance ? demande-t-elle.

Je suis sur mes gardes : il pourrait s'agir d'une question piège. Je dois répondre en faisant montre de prudence, parce que je ne veux pas qu'elle change d'avis, en ce qui concerne ma stabilité psychologique.

— Comment dire ? C'est un processus. (« Processus » est un choix de mot excellent. Je poursuis, plus confiant :) Jamais je n'atteindrai le point où je pourrai dire : « Bien, à présent j'ai atteint mon point d'équilibre », mais je sens vraiment que la crise à proprement parler est derrière moi, je suis sobre. Maintenant, c'est à moi d'utiliser les outils qu'on m'a fournis pendant la cure et la thérapie pour rester sobre et poursuivre ce processus d'épanouissement.

Tout en disant ça, je suis impressionné par ma capacité à penser tout en parlant – une aptitude développée en travaillant dans la pub. Naturellement, j'ignore totalement si ce que je viens de dire contient quelque parcelle de vérité, mais ça en jette.

— Vous ne parlez pas beaucoup de Pighead. Et pourtant, j'ai le sentiment que l'histoire ne s'arrête pas là.

Elle m'observe, attendant visiblement une réponse.

— Mmm… C'est possible.

Elle écarquille légèrement les yeux. Juste assez pour que je puisse voir qu'elle distingue une craquelure dans le vernis de ma sobriété.

Après la séance, je vais à la gym. Tout en soulevant des poids, je pense à Pighead qui n'est même pas capable de soulever un gobelet en carton. À Foster, incapable de se dépatouiller de sa vie.

Plus tard, à la maison, j'écoute la bande originale de *Quand la nuit tombe* et je sirote de l'eau gazeuse parfumée au citron, tout en écrivant des pubs radio pour le brasseur allemand. Une demi-heure plus tard, on sonne à l'interphone. Je sursaute.

— Qui est-ce ? je demande dans le boîtier mural.

— Un ami de Foster, répond une voix – une voix avec un accent anglais.

Je déclenche l'ouverture de la porte et j'attends. On frappe. J'ouvre, et là, devant moi, je découvre le plus affligeant spectacle qui soit. Un homme décharné, pas plus épais qu'une aiguille de seringue, avec des yeux noyés de désespoir et cernés de noir. À en juger par leur état – et l'odeur qui s'en dégage –, ses vêtements n'ont pas été lavés depuis des semaines. On dirait un guitariste punk des années quatre-vingt qui vient juste de se réveiller d'une overdose.

— Où est-il ? demande-t-il d'une voix pressante.

— Qui êtes-vous ?

— Je suis Kyle, bordel. Ce que j'aimerais bien savoir, c'est qui tu es, toi ?

Je ne veux pas me disputer avec un type qui a peut-être un bouquet de seringues dans sa poche arrière.

— Je suis juste un ami de Foster. Comment avez-vous su qu'il habite ici en ce moment ?

— Comment ça, comment je l'ai su ? À ton avis ? C'est mon mec. Je sais où il est.

Il se rapproche. Il est hors de question que je le laisse entrer.

— Foster est sorti. Je lui dirai que vous êtes passé, OK ?

Je repousse la porte. Il tend aussitôt la main et m'empêche de la refermer.

— Où est-il ?

— Écoute, trou-du-cul, j'en sais rien, où il est. Dégage ! (Je baisse la voix et plisse les paupières. J'imite Jeffrey Dahmer.) Je ne plaisante pas. Tu te casses. Tout de suite.

Je lui décoche un regard qui, je l'espère, va lui faire comprendre que je ne suis pas une personne rationnelle et saine d'esprit. Que je pourrais parfaitement m'amuser à boire un milk-shake dans son crâne.

— Va te faire foutre, crache-t-il.

Il se retourne et dévale les escaliers. J'attends jusqu'à ce que j'entende la porte d'en bas s'ouvrir et se refermer. Je reste encore un instant sur le seuil, à épier un éventuel bruit de respiration. Une fois convaincu qu'il est bien parti, je rentre.

À onze heures, je n'ai toujours pas de nouvelles de Foster. À deux heures, je vais me coucher. Toujours pas de Foster.

Je rêve qu'il arrive et que je me sens soulagé. Tout ça pour me réveiller et m'apercevoir que ce n'était qu'un rêve. Je fais le même rêve toute la nuit, en boucle. C'est atroce.

Le lendemain matin, à l'agence, je me sens à cran, anxieux, frustré, en colère, triste, dérouté, soulagé et en proie à toutes les autres émotions mentionnées sur cette maudite liste qu'on m'a donnée en cure. De temps à autre, quelques sentiments se réunissent et organisent une petite fête dans ma tête. Puis ils s'en vont tous, et je ne ressens plus rien. Je me souviens qu'en cure, quelqu'un avait dit que le neuvième mois constituait un tournant. Beaucoup de gens replongent à ce moment-là. C'est l'équivalent de ce fameux démon qui tarabuste les hommes au bout de sept ans de mariage. À mon avis, cela tient au fait que nous sommes programmés sur des périodes de neuf mois depuis l'époque où nous étions dans le ventre maternel. Au bout de neuf mois, nous sommes prêts à encaisser des bouleversements radicaux. Naître, ou aller prendre une cuite.

Notre film Wirksam est testé par des groupes témoins. Greer stresse à mort. Elle a peur que les résultats ne soient pas bons, que les gens ne l'aiment pas. En ce qui me concerne, j'en ai rien à cirer. J'ai l'impression que la pub, c'est comme cette merde de chien dont je n'arrive pas à débarrasser ma semelle.

Je renifle.

Greer me surprend en train de lorgner ma manche.

— Veux-tu un mouchoir en papier Kleenex ? demande-t-elle.

— Hein ? Un quoi ?

Elle ouvre le tiroir de son bureau et en sort un paquet de mouchoirs en papier.

— Un mouchoir en papier Kleenex. Tu en veux un ?

— Greer, c'est quoi, ton problème ? Pourquoi tu les appelles comme ça ? C'est des Kleenex, point barre.

Elle pose le paquet sur mon bureau.

— Augusten, quand même… toi, tu devrais le savoir. Kleenex est une marque déposée de Kimberly-Clark. Ce ne sont pas des « Kleenex », mais des mouchoirs en papier. Des mouchoirs en papier de la marque Kleenex.

— Tu es complètement folle.

— Non. C'est toi qui te comportes en alcoolique égoïste. Kleenex est le nom de leur marque. Ils ont le droit de la protéger. Et pour ma part, c'est quelque chose que je respecte. Je respecte les autres. Tu n'as pas le droit de changer les choses à ta guise. Que tu aies envie de transformer Kleenex en terme générique ne change rien à l'affaire.

Elle est très en colère.

— Mmm… Tu prends toute cette histoire un peu trop à cœur. De quoi s'agit-il vraiment ?

— Du monde qui tourne autour de toi, Augusten. Et tu sais quoi ? Ça ne marche pas comme ça. Tout le monde est obligé de faire des compromis pour aller de l'avant. (Elle attrape le paquet de mouchoirs et me le lance sur les genoux.) Et sois un peu civilisé, d'accord ? Ne t'essuie pas le nez sur la manche de ta foutue polaire.

Elle se lève, prête à quitter le bureau.

— Ce n'est pas une polaire, Greer. C'est un Gap High Performance Fleece Athletic Crew Top.

Peu après midi, j'appelle Pighead à l'hôpital. Quand c'est sa mère qui me répond, avec son accent grec très prononcé, je m'affole. Pourquoi ne peut-il pas répondre lui-même ?

— Comment va-t-il ?

— Pas très bien. Il a beaucoup de fièvre. Il ne mange pas. Rien. Il ne peut pas. La nuit dernière, très mal. Il a demandé après vous. Vous venez ?

— J'arrive.

Lorsque j'entre dans la chambre de Pighead, je me retrouve en face de sa mère et de deux de ses amis que je ne connais que par ouï-dire, que par les détails très personnels et très embarrassants que Pighead m'a confiés à leur propos. Je les salue d'un signe de tête.

— Bonjour, dis-je à sa mère.

Elle se tourne vers moi. Je vois dans ses yeux la confusion, la panique et tous les sortilèges de la Grèce antique. Je m'approche du lit.

Pighead a les yeux écarquillés, bien trop écarquillés.

— Salut, Pighead.

Il me regarde. Il tend une main tremblante. Je la prends dans la mienne.

— Augusten, gémit-il. Ne me frappe pas, s'il te plaît.

Sa mère me lance un coup d'œil alarmé.

— Il plaisante, dis-je.

Et je peux voir un minuscule sourire sur son visage, mais tellement ténu qu'il ressemble plutôt à ce qui reste normalement d'un sourire qui vient de s'évanouir. Il ferme les yeux, ce qui, pour une obscure raison, me soulage.

Je lui demande si ça va, et il secoue la tête.

— Non.

Et brusquement, il s'endort, ce qui ne me rassure pas du tout. Parce que lorsqu'on s'endort aussi subitement, le terme exact est « perdre connaissance ».

— Que lui arrive-t-il ? je demande à sa mère. Il n'allait pas si mal, l'autre jour.

— Il va aller bien, répond-elle.

Elle débarrasse la table de nuit d'un mouchoir en papier usagé, d'un gobelet en carton et d'une banane pelée mais intacte qui a commencé à noircir. Je remarque qu'elle porte des gants en latex. Le diamant de sa bague de mariage dessine une bosse qui distend le latex.

Je retourne au chevet de Pighead. Il a de nouveau les yeux ouverts et me fait signe d'approcher. Il veut me murmurer quelque chose.

— Toi…

Lentement, il lève la main et braque son doigt vers moi. Il sourit faiblement. La main retombe sur le lit et de nouveau, il s'endort.

— Toi, je murmure à mon tour.

Foster rentre à la maison peu après vingt heures. Il a l'air crevé, une mine épouvantable. Il passe furtivement la porte, triste, abattu. Il ne m'accorde qu'un bref regard, puis, sans un mot, rassemble ses quelques affaires et les enfourne dans son sac à dos. Ensuite il s'assied sur le canapé, tête baissée, et dit :

— Je suis désolé, Auggie.

— Ton ami est passé, hier soir.

— Je sais.

Je le foudroie du regard.

— Tu le sais ? Comment tu le sais ?

Il lève les yeux.

— Augusten... Je tiens à ce que tu saches que je t'aime sincèrement. Énormément. Mais je ne peux pas... Je ne peux pas... Je ne suis pas bon pour toi, et tu le sais.

— Qu'est-ce que tu racontes ?

— J'ai acheté une maison à Brooklyn.

Je n'en crois pas mes oreilles.

— Quoi ? Tu as quoi ? Quand ?

Il soupire, totalement défait.

— Il y a quinze jours. Une maison en grès classique. (Et alors que je me dis qu'on ne peut vraiment pas descendre plus bas, il ajoute :) Kyle va habiter avec moi. Un petit moment.

— Attends une minute, Foster. Es-tu en train de me dire que tu retournes vivre avec cet Anglais psychotique ?

— C'est provisoire. Il va vraiment mal, Auggie.

Brusquement, ça devient clair comme dans de l'eau de roche. La démence. Son univers parallèle. Son incroyable aptitude à imiter la normalité, assez bonne en tout cas pour vous berner quand vous avez le nez collé dessus. Mais quand vous reculez d'un pas, waouh ! Je réalise que c'est de l'ordre des trois cents cadavres de bouteilles de whisky dans mon appartement. Pourtant, au lieu d'être enragé contre Foster, je me sens désolé. Il s'est embourbé à l'endroit même où je l'ai été. Être avec lui, ce serait comme vivre à nouveau avec celui que j'étais avant.

Je vais m'asseoir près de lui. J'aimerais trouver un truc profond à dire, mais rien ne me vient à l'esprit. Je l'enlace en lui disant que je l'aime et que j'aimerais pouvoir faire quelque chose.

— Il n'y a rien à faire. Pas vraiment.

En partant, il me dit :

— Je te donnerai mon nouveau numéro dès qu'on aura le téléphone… Mmm…, bafouille-t-il, dès que j'aurai le téléphone, je veux dire.

Ainsi donc, ils vont vivre en couple.

— Foster, pourquoi Brooklyn ?

Il s'arrête sur le seuil. Se retourne.

— Je voulais m'éloigner le plus possible de la Huitième Avenue.

Rae fait irruption dans ma tête, comme cela lui arrive souvent, une citation à la bouche : *Impossible de semer sa dépendance. Elle vous suivra partout où vous irez.*

Foster pose son sac. Nous nous étreignons. Putain, je me sens tellement bien dans ses bras. Cela dit, avec le whisky aussi, je me sentais bien.

L'EFFET PAPILLON

Je suis chez Pighead depuis six heures du matin. J'ai changé sa couche trois fois, je lui ai fait quatre piqûres et je l'ai regardé vomir son Yoplait aux pêches sur le tapis Philip Starck du couloir. Je ne peux pas m'empêcher de me dire qu'avoir la gueule de bois pendant que je jette une couche souillée dans un sachet rouge en plastique biodégradable ne serait pas la fin du monde. En fait, une bonne gueule de bois pourrait améliorer mes perspectives. J'ai pris une semaine de disponibilité à l'agence, donc, au moins, je n'ai pas à m'occuper de ces merdes-là. Juste de celle-ci.

Pighead ne fonctionne plus désormais que par mouvements lents et extasiés. En l'espace d'un mois, il s'est transformé en squelette qui n'exerce plus aucun contrôle sur sa vessie. La seule raison pour laquelle il est chez lui et non pas tranquillement à l'hôpital, c'est parce que les toubibs étaient à court d'examens auxquels le soumettre. La vie est désormais un point d'interrogation.

— Tu te sens encore l'esprit embrumé ? je lui demande alors qu'il est sur le canapé en train de regarder la télé qui, incidemment, est éteinte.

Lentement, il hoche la tête. Un filet de salive, aussi épais que de la levure, dégouline du coin de sa lèvre. Je l'essuie avec un mouchoir en papier.

L'infirmière à domicile qui vient chaque jour m'a montré comment faire des intramusculaires. Peut-être est-ce en partie pour cette raison que Pighead me regarde en permanence comme si j'allais le faire souffrir. Nous avons commandé les aiguilles les plus fines du marché, celles qui font le moins mal. Je me suis même injecté de l'eau pour juger de la douleur qu'elles infligent. À ma surprise, c'est à peine si j'ai senti la piqûre. Je me dis donc que c'est le médicament, et non l'aiguille, qui provoque une sensation de brûlure. Je n'ose pas m'injecter le médicament pour tester ma théorie. Ce truc est mortel.

Sa mère s'est installée à demeure dans l'appartement. Elle passe ses journées à marmonner des prières en grec, et à faire mijoter des os d'agneau sur la cuisinière. Au départ, changer les couches, c'était son rayon. Je m'étais dit, elle l'a déjà fait, elle peut bien le refaire. Mais elle en était incapable sans sangloter, alors j'ai pris le relais. Manifestement, rien ne se passe comme prévu.

— Tu te souviens, Pighead, quand on est allés dans le Maine, l'automne dernier pour voir les feuillages virer au rouge ?

Il se tourne vers moi. Je suis assis à côté de lui sur le canapé et tourner la tête semble lui demander un gros effort. Il opine. Il lève un bras, le pose sur mon épaule. Il me dit, très lentement :

— Je donnerais jusqu'à mon dernier sou pour revivre juste une journée comme celle-là.

Son bras glisse et retombe sur le canapé. Je crois qu'il a trop d'hématomes sur ce bras-là. Il va falloir changer de côté, pour les intraveineuses.

L'an dernier à la même époque, Pighead ressemblait à un joueur de foot. Beau, costaud, en pleine santé. Le genre de type qu'on déteste spontanément pour avoir hérité de si bons gènes. À présent, ses pommettes ressemblent à deux poignées de valise qui saillent de part et d'autre de sa tête. Ses jambes ont le diamètre d'une bouteille d'Évian. Et le cerveau qui lui valait, avant, un salaire à sept chiffres à Wall Street ne pourrait sans doute plus additionner dix et deux.

Je me suis découvert un talent caché pour les soins infirmiers. Je trouve du réconfort à chasser la bulle d'air d'une aiguille avant de l'enfoncer dans la veine. J'aime ouvrir les petits sachets stériles de compresses alcoolisées avant de lui nettoyer le bras, puis retirer la capsule de la fiole. Compter et répartir les pilules d'une semaine de traitement dans le petit boîtier en plastique jaune pâle me procure une impression de sécurité. Parfois Pighead me sourit, et là, je retrouve mon bon vieux Pighead. Je lui souris moi aussi, et je prends sa température. C'est comme une pièce de théâtre, nous avons chacun notre rôle. Je joue le mien en suivant le script.

Une question me turlupine : si j'étais un type normal, et non pas un alcoolique avec un sens très développé du déni, serais-je, oui ou non, plus effondré que je ne le suis ? En ce moment, au lieu de penser : *Mon meilleur ami est peut-être en train de mourir*, je pense : *Je dois partager en deux ce comprimé d'antirétroviral*. C'est inquiétant, à quel point je demeure inébranlable.

Hayden appelle de Londres, pour m'annoncer qu'il a replongé, dans un pub, près de Piccadilly Circus. Bien, bien, bien. Deepak Chopra a fini par transformer une vache sacrée en cheeseburger au bacon.

— C'est nul, lui dis-je. Tu as replongé dans un quartier pour touristes.

Lamentable, reconnaît-il.

— C'était un choix débile, ajoute-t-il.

— Quoi donc ? D'avoir replongé ou l'endroit où tu l'as fait ?

— Les deux. Tu n'as pas l'air aussi surpris que je m'y attendais, reprend-il. Je me sens lâché.

— Plus rien ne me surprend.

Je suis stoïque. Je suis Jeanne d'Arc, avec un foie bousillé et un pénis inexploité.

— Vas-tu aux réunions ? me demande-t-il lorsque je lui raconte que Foster est reparti vivre avec l'Anglais et que Pighead est en chute libre.

— Ah ! (Je renifle avec mépris. Ma vie est devenue une série de choix basés sur le tri des priorités.) Je n'ai pas le temps. Et cela dit, tu es mal placé pour parler des AA. Tu y as été tous les jours, et regarde ce qui t'est arrivé.

Hayden est la preuve que les réunions des AA, c'est vraiment du pipeau.

— Je n'aurais pas replongé à New York. J'avais un réseau de gens sobres, là-bas. Mais ici, je n'ai personne.

— N'importe quoi ! Tu as choisi de replonger. Tu n'y étais pas obligé.

Je déteste ça, quand les alcooliques replongent et se comportent comme si on avait saboté les freins de leur voiture.

— Je suppose que ça couvait. Je suppose que c'était inévitable.

Et si c'était en train de couver aussi chez moi ? Serais-je capable de le détecter ? Je me demande si la réponse n'est pas contenue dans le seul fait de me poser la question.

— Je n'ai pas peur, pour Pighead, lui dis-je.

Hayden reste un instant silencieux et je jurerais entendre le grondement de l'océan sur la ligne, même si je sais que nous ne communiquons pas grâce à des câbles, mais à des signaux satellite. En ce cas, ce sont peut-être de microscopiques particules interstellaires qui explosent.

— Je ne sais pas si c'est une bonne ou une mauvaise chose, répond-il finalement.

— Je ne sens rien, en fait.

— Mmm-mmm…

Je vois exactement ce qu'il veut dire. Puis, me souvenant d'un truc, je lui demande :

— Où vont les baleines, quand elles meurent ?

— Elles s'échouent sur le rivage, répond-il immédiatement.

— Oh.

— Tu devrais vraiment aller à une réunion, Augusten. C'est le conseil d'un type qui a picolé récemment, qui recommence à compter les jours, et qui marine dans sa misère.

J'ai envie de lui demander si au moins c'était un peu marrant, si ça valait un peu le coup.

— C'était vraiment horrible, hein ?

— Tu vois ? explose Hayden. Tes questions... on dirait toujours que c'est pour un sondage. Tu veux savoir si c'était vraiment horrible, ou seulement un petit peu horrible. Je te jure, Augusten, je suis inquiet. Va à une réunion. Ne bois pas.

Hayden me tape sur le système. Je n'ai nullement l'intention de boire. C'est lui qui s'est torché dans le Times Square londonien. C'est lui qui a balancé sa sobriété contre un mur et qui doit maintenant nettoyer les dégâts.

Moi, tout ce que j'ai à faire, c'est changer quelques couches.

Greer n'est pas ravie quand je lui annonce au téléphone que je prends un congé. Mais compte tenu du motif, elle est obligée de se mordre la langue. Littéralement, sans doute. Et sans doute même jusqu'au sang.

— C'est très bien, ce que tu fais, me dit-elle, comme si je m'étais porté volontaire pour servir de la dinde aux sans-abri du Bowery.

— Je m'y prends un peu tard, dis-je, avec un peu de dégoût pour moi-même.

— Un peu tard pour quoi ?

— Pour lui montrer que je me soucie de lui. Pour tout.

— Il n'est jamais trop tard, Augusten, carillonne-t-elle. (Je la vois d'ici, vêtue d'un pull au prix exorbitant tricoté par une petite orpheline cambodgienne à la tête couverte de poux.) Je suis sûre que tu l'aides.

— Comment va notre copain allemand ? je demande, histoire de changer de sujet.

— Il était furax parce que la maison de disques réclame quarante mille dollars. Il voulait qu'on marchande, quitte à passer pour des Juifs.

— Il n'a pas dit ça ?

— Oh, mais si ! Mot pour mot.

Que me reste-t-il d'âme après tant d'années passées à bosser dans la pub ? Vais-je finir en enfer, avec Joe le chameau, la mascotte des Hamburger Helper, et Wendy, celle des boissons Snapple ?

— Appelle-moi, ajoute Greer.

Je sais qu'elle n'entend pas par là : « Appelle-moi pour bavarder », ni : « Appelle-moi pour que je te raconte ce qui se passe à l'agence », mais : « Appelle-moi quand ça va arriver. »

Pendant trois jours d'affilée, Pighead n'a pas eu le hoquet. Il a cessé de baver et semble mentalement plus alerte. Assez alerte en tout cas pour me traiter de connard quand je renverse du jus de fruits sur le bras de son canapé blanc immaculé. La tache n'est pas bien grande, mais elle ne s'en ira pas, un fait que Pighead a la capacité mentale de me rappeler à tout bout de champ. Même Virgil est sorti de sa tanière, sous le lit. Des semaines durant, il a eu peur de Pighead. Sans doute parce que Pighead n'a plus l'odeur de Pighead, mais celle d'un produit des laboratoires Pfizer.

Dans la cuisine, sa mère étale de la pâte à tarte avec le rouleau de support du papier-toilette, tandis que moi, installé dans la salle à manger, je lis *Esquire* : « Les 101 choses qu'un homme doit faire avant que son compte soit bon. » En soixante-treizième position : Vernir les orteils d'une femme. J'ajoute à la liste un numéro 102 : Nettoyer les dégâts de la diarrhée sur les jambes de son ex.

— Tu as le regard plus vif, dis-je à Pighead.

— Je me sens un peu mieux.

Virgil dort dans un rai de soleil devant la cheminée. Rien n'arrive à l'exciter, pas même la carotte qui couine. Déni canin.

Sans les sept cartons de matériel médical empilés près de la porte d'entrée, les sacs-poubelle destinés aux déchets médicaux, les couches jetables, les gants de latex, le pied de la perf, le fait que la plupart des meubles ont été repoussés contre les murs pour dégager de la place, et la présence de l'infirmière à domicile qui connecte tranquillement deux segments de tube en plastique transparent, on pourrait presque croire que c'est une journée ordinaire.

Sur le trajet du retour, je suis le premier surpris quand je m'arrête chez un marchand d'alcool à l'angle de la Septième Avenue et la Douzième Rue. Je me surprends plus encore lorsque j'achète un demi-litre de Black Label. En sortant du magasin, je remarque un truc vraiment curieux : les marchands d'alcool ne refont jamais la déco de leur boutique. Jamais ils n'essaient de se mettre au goût du jour. Cela dit, ils n'en ont pas besoin. Ces magasins-là sont comme les pissotières – de toute façon, il y aura toujours des gens qui auront besoin d'y aller.

Jusqu'à la lie

Une fois à la maison, je m'installe à mon bureau et j'ouvre la bouteille. J'approche mon nez du goulot et j'inspire. L'odeur est violente, puissante. L'espace d'un moment, je me dis : *Comment ai-je pu boire un truc pareil ?* Ça sent le carburant pour tondeuse à gazon. Mais ensuite, j'en verse un peu dans un gobelet en plastique que je porte à mes lèvres, comme si j'étais une tondeuse avec des mains. Je me parle à moi-même.

— Je ne peux pas replonger. C'est le coup classique. Je devrais le savoir. Faut que j'aille sur-le-champ à une réunion des AA. C'est une urgence.

Ça brûle en descendant dans ma gorge.

Ma tête s'emplit de vapeurs. C'est une sensation un cran au-dessus d'un léger inconfort. Mais ensuite, je sens la tiédeur de l'alcool. Comme si un Foster à l'état liquide était arrivé par-derrière et m'avait enlacé. Sincèrement, j'ai le sentiment d'être en terrain connu. En sécurité.

J'achève la bouteille, et j'en veux encore. C'est à peine si j'ai mauvaise conscience d'avoir fait ça. Et je ne suis pas certain d'être convaincu de tout mon être de l'avoir vraiment fait. Mais ensuite, une autre part de moi me souffle que ça n'a rien d'une affaire d'État. Car il y a certains faits qu'il me faut commencer à regarder en face. Petit un : mon meilleur ami n'est pas en grande forme. Petit deux : et je n'ai rien vu venir parce que j'étais trop occupé à faire des trucs sans la moindre espèce d'importance. Petit trois : je ne veux plus être sobre. Je ne veux pas d'un siège au premier rang pour la crucifixion. Ce serait bien commode de pouvoir éluder ce qui se passe dans ma vie en ce moment.

Le Boiler Room est bondé lorsque j'y débarque peu après vingt-trois heures. Bondé de gays d'East Village en jean G-Star et bonnet tricoté. Moi, je porte un pantalon en toile élimé acheté chez Gap il y a des années, un tee-shirt de promo Avid, et des baskets blanches tirant sur le gris. Je suis aux antipodes du cool, j'ai l'air d'un mec qui n'a rien à faire là. Alors, bien évidemment, un type m'aborde aussi sec, une Rolling Rock à la main.

— Salut.

Je hoche la tête et esquisse un sourire.

— Ça va ?

— Ça va, mec. Je m'appelle Keith, dit-il en tendant la main.

— Augusten, je réponds en la serrant. T'es là depuis longtemps ?

— Nan. Je suis arrivé il y a dix, quinze minutes.

Il boit une gorgée de bière.

Keith est plus petit que moi, à peu près un mètre soixante-quinze. Il a des cheveux bruns, des yeux bruns. Il est pas mal, mais ce que j'aime le plus chez lui, c'est qu'il me parle.

— Alors, tu vas faire quoi, ce soir ? demande-t-il.

— Me torcher la gueule.

Il sourit. Le sourire de quelqu'un qui maîtrise le concept du torchage de gueule. Le sourire de quelqu'un qui a peut-être envie d'être de la partie.

— Buvons, dis-je avant d'avancer en souplesse vers le comptoir, tel un as du billard sur le point d'entamer une partie de championnat.

Il me suit.

Et je prends conscience que c'est exactement pour cela que je suis venu ici. Je suis venu ici pour que quelqu'un me suive. Je suis venu ici pour être un loup alpha.

Nous buvons. Il me caresse le cul, je caresse le sien. On re-commande à boire.

Il se passe un phénomène curieux. Au lieu de sombrer dans une ivresse brumeuse, je sombre dans une ivresse lucide. Loin de m'emmêler les pinceaux dans les paroles du thème du *Brady Bunch*, j'ai l'esprit assez clair pour savoir que si je suis soûl, dans ce bar sombre, en compagnie d'un inconnu, c'est parce que je cherche désespérément à reprendre le contrôle sur quelque chose. Je veux que ce type boive quand je lui dis de boire. Qu'il rie quand je lâche une vanne. Qu'il rougisse légèrement quand je le regarde exactement où il faut. Et qu'il se casse quand je le lui dirai.

— Tirons-nous d'ici, dis-je.

— Si tu veux. (S'il était un chien, il remuerait la queue.) Où va-t-on ?

— Chez toi. Je ne veux pas rentrer chez moi.

La suggestion semble lui convenir. Nous nous dirigeons vers la sortie. Il s'arrête.

— Mmm..., fait-il avec un sourire hésitant. Et si on trouvait un peu de coke ?

— Excellente idée. (Je lui file une claque dans le dos et son sourire s'élargit. Je fouille dans ma poche et j'en sors une liasse de billets de vingt et de cinquante.) Tiens, j'ajoute en lui fourrant quelques coupures dans la main. Occupe-t'en.

J'attends près de la porte, en matant les autres mecs qui sont eux-mêmes en train de chercher des mecs. Brusquement, je trouve ce manège d'une tristesse sans nom. Toutes ces solitudes offertes aux regards. Tous ces nerfs à vif, qui crépitent dans le noir. J'imagine le mec appuyé contre la table de billard allant brancher le mec qui pianote sur le juke-box. Tous les deux sont beaux et réservés. Peut-être que plus tard dans la soirée, ils se parleront. Puis qu'ils baiseront. Et qu'ensuite – et c'est là la partie qui m'intéresse – ils s'endormiront ensemble. Deux hommes nus, en train de ronfler. Des étrangers, enlacés ou couchés dos contre dos. La pensée me révolte et me fascine. Ça me fait penser à deux chiots qui viennent de faire connaissance, qui s'enroulent l'un contre l'autre, s'endorment, puis boivent dans la même gamelle.

Keith revient, l'air très fier de lui.

— Prêt ? demande-t-il, d'un ton qui ne peut se décrire que comme sincèrement amical.

Je le regarde un instant, et je comprends que je suis complètement foutu.

— Ouais, on y va, dis-je de ma voix la plus normale.

Je ne lui parle pas du mec contre la table de billard ni de celui devant le juke-box, ni des chiots endormis. Il n'est pas en quête de révélations, la surface des choses lui suffit. À moins que ce ne soit à moi. Oui, ça doit être plutôt ça.

Coup de bol, Keith n'habite qu'à quelques blocs de là. Un appartement au quatrième, sans ascenseur. Je survis à l'ascension des escaliers, et, le temps d'atteindre son étage, je suis désagréablement dégrisé. J'espère qu'il a de l'alcool chez lui, et puis je me souviens qu'on a de la coke. Une fois dans l'appartement, Keith se débarrasse de ses clés et de son portefeuille sur le comptoir puis il extrait de toutes petites enveloppes de sa poche. Il sort une lame de rasoir d'un tiroir et se met à préparer des lignes. Il travaille en silence, tel un artisan à l'ancienne. Son visage m'évoque une miniature en ivoire. Moi, je me serais contenté de sortir ma carte American Express, de ratisser un peu de coke et de me poudrer le nez illico.

— Tu veux commencer ? demande-t-il en faisant apparaître une moitié de paille en plastique comme par magie.

Je prends la paille.

— Ouais.

Je me penche sur le comptoir et en fourmilier bien entraîné, je commence à aspirer ligne après ligne.

— Waouh ! Hé, mec, vas-y mollo !

Je tourne la tête de profil et le regarde, la paille encore fichée dans la narine.

— T'inquiète pas. Ça va aller.

Je me tape deux autres lignes, puis je lui passe la paille. Je me pince les narines pour aspirer les résidus. Keith fait montre d'une admirable modération, en ne sniffant que deux lignes.

— Ça me suffit pour un petit moment.

— Enlève ta chemise, lui dis-je en ôtant mon tee-shirt.

— Putain ! s'écrie-t-il. Tu es super bien foutu.

Il tend la main pour me caresser l'estomac. Ni son compliment ni sa caresse ne provoquent de plaisir en moi. Uniquement de l'impatience. C'est le seul sentiment que j'éprouve. Je me sens aussi sensible que le papier sur lequel est imprimée ma liste d'émotions.

— Laisse-moi faire, dis-je en tirant sur sa chemise, pour la faire passer par-dessus sa tête.

Il a un très beau torse – puissant, musclé. Mais ce n'est pas ce qui m'intéresse. Ce qui m'intéresse, c'est de voir à quoi je peux l'amener. La coke m'a mis dans un état d'excitation incroyable, limite suicidaire. Je suis écartelé. Ai-je envie d'une pipe, ou de sauter par la fenêtre ?

— C'est bon ? demande-t-il plus tard au lit, ma queue toute lubrifiée de salive dans le creux de sa main.

Non, c'est atroce. Je ne le lui dis pas, mais j'en ai envie. Ce n'était pas ce que j'attendais, ce n'était pas le bon mec. Ses caresses sont trop personnelles. Affectueuses. Elles pourraient me déchirer.

Doucement, je cale sa tête sur ma poitrine. Je la caresse aussi gentiment que je suis capable de caresser la tête d'un inconnu.

— Faut que j'y aille, dis-je. Désolé.

— Hé, Augusten, que se passe-t-il ? Tu as l'air contrarié. Tu veux discuter ? Je t'aime vraiment bien, tu sais. Ce n'est pas juste le sexe. Y a un truc, chez toi... Je sais pas... (Sa voix déraille.) Un truc qui m'attire vraiment. Et je ne parle pas de ton physique.

C'est vraiment un mec chouette. Si seulement je n'étais pas moi...

Greer m'appelle pour m'annoncer que notre film n'a pas vraiment cartonné dans les groupes témoins et qu'on doit refaire le montage.

— Je ne peux absolument pas m'occuper de ça maintenant, je lui réponds.

J'ai une gueule de bois carabinée.

Elle reste un instant silencieuse.

— C'est *notre* film. Je sais bien que tu as pris un congé mais... bon, c'est toi qui l'as écrit.

— Greer, j'ai tout un tas de merdes qui me tombent dessus. Tu vas devoir te débrouiller toute seule. Embauche un free-lance.

— Pourquoi moi ? explose-t-elle. Pourquoi est-ce toujours à moi de nettoyer derrière toi ?

J'ai la tête comme un tambour et l'intérieur du nez tout desséché.

— Greer, calme-toi ! En ce moment, je ne suis pas payé pour m'occuper de cette merde. Je suis en congé, d'accord ?

— Oui, mais moi ? s'écrie-t-elle. J'ai besoin de soutien.

— La pub n'est pas la chose la plus importante au monde, Greer.

— Non, bien sûr, crache-t-elle. Puisque la plus importante, c'est toi.

Je coule un regard vers la bouteille vide. Il me faudrait être très soûl pour pouvoir discuter avec elle en ce moment. Un gramme de coke, ça ne serait pas mal non plus.

— Écoute, faut que…

— Je suis désolée. Je ne voulais pas dire ça. Je voulais juste dire que j'ai besoin de soutien, moi aussi.

— Je ne peux pas t'en procurer. Il m'arrive trop de trucs en ce moment. Je n'ai plus assez de réserves.

— J'ai rêvé de toi, la nuit dernière. J'ai rêvé que je travaillais un soir tard, à l'agence, et que tout à coup, il y avait une tornade. Les fenêtres se mettaient à exploser, il y avait du verre partout. Et dans mon rêve, je savais que c'était toi, la tornade.

— Désolé pour ton rêve.

— Tu parles, fait-elle, et elle raccroche.

Une heure et demie plus tard, elle rappelle. Il y a des excuses dans sa voix.

— Je me suis dit que tu aimerais savoir ce qui est arrivé à Rick.

Rick est vraiment la dernière de mes préoccupations, mais quoi qu'il lui soit arrivé, je ne peux qu'espérer qu'il y a un fusil à seringue hypodermique impliqué dans l'affaire.

— Quoi ? dis-je avec lassitude, mi-intéressé, mi-indifférent.

— Il a été promu.

— Formidable, dis-je, prêt à raccrocher.

— Au marketing direct, ajoute-t-elle.

Je sens poindre un sourire. On ne peut pas tomber plus bas. Toute sa vie va consister à trouver les moyens d'amener les gens à ouvrir des enveloppes et renvoyer des coupons-réponses. Si les publicitaires sont des poissons de vase, Rick est désormais un poisson-chat sans nageoire dorsale et avec un troisième œil.

Je bois à la santé de Rick.

— Il a fait un arrêt cardiaque. Il a fallu cinq personnes pour faire redémarrer son cœur. Il n'a pas repris connaissance.

Ce sont les premiers mots que j'entends ce matin – si je ne compte pas les : « C'est à emporter ? » du serveur de Starbucks.

Le frère de Pighead est à mes côtés dans l'unité des soins intensifs. Nous sommes sur le seuil de la chambre de Pighead, qui est, lui, relié à toute une théorie de machines fonctionnant à plein régime.

— Je ne comprends pas, dis-je.

La tasse de café me brûle les doigts.

— Il a commencé à se plaindre hier soir. Des douleurs dans la poitrine. Il avait froid et transpirait. Ma mère a paniqué, elle a appelé des secours. Je suis arrivé vers trois heures.

À trois heures, j'étais encore en train de me faire des lignes. Ce qui me rappelle que j'ai encore un paquet sur moi.

— Faut que j'aille aux toilettes. J'en ai pour deux minutes, dis-je en faisant demi-tour dans le couloir.

Dans les toilettes, j'ouvre la petite enveloppe que je pose sur la tablette en acier au-dessus du lavabo. Je sors une carte de crédit de mon portefeuille et prépare la coke. Je me fais un quart du paquet. Je replie l'enveloppe, la range dans ma poche, et puis je me dis : *Et merde*. Je la ressors et je prends un autre quart. Je pisse. Mon urine sent le whisky. Je vais rejoindre Jerry, toujours en train d'observer son frère aîné. J'avance jusqu'au chevet de Pighead.

— Pighead, tu es là ?

De l'index, je lui tapote le bras. Il ne répond pas.

— Réveille-toi, dis-je très calmement.

Ça me demande un effort de parler doucement, parce que la coke est en train de faire son effet. J'appuie à fond sur mes freins, et je sens que ça dérape, à l'intérieur de moi.

Rien. Moins que rien. Le respirateur artificiel est incroyablement combatif, de respirer ainsi à sa place. De lui offrir cette respiration profonde, saine. Je m'aperçois que je porte un jean et un tee-shirt blanc moulant.

Les veines de mes bras saillent comme un tracé d'autoroutes sur une carte et j'ai honte. Ça me semble obscène de péter de santé à ce point.

En rentrant chez moi, je me dis qu'il est train de mourir, que je dois l'accepter. Puis je me dis que non, il n'est pas en train de mourir, et que je n'ai rien à accepter du tout. Je sens le paquet de coke dans ma poche. Ça me fait l'effet d'une petite érection en poudre qui réclame mon attention. En fait, je n'aime pas vraiment la coke. Alors, je m'arrête chez un marchand d'alcool de University Place et j'achète une bouteille de Dewar's.

La mère de Pighead m'appelle à trois reprises, et laisse de longs messages sur mon répondeur. Des messages du style : « Quand venez-vous ? » et : « Toujours pas de changement. » Je l'écoute parler au répondeur, incapable de décrocher. « Peut-être qu'il se réveillerait si vous veniez. »

Non, ai-je envie de lui dire, *il ne se réveillerait pas.*

Je remarque que j'ai descendu presque la moitié du Dewar's. Je jette un coup d'œil à la photo de Pighead, dans la voiture, lors de ce voyage dans le Massachusetts qui remonte à des années. Il y a aussi une photo de moi, au motel, dans cette putain de piscine. Je la regarde et me dis : *Jusqu'à la lie.*

Une autre pensée me vient à l'esprit. Elle est d'une évidence aveuglante – rien d'étonnant à ce que je n'aie rien vu. Le problème, c'est que ce voyage remonte à huit ans, que ça fait six ans et demi que Pighead sait qu'il est séropo, six ans et demi que j'ai décidé de l'oublier et de me détacher de lui. Et que je n'en ai rien fait. Je ne m'en suis pas remis. Jamais. Mes sentiments ont juste connu une rémission. Ils avaient été occultés par l'olive au fond de mon martini.

Rien d'étonnant à ce que je ne sente rien. Je suis sur le point de tout perdre.

Les heures de visite sont terminées lorsque j'arrive à Saint-Vincent. La réceptionniste me laisse entrer bien que j'empeste probablement autant qu'un plancher de bar. Elle me laisse passer après avoir consulté son ordinateur.

— Allez-y, me dit-elle en me tendant un badge.

J'ai envie de tourner l'écran de son ordinateur pour lire ce qui y est écrit. Pourquoi autorise-t-elle un type soûl à entrer dans une chambre aux alentours de minuit ? Y a-t-il écrit sur son écran : « Cas désespéré, autoriser tout le monde » ?

L'unité de soins intensifs est plongée dans l'obscurité, mais palpite de tous ces appareils d'assistance respiratoire. J'ai le sentiment que personne ne dort, ici. Les gens sont juste inconscients. Je marche avec précaution, en essayant de pas faire couiner mes baskets sur le carrelage.

— Pighead ? dis-je tendrement. Je suis là.

Je regarde pour voir si ses yeux remuent sous les paupières, pour voir s'il rêve.

Son œil droit s'ouvre. L'œil le plus proche de moi.

— Pighead ? C'est moi. Si tu m'entends, serre ma main.

Il ne serre pas ma main. Mais bon. Il y a quelque chose dans son œil. Quelque chose de lui. Il faut que je le lui dise. Maintenant.

Sauf que je ne peux rien dire. Je ne peux rien lui dire qui lui donnerait à penser que quelque chose ne va pas.

— Pighead, tu sais combien je… C'est okay, dis-je ensuite.

Une larme enfle dans son œil. Elle enfle, puis coule le long de sa joue. Et tout défoncé que je sois par la coke et l'alcool, je peux lire le message que délivre cet œil unique aussi clairement qu'une publicité géante sur les murs de la ville. Sauf qu'au lieu de dire : *Plaisir de vivre…*, il dit : *Mon heure est venue.*

— Ils vont te remettre d'aplomb, Pighead. Il faut que tu luttes. Que tu te battes de toutes tes forces.

Plop, plop, plop – mes larmes, qui tombent sur ses draps.

Ses yeux disent : « Je sens l'alcool dans ton haleine, P'tite Tête. Que vas-tu faire sans moi ? »

— Pighead ? je gémis.

Ses yeux disent « Je dois y aller, maintenant. Ne me suis pas. Sois sage. Reste sobre. »

J'ai besoin qu'il se lève, et se mette à préparer des hot dogs. J'ai besoin qu'il m'engueule. J'ai besoin qu'il m'absolve de tout ce que j'ai pu faire de mal, envers lui ou envers les autres. J'ai besoin qu'il sache que je ne vais pas me défiler, que jamais plus je ne céderai aux sirènes de la superficialité.

Ses yeux se ferment. Une infirmière entre dans la chambre.

— Votre ami a passé une soirée très agitée. Je pense qu'il vaut mieux que vous le laissiez se reposer. Il en a besoin.

— Comment va-t-il ?

Elle me regarde, l'air de dire : *Vous plaisantez ?* Tandis qu'elle me reconduit vers la porte, elle me touche le bras.

— Je suis désolée.

Bon, la voilà, ma réponse.

— Il peut se rétablir, vous savez. Je l'ai déjà vu reprendre du poil de la bête, d'autres fois. Il y a un mois à peine, il allait bien.

C'était bien il y a un mois, n'est-ce pas ? Ou était-ce il y a plus longtemps ? Ai-je perdu la notion du temps ?

— Vous pouvez revenir demain, me dit-elle. Et vous devriez probablement dormir, vous aussi, ajoute-t-elle.

À la maison, je bois ce qu'il reste dans la bouteille et sniffe ce qu'il reste de coke dans le paquet. Je réécoute le dernier message que Pighead a laissé sur mon répondeur. Il date d'avant le moment où tout a commencé à partir à vau-l'eau. Je l'ai sauvegardé parce qu'il était vraiment inhabituel. Il disait : « Il est onze heures trente, tu es sans doute encore au boulot, ou bien chez Foster. Bref, je voulais juste que tu saches que je t'aime, Augusten. »

Sur le moment, je me suis dit : *Hein ? C'est quoi, ces conneries ? Pourquoi il s'exprime tout d'un coup comme une carte Hallmark ?*

Maintenant, je sais.

La sonnerie insistante du téléphone me réveille. Le répondeur s'enclenche. J'entends qu'on raccroche aussitôt, puis ça sonne de nouveau. Je m'extirpe du lit, suant l'alcool par tous les pores. Il suffirait d'une allumette pour m'embraser. Sur le comptoir de la cuisine, à côté du micro-ondes, il y a la bouteille vide de Dewar's, et une douzaine d'autres de cidre brut. C'est curieux, je ne me souviens pas d'avoir acheté du cidre, hier soir.

— Oui, bonjour ? dis-je – une réponse que je trouve plus acceptable que le : « C'est quoi, ce bordel ? » qui m'est spontanément venu à l'esprit.

— Augusten, c'est Jim.

— Oh, salut. Mais qu'est-ce que…

— Pighead est mort. On vient de m'appeler.

Dans un effort pour m'éveiller de mon rêve, je dis tout haut :

— De quoi parles-tu ?

— Je suis désolé, Augusten. Ils ont constaté la mort il y a quarante minutes. Arrêt cardiaque.

— Attends…

— C'est nous qui nous en occupons. J'ai reconnu son nom quand ils ont appelé. On est toujours les premiers prévenus. Je suis désolé.

— Il est mort ?

— Ouais, il est mort. Je suis vraiment désolé, petit. Tu veux que je vienne ?

Pourquoi sa famille ne m'a-t-elle pas appelé ? Pourquoi son frère ne m'a-t-il pas appelé ? Pourquoi est-il mort ? Et pourquoi c'est le croque-mort qui me l'apprend ?

— Faut que j'y aille, je réponds, et je raccroche.

Je vais dans la salle de bains et je me regarde dans le miroir. « Il est mort », dis-je à mon reflet. « Tu comprends ? Pighead est mort. Tu ne le reverras jamais. Quel effet cela te fait-il ? »

Mon reflet reste muet.

La cérémonie commence à seize heures. À treize heures, je suis là-bas. Pour le moment, je ne suis pas en état de voir qui que ce soit. Et surtout pas sa famille. Que je sois capable de marcher tient du miracle, vu que je n'ai rien consommé d'autre que de l'alcool au cours des trente dernières heures. Ce qui explique peut-être la moue de la femme qui m'accueille à l'entrée du salon funéraire.

— Non, Jim n'est pas là en ce moment. Mais vous pouvez voir le corps, si vous voulez. Il est exposé.

Exposé. Comme un œuf Fabergé.

Je pénètre dans le salon. Des enceintes dissimulées dans le plafond diffusent discrètement une version à la harpe de « Somewhere over the Rainbow ». Il y a des bouquets partout, une profusion de fleurs. Ça sent le boudoir de grand-mère, avec une trace de stéroïdes. Je suis sûr que le cercueil aurait plu à Pighead. C'est du noyer massif, capitonné de crêpe ivoire – la touche personnelle de Jim. C'est la toute première fois que j'ai l'occasion d'apprécier son habileté professionnelle.

Je me penche au-dessus du cercueil.

Quel calme ! Pas de poitrine qui se soulève. Pas de tremblements. Pas de suées. Pas de grimaces de douleur. Pas de hoquets. Ni de diarrhée. Et un smoking.

— Salut, Pighead. Tu es là ? Pighead ?

J'imagine que non.

Je contemple son visage un instant de plus. J'aimerais le caresser, mais j'ai peur. Je me dis : *Maintenant, je peux effacer ton numéro de mes touches programmables. Je peux oublier ton anniversaire. Je n'ai plus à enfiler de gants en latex pour te faire tes injections. Je n'ai plus à craindre de me piquer avec une aiguille. Je n'ai plus à remplir ton humidificateur d'air. Ni à changer les ampoules dans ta cuisine. Ni à répondre quand on sonne à ta porte. Je n'ai plus à me demander combien de temps il te reste encore à vivre. Je n'ai plus à te dire que je ne peux pas te voir aujourd'hui. Je n'ai plus à rajouter de glaçons dans ton verre, ni à penser à acheter des petits pains pour hot dogs en venant chez toi.*

Dans ma tête, je fais la liste de tous ces avantages.

Les jours défilent. Ils arrivent, ils s'en vont, et je bois. C'est tout ce qui se passe. Je dois sans doute recevoir du courrier, mais je ne vérifie pas le contenu de la boîte. Greer laisse un message pour me demander des nouvelles de Pighead. Délibérément, elle ne parle pas du boulot, alors j'imagine que c'est vraiment là la raison de son appel. Je lui envoie un mail laconique – *Il est mort*. Sur la liste de mes priorités, Greer arrive en queue, tout en bas, avec les recharges de sacs d'aspirateur et ma carrière.

Jim appelle, soûl, et laisse un message pleurnichard. Il baragouine un truc comme quoi il a fait de son mieux, qu'il a lui-même « préparé » le corps, à titre de faveur. Il ajoute qu'Astrid l'a largué, parce qu'elle le prend pour un poivrot. « Ça fait chier, merde ! » dit-il d'une voix pâteuse.

Je n'arrête pas de penser à Pighead. J'aimerais pouvoir lui parler, et j'aimerais qu'il puisse me répondre. Qu'il puisse utiliser un genre de langage des signes du monde des esprits. Faire vaciller les lumières, ou bien, si cela est trop compliqué, provoquer un courant d'air dans l'appartement. À moins qu'il ne soit plus simple pour lui de me rendre visite dans mes rêves ? Le seul problème, c'est que j'ai déjà l'impression depuis le début que tout ça n'est qu'un rêve. Alors peut-être a-t-il besoin d'apprendre comment éteindre les réverbères sur mon passage ? Ou, si c'est encore trop compliqué, juste comment les faire clignoter.

Je continue à lui parler, mais je n'entends aucune réponse. Peut-être est-ce trop tôt. Peut-être existe-t-il une zone d'attente. Un protocole à observer. Comme lorsqu'on passe la douane avec un chien. On doit le laisser en quarantaine avant de pouvoir le ramener chez soi. C'est peut-être pareil. Ou peut-être qu'on meurt, et que c'est tout. Peut-être qu'il n'y a rien d'autre. Peut-être que notre chaleur corporelle s'évapore tout simplement, ajoutant un billionième de degré supplémentaire à celle de la planète.

Le téléphone sonne. Je m'envoie une gorgée de whisky avant de répondre. C'est Foster. Pourquoi cela ne me surprend-il pas ?

— Tiens, tiens, tiens.

— Salut, Auggie.

— Salut, Fosty. (Je le parodie haineusement.) Ou est donc ton petit Anglais, ce soir ?

Je l'entends qui actionne un briquet et inspire goulûment.

— Il est parti. Depuis trois-quatre jours, précise-t-il tout en retenant sa respiration.

— Et toi ?

Il souffle dans le combiné.

— Je suis paumé. Comment va la vie ?

La question me fait rire. C'est la première fois que je ris depuis des jours et des jours. Mon rire a un goût amer, comme celui de l'eau qui coule d'un vieux robinet pendant les vingt premières secondes.

— C'est quoi, ton adresse ?

Il me faut cinquante minutes en taxi pour arriver chez lui. Je donne trois dollars de pourboire au chauffeur et me dirige vers la porte de la maison. Foster vient m'ouvrir, vêtu d'un débardeur et d'un pantalon de survêtement, un bandana bleu noué sur la tête. J'entre sans dire un mot.

— Tu veux faire le tour du propriétaire ? demande-t-il, d'une voix éteinte.

Je me trouve dans le hall d'entrée. En face de moi, un escalier conduit à l'étage. Il y a une grande pièce à ma droite, et une autre à ma gauche. Pas de meubles. Des sous-vêtements, des jeans, une chaussette et – inexplicablement – un casque de footballeur, sont éparpillés sur le sol. Je traverse le salon à la suite de Foster, jusqu'à la cuisine. Un agent immobilier tout fringant ne manquerait pas de la décrire comme une « cuisine de gourmet, une authentique cuisine de chef », mais c'est juste une autre pièce vide. Une cuisinière Wolf, un frigo Sub-Zero avec des portes vitrées, des comptoirs en ardoise inutilisés.

— Belle cuisine. Je parie que tu prépares de bons petits dîners, ici.

— Ah ça, me répond-il. J'ai toujours une putain de tornade sur le feu.

— À quoi bon te donner cette peine ?

— Faut bien que je vive quelque part, me répond-il.

Je regarde le pare-graisse en cuivre et ma gorge se serre.

— Pighead est mort, Foster. Et j'ai recommencé à boire.

J'avance vers lui, je l'enlace et j'enfouis mon visage dans son cou.

— Chuuuuuut, bébé. (Il me caresse l'arrière de la tête.) Viens, on va fumer.

Je relâche mon étreinte tandis qu'il ouvre un des tiroirs. Il en extrait une pipe en verre et un petit sachet en plastique, en même temps qu'un briquet jaune.

— Viens, allons nous installer confortablement.

Il laisse le tiroir ouvert.

Nous nous asseyons en tailleur sur le futon, dans sa chambre. Il me tend la pipe. Je la glisse entre mes lèvres, et nos regards se croisent.

— Prêt ?

Je hoche la tête.

Il allume le caillou blanc dans le culot et je tire. Une fumée langoureuse et tiède m'emplit les poumons et part immédiatement se loger au tréfonds de moi, en un lieu que jamais, de toute ma vie, je n'ai pu atteindre. Sa saveur est à la fois chimique et légèrement sucrée. Je retiens la fumée dans mes poumons jusqu'à me sentir au bord de l'évanouissement avant de la recracher.

C'est parfait.

Incomparable.

C'est instantané et pénétrant. Voilà ce qui m'a manqué toute ma vie.

Foster me sourit si chaleureusement que je me penche pour l'étreindre de toutes mes forces. Il me couvre le visage de baisers. Puis il allume la pipe pour lui.

Nous nous la passons à tour de rôle. Il me l'allume, je la lui allume.

Plus tard, Foster est allongé sur le dos, torse nu. J'approche mon visage de son estomac et observe le relief de ses muscles. Il me fascine. Comment les a-t-il obtenus ? D'où sortent-ils ? Bon sang, le corps est un prodige à vous couper le souffle.

Comme si nos pensées n'en faisaient qu'une, Foster redresse le buste et commence une série d'abdos. J'observe les muscles de son estomac qui virent au rouge sous l'effet de l'échauffement et de l'afflux de sang. Il enchaîne les mouvements, sans s'arrêter. Je prends la pipe et je l'allume sans le quitter des yeux. Des gouttes de transpiration dégoulinent de son nez. Son visage est tordu de douleur. Et il continue.

Quand je ne peux plus regarder, je me lève et vais jusqu'à la fenêtre. C'est une baie vitrée. J'approche ma main du panneau transparent. Bien que je puisse percevoir un clapotis, je ne peux pas le toucher. Au contact, le verre offre une surface lisse, dure, et froide. Pourtant, je sais que c'est un liquide toujours en mouvement.

Une fois, je me suis accidentellement entaillé le poignet avec un verre cassé dans l'évier. Comment peut-on s'entailler le poignet avec un liquide ? Le verre possède une intelligence supérieure qui nous échappe entièrement.

Dehors, il fait nuit, et je peux voir le reflet de Foster dans la vitre. Il est allongé, à présent, immobile, et il respire fort.

— Augusten ?

Je me retourne.

— Ouais.

— Voilà qui je suis. Maintenant, tu as vu.

Je reviens m'asseoir à côté de lui.

— Je pourrais vivre ici. (Je lui prends la pipe des mains.) *Ici*, je veux dire, fais-je en lui montrant la pipe. *Ici*.

— Viens contre moi, répond-il en tapotant le futon.

Je grimpe à côté de lui et je m'allonge sur le flanc, les mains glissées entre mes jambes. En quelques minutes à peine, me semble-t-il, sa respiration s'apaise et il a l'air de plonger dans le sommeil. Moi, je ne peux pas dormir. Je vais m'asseoir devant la fenêtre, par terre. J'appuie la tête contre le mur et je fixe la rue. Parfois, il passe un taxi, mais la plupart du temps c'est calme.

Le temps file. Tant de temps que ça déchire le cœur.

Déboire

Plusieurs mois plus tard – dix, peut-être ? –, je traverse Saint Mark's Place, ivre mort. Il est minuit passé, mais les rues grouillent de gens et de vendeurs de rue qui proposent casquettes des Yankees, tatouages temporaires et vidéos pirates. J'avise soudain deux Blacks baraqués assis sur le perron d'un immeuble de grès brun. Lorsque je passe devant eux, il y en a un qui me lance :

— Cocaïne ?

Je m'arrête.

— Vous n'avez pas du crack ?

Ils se lèvent et descendent les marches.

— T'es flic ?

Je rigole.

— Non, c'est pas le genre de la maison.

Eux ne rient pas.

— Hé, mec, t'es pas flic, hein ? insistent-ils.

— Non, je ne suis pas flic.

J'ai du mal à tenir debout sans tanguer. En général, quand je suis soûl à ce point, je suis assis devant mon ordinateur. Je n'ai pas l'habitude d'être debout.

— Il me faut du crack.

Un petit sachet en plastique apparaît. Il contient deux cailloux blancs.

— Cinquante, annonce l'un des deux types.

J'extrais le portefeuille de ma poche arrière et je l'ouvre. Il contient une liasse de billets de vingt de cinquante centimètres d'épaisseur. J'en retire trois.

— Voilà.

Je viens de casser mon plan de retraite et je me sens incroyablement riche, avec plus de seize mille dollars sur mon compte.

— J'ai pas la monnaie, mec, dit l'un des deux.

— On se magne, ajoute l'autre.

— Je m'en fous, je leur réponds en leur faisant signe de garder la monnaie.

J'ai toujours laissé des pourboires généreux. À une époque, j'ai été serveur dans un Ground Round, à Northampton, dans le Massachusetts, et j'y recevais des pourboires minables. Alors, je sais ce que c'est. Du coup, je me montre grand seigneur.

— Comment je dois faire ? je demande.

La dernière fois, c'est Foster qui s'est chargé de tout, et je n'y ai pas prêté attention. Seul, je ne sais pas comment m'y prendre.

— Oh, mec, on n'a pas le temps pour ça.

Ils s'éloignent d'un bon pas, presque en courant. Je ne comprends pas pourquoi ils ont peur. Il ne va rien leur arriver. Ni à moi. J'ai le sentiment que nous sommes tous protégés. L'alcool qui circule dans mon organisme me procure un sentiment d'immunité.

Je glisse le sachet dans ma poche et je rebrousse chemin. M'être procuré du crack me donne une sensation de puissance, mais comme je ne sais pas comment m'y prendre pour le fumer, je me sens un peu dans la peau de quelqu'un qui vient d'acheter la plus incroyable des Corvette, mais ne sait pas manier un levier de vitesses. J'éprouve un sentiment mêlé de toute-puissance et de totale dépendance.

Il me faut trouver quelqu'un qui sache.

Je remonte la Troisième Avenue, puis bifurque, longe la Onzième Rue et continue sur la Deuxième Avenue. Il y a souvent des putes à l'angle de la Onzième, et elles savent comment fumer du crack.

Je me sens béni des dieux quand j'en aperçois une, assise sur le trottoir, adossée contre le mur d'un restaurant de sushis. « Évidemment qu'il y en a une à cet endroit-là », me dis-je. Ma confiance est totale.

Je m'arrête devant elle.

— Ça va ? je demande.

Je souris, j'essaie d'avoir l'air amical, pas excité.

— Qu'est-ce que tu veux ? demande-t-elle d'une voix sans timbre.

Elle semble épuisée, vidée. Comme une employée d'un Wal-Mart qui n'a pas envie d'aider le client, qui veut rentrer chez elle, mais qui doit passer quelques heures encore à son poste.

Je lui montre le sachet en plastique.

— Comment je fais ça ?

Elle se lève en souriant.

— Qu'est-ce qu'on a là ? demande-t-elle, brusquement très avenante.

— Je viens de l'acheter. Mais je ne sais pas comment on le fume. J'ai besoin qu'on me montre.

— Ça m'a l'air jouable, dit-elle, et quand elle prononce « jouable », le mot semble chatoyer.

Compte tenu de mon état d'extrême ébriété, le temps devient élastique. Je ne sais pas combien de temps nous passons sur le trottoir avant que la voiture noire vienne se ranger devant nous. À l'intérieur, il y a trois jeunes Blacks, et je me retrouve sans trop savoir comment assis sur la banquette arrière. La pute est à ma gauche. Un homme plus âgé que je n'avais pas remarqué d'emblée est assis à ma droite. Le sachet avec les cailloux se trouve à l'avant, dans les mains d'un autre type.

Nous traversons un pont. Je vois les lumières des bateaux sur la rivière.

Il y a tellement de poussière dans cette voiture que je me dis : *Ils ne l'ont jamais nettoyée*. Cela me donne un sentiment de sécurité, comme si cette poussière allait me permettre de passer inaperçu.

Je m'endors.

Le soleil entrait à flots dans la pièce. La fenêtre était ouverte et la brise s'engouffrait dans les replis du couvre-lit en madras converti en rideau. Il tourbillonnait dans la pièce et ses taches de couleurs éclairées en transparence me faisaient penser à un vitrail. Je me souviens qu'il y avait des plantes vertes partout, des plantes aux feuilles brillantes. Quelqu'un les arrosait et les époussetait. Serena, peut-être.

Quand je me suis réveillé, la voiture s'était arrêtée. Tout le monde est descendu et on est entrés dans un immeuble. Les hommes parlaient, la pute égrenait à haute voix la liste de choses qu'elle désirait. Des mouchoirs en papier, de la bière, un peigne.

Un des hommes s'est arrêté à mi-marches et a fait demi-tour en disant qu'il allait revenir, qu'il allait faire un saut à l'épicerie.

Les autres et moi sommes montés dans un appartement. On s'est assis. J'ai atterri sur le canapé. La pute s'est affairée, elle a ouvert des tiroirs, a trouvé un briquet, une pipe.

Un des hommes s'est assis à la petite table près de la fenêtre, un autre à côté de moi.

J'étais l'objet de quelques plaisanteries et de l'intérêt général.

— À quoi tu joues ? a demandé quelqu'un.

— Je suis cinglé, ai-je répondu. Et je m'ennuie.

— Mec, tu sais vraiment pas dans quoi tu t'embarques.

Mais je ne me sentais pas menacé. Pas le moins du monde.

Ces gens se connaissaient bien et ils ont commencé à bavarder entre eux, poursuivant et reprenant le fil d'une conversation entamée peut-être plusieurs jours auparavant.

— Non, mec. Je dois aller bosser demain. Je peux pas faire la fête toute la nuit. Je dois être au train.

Ensuite, ils ont parlé de quelqu'un qui travaillait dans un garage. Quelqu'un qui réparait des voitures.

La pute m'a dit son prénom. Je ne me souviens pas de le lui avoir demandé. Je ne me souviens pas d'elle me disant son nom. Tout ce que je sais, c'est qu'elle est devenue Serena. J'ignore pourquoi.

L'homme qui était allé à l'épicerie est revenu. Lui avais-je donné vingt dollars ? Je me suis souvenu, à ce moment-là, que je lui avais donné de l'argent. Il avait un sac en papier brun dans les bras. Des éponges à récurer métalliques. Des produits de première nécessité.

Il a commencé à parler de son oncle.

Quelqu'un a allumé la pipe, et l'odeur m'a fait saliver. On me l'a passée après. C'est l'homme assis à la table qui l'avait allumée et avait pris la première bouffée, en aspirant profondément. Serena lui a ôté la pipe des doigts et me l'a tendue. Ce que j'ai trouvé très attentionné de sa part.

J'ai aspiré, essayant d'emprisonner le plus longtemps possible la fumée chimique dans mes poumons, comme si je nageais sous l'eau.

La pipe a circulé de main en main et ce qui m'a étonné, c'est qu'il ne se passe rien. Les hommes – ils étaient trois, désormais – ont continué à parler du train-train de leur vie. D'un oncle Machintruc qui était en train de retaper sa maison, dans le Queens. D'un type qui bossait dans un garage. De quelqu'un d'autre qui devait bientôt partir travailler. On aurait pu être en train de boire un café.

Je me suis écroulé sur le canapé. J'ai dormi, peut-être.

Le matin venu, j'étais seul avec Serena.

Je l'ai regardée tirer le drap sur le matelas, le border, puis le lisser. Elle a regonflé les oreillers en les tapotant du tranchant de la main. De temps à autre, elle se tournait vers moi et me souriait. Elle m'a offert du café – il y en avait dans une casserole, sur la cuisinière.

Le ventilateur au plafond tournait lentement, non parce qu'il était en marche, mais parce que la brise poussait ses pales. Un pigeon est venu se poser sur l'appui de la fenêtre, puis s'est envolé.

L'appartement n'avait pas de porte. Je me suis extrait du canapé pour partir à la recherche des toilettes dans le couloir. Aucun des appartements de l'étage n'avait de porte, juste des gonds qui ne servaient plus à rien. En longeant le couloir, je suis passé devant des foyers dont la vie s'offrait aux regards. J'ai entendu les grésillements de pancakes dans des poêles, le bruit d'un couteau sur une planche à découper, le murmure étouffé d'une télé. J'ai vu des enfants en sous-vêtements de coton blanc, leurs épais cheveux noirs tressés en lignes droites et régulières, comme les grains d'un épi de maïs, et noués par des rubans.

Les toilettes étaient propres. Cela m'a surpris au même titre que tout le reste ce matin-là. Combien étaient-ils à utiliser ces uniques toilettes ? Au moins tous les occupants de l'étage. Et combien y avait-il d'appartements ? Cinq, sept, peut-être. Et pas une seule porte. J'ai pissé dans la cuvette et mon urine a fait virer l'eau bleue au vert.

— Tu pars ? m'a demandé Serena lorsque je suis revenu.

Elle avait allumé une bougie. J'en sentais déjà le parfum de pomme.

— Ouais. Faut que j'y aille.

Je n'étais plus soûl. J'étais même très sobre, d'un seul coup.

— Ce n'est pas une vie, de faire ce que tu fais, m'a-t-elle dit.

Il n'y avait aucun reproche dans sa voix. C'était une observation bienveillante.

— Je dois changer, lui ai-je répondu.

Changer ? De vêtement ? De vie ?

— Tout le monde peut changer.

Je la croyais volontiers. Mais pourquoi n'y croyait-elle pas pour elle-même ?

— Et toi ?

— Moi, je fais ce que je peux.

J'ai eu envie de la serrer dans mes bras. Je l'ai fait. Ensuite, je lui ai donné cent dollars en billets de vingt parce que j'avais cent dollars en billets de vingt, et je suis parti.

Une fois dehors, j'ai regardé la façade de l'immeuble. D'innombrables fenêtres aux vitres brisées. Des méandres hargneux bombés à la peinture blanche sur les marches de grès brun. Des mégots de cigarette écrasés, des bouteilles de bière cassées, un préservatif.

Des fioles en verre vides jonchaient le chemin qui conduisait au perron. Quelques-unes avaient été tellement piétinées qu'elles étaient presque retournées à l'état de sable. L'équivalent des géraniums pour une maison de junkies.

J'ai marché sur le trottoir. J'étais le seul Blanc à un kilomètre à la ronde. Et, à n'en pas douter, le seul Blanc homosexuel concepteur-rédacteur dans la pub arborant une Rolex. J'ai marché et j'ai pensé : *Cet appartement sans porte ni électricité est mieux que le mien. Il est plus vivant. Il est vivant, il n'est pas pourri comme le mien.*

J'ai pris le métro pour rentrer chez moi. Je ne pouvais pas me résoudre à regarder les gens. Je savais que je devais dégager des émanations invraisemblables, des relents de produits chimiques et d'alcool, mêlés peut-être à une autre odeur, moins familière mais tout aussi repoussante. J'ai contemplé les pieds des autres passagers, observé leurs chaussettes et leurs souliers noirs de banquiers. Je pouvais sentir l'odeur de leur shampooing et de leur gel pour les cheveux.

Je me suis dit : *Voilà, j'ai touché le fond, dans le métro. Je dois arrêter. Je ne peux pas finir comme ça.*

Quand je suis finalement arrivé chez moi, il était deux heures de l'après-midi. Mon appartement, une fois de plus, était un champ de ruines. Même le plafond au-dessus de ma chaise était jauni par la nicotine. Un spectacle encore pire que celui qui m'avait accueilli à mon retour de cure. Et là, j'ai pris conscience de quelque chose de terrible : ma rechute avait déjà duré plus longtemps que ma période de sobriété.

Deux heures plus tard, j'étais soûl.

Je m'éveille lentement, émergeant progressivement d'un rêve dans lequel je me suis endormi dans les bois, derrière la maison de mon enfance. J'ai froid et l'humidité me saisit. Le rêve s'évanouit, les draps sont trempés, la couette est bonne à tordre. Je me lève, écœuré. C'est la deuxième nuit d'affilée que je pisse au lit. Le mois dernier, je fumais du crack dans le Bronx, et ce mois-ci, je pisse au lit. On ne peut pas dire qu'il y ait du progrès.

Je vais vers le frigo en enjambant les vêtements, les cartons de bouffe chinoise et le courrier non ouvert qui jonchent le sol. On distingue plus ou moins le tracé d'un chemin qui va de mon lit au frigo et du frigo à ma table. Pour le dégager, j'ai écarté du passage – aplani, du moins –, des monceaux de papiers, des emballages et des paquets de cigarettes vides. Je sors une bouteille d'Évian, j'en bois une longue gorgée, puis je reprends mon souffle et je recommence. Je bois de l'eau le matin et au milieu de la nuit.

Le voyant du répondeur clignote.

— Qu'est-ce que tu veux, toi ? je lance à voix haute en appuyant d'un doigt rageur le bouton Marche.

Une voix qui ne m'est pas familière, la voix polie d'un homme d'un certain âge, commence à parler :

« Bonjour, euh… Ceci est un message à l'intention de M. Augusten Burroughs… »

Je vais appuyer sur une touche de l'ordinateur pour le réveiller.

« Monsieur Burroughs, ici Mercer Richter, et j'appelle de… »

Je farfouille autour du paquet vide de Marlboro Light sur mon bureau, en quête d'une cigarette.

« … chez Robinson, joaillier sur Spring Street. Le bijou… »

J'aperçois une cigarette par terre, intacte, et je me penche pour la ramasser.

« … qu'un monsieur dénommé "Pighead" a commandé pour vous… »

Je me tétanise. Les battements de mon cœur s'accélèrent. Je lâche la cigarette qui retombe par terre, je bondis de ma chaise, je fonce vers le répondeur.

— Quoi, quoi, quoi, Pighead ? Qui parle ?

Complètement paniqué, je tripote avec frénésie l'appareil. Où est la touche Stop ?

— Stop ! je hurle, par-dessus la voix de l'homme qui continue à débiter ses phrases d'un ton monocorde.

Je finis par trouver la bonne touche et réduire l'appareil au silence.

— Okay, okay.

Il faut que je me calme. Je cherche avec précaution la touche de rembobinage, je m'assure que je n'appuie pas sur Effacer. J'enclenche la touche. Le répondeur digital de la compagnie des télécommunications rembobine instantanément sa bande.

Je rappuie délicatement sur Marche, je m'accoude au comptoir, la tête encastrée sous le placard de la cuisine pour être aussi près que possible du haut-parleur.

« Bonjour, euh… ceci est un message à l'intention de M. Augusten Burroughs. Monsieur Burroughs, ici Mercer Richter, et j'appelle de chez Robinson, joaillier sur Spring Street. Le bijou qu'un monsieur dénommé "Pighead" a commandé pour vous est enfin prêt et vous pouvez passer le chercher. Bon, j'ai d'abord essayé de joindre le premier numéro que M. Stathakis m'a indiqué, mais apparemment, la ligne est interrompue, et ce numéro est le seul autre en ma possession, alors j'espère que je suis chez la bonne personne. N'hésitez pas à me rappeler au 555-8389. Au revoir. »

Quand je me redresse, mes mains tremblent tellement que je les fixe, fasciné.

De quoi parlait ce type ? Qu'est-ce qui se passe ?

Je vais jusqu'au téléphone, je soulève le combiné, et je m'aperçois que je n'ai noté ni son nom ni son numéro. Je vais devoir réécouter le message. Mais j'en suis incapable. C'est trop troublant.

Je vais passer chez Robinson, sur Spring Street. Je vois très bien où c'est.

Robinson est une petite joaillerie très chic, avec un sol en béton ciré, des fauteuils Knoll et de minuscules spots halogènes qui dessinent des points lumineux.

Une jeune femme menue et séduisante, coiffée à la page, est à la réception. Je m'approche.

— Bonjour, un monsieur m'a appelé à propos d'un bijou, ou de quelque chose que je suis censé récupérer… Je n'ai pas retenu son nom.

— Il s'agit sans doute de M. Richter. Un instant, je vais voir s'il est disponible.

Elle exécute une rapide volte-face qui fait voltiger sa frange.

Un grand gaillard en costume noir est posté près de la porte. Un agent de sécurité, sans doute. Je m'étonne d'abord de ne pas l'avoir remarqué en entrant, mais ça n'a rien d'étonnant.

Un homme à la chevelure argentée apparaît derrière le comptoir avec un écrin noir. Nous nous présentons et échangeons une poignée de main.

— J'ai cru comprendre que vous aviez quelque chose pour moi.

Il lâche un petit rire, très doux et intrigant.

— Eh bien oui, je l'ai là. Oh, je vous prie de me pardonner, mais auriez-vous un quelconque justificatif d'identité ?

J'extrais mon portefeuille et lui présente mon permis de conduire. Il le regarde, me regarde, regarde de nouveau le permis.

— C'est parfait, merci. Ainsi donc, mmm… M. Stathakis est venu chez moi – oh, il y a des mois de ça, précise-t-il avec un sourire affable, qui se teinte ensuite d'inquiétude. Au fait, comment se porte-t-il ? Il n'allait pas bien du tout, lorsqu'il est venu. À vrai dire, c'était à peine si…

— Il est mort, je réponds d'une voix atone.

— Oh… Ô mon Dieu… Je suis terriblement, terriblement désolé de l'apprendre. J'étais loin d'imaginer… Je suis terriblement désolé.

— Monsieur, je ne me sens moi-même pas très bien aujourd'hui, et je vais même devoir très bientôt vous fausser compagnie, donc, si nous…

Ma voix déraille.

— Bien sûr. Comme je vous le disais, ce monsieur est venu, il y a quelques mois, nous commander un bijou bien particulier… À votre intention, monsieur Burroughs. (De nouveau, il lâche un petit rire.) Il avait des exigences très précises, et je dois avouer qu'il s'agit d'une pièce assez inhabituelle. Mais nos artisans ont fait un travail remarquable… Si vous voulez bien voir par vous-même.

Il ouvre l'écrin. Je me penche. C'est enveloppé de velours.

— Laissez-moi retirer le sachet et… Voilà. Il y a une inscription gravée au dos – certainement la plus insolite que nous ayons jamais gravée.

De prime abord, je suis incapable d'identifier ce dont il s'agit. Je vois que c'est gros, et en or. Je tends la main, et là, avant de toucher le bijou, je vois ce que c'est.

Une tête de cochon en or. Une tête de Pighead.

Ça jaillit de moi d'un coup, propulsé par une force autonome. Un bruit que je n'ai jamais produit auparavant, un gigantesque rire, qui s'enraye et va mourir en sanglot dans ma gorge. Mon interlocuteur cligne des yeux, surpris.

— Je suis désolé, je suis désolé.

J'essaie de parler, mais mes phrases sortent en vrac. J'enlève mes lunettes, je m'essuie les yeux sur ma manche. Un autre rire me secoue, qui se termine en toux.

— Je peux, s'il vous plaît ?...

Je sors le Pighead de l'écrin. Le dos est plat, gravé. Je dois m'essuyer les yeux pour y voir clair et pouvoir lire ce qui est écrit.

JE TE SURVEILLE. ARRÊTE DE BOIRE. TOUT DE SUITE.

Je prends le Pighead dans ma paume et je m'apprête à partir.

— Monsieur Burroughs ? L'écrin.

— Je n'en ai pas besoin.

C'est vrai. Je n'ai absolument besoin de rien d'autre.

Je sors de la boutique. Et il n'y a pas de mots pour ça. Je marche, je marche, je marche, je marche. Quelque chose grandit en moi, et je sais ce que c'est, alors je psalmodie : « Laisse-toi aller, laisse-toi aller, laisse-toi aller » tout en marchant, et tant pis si j'ai l'air d'un fou. Je me parle à voix haute, sans regarder les gens que je croise et qui doivent me dévisager.

Et puis me voilà en larmes. Je brame à pleins poumons. Je ne me retiens pas. Je ne pense pas à me précipiter sous un porche, ni à me couvrir le visage et tout ravaler pour que ça reparte s'enfouir dans les profondeurs de ma poitrine. Je marche et je me vide de tout.

Et comme un con, comme le pauvre désastre ambulant que je suis devenu, j'ouvre mon poing et je vois que cet obscène tas d'or, ce message de l'au-delà est toujours dans ma paume. Et je le porte à mes lèvres, et je l'embrasse, et je dis : « Je t'aime, putain ! »

À ce détail près que je ne le dis pas – je le hurle, de toute la puissance de mes poumons.

J'ai l'impression qu'on a injecté de l'hélium dans les interstices entre mes cellules. Je me sens plus léger, et légèrement ivre, aussi.

Ce n'est que quand j'arrive chez moi, le Pighead en or irradiant sa chaleur dans ma poche, que je m'effondre.

L'idée que Pighead ait communiqué avec moi d'entre les morts me met dans un état indescriptible. Je veux convoquer le vrai Pighead, le Pighead vivant, et lui dire que c'est un miracle. Un message de l'au-delà.

Au moment où je tourne la clé dans la serrure et où je pénètre dans l'appartement, ça me tombe dessus : Pighead est mort.

Brusquement, je me sens floué. Comme si on m'avait joué une horrible farce. Qu'on me l'avait donné pour me le reprendre. Dans mon euphorie – un message de Pighead ! Je peux de nouveau passer chez lui et me comporter comme s'il était transparent ! –, il me semblait avoir trouvé une sorte de porte de sortie.

Comme quand je dors. Il me tarde toujours d'aller dormir parce que j'espère, ou souhaite plus ou moins, que je vais rêver de lui. Un rêve si réaliste que je serai forcé d'admettre avoir trébuché dans une sorte de faille temporelle et glissé jusque de « l'autre côté », et que le Pighead rencontré en rêve est le vrai Pighead.

Le Pighead en or a ouvert une porte. C'est un message, et il est impoli de ne pas répondre aux messages.

Puis le fait s'impose à moi, écrasant. Pighead l'a commandé avant sa mort. C'était un message d'entre les vivants. D'entre les mourants, plus exactement. Mais il n'empêche. Il n'y a pas de porte.

Mon appartement, incarnation du sordide, se referme une fois de plus sur moi. La vision des emballages vides, dont certains renferment encore des reliefs de nourriture en train de moisir, me rassure. Mon bordel, mon nid répugnant. Des bouteilles, partout. Le matelas imbibé d'urine qui ne sèche que pour être de nouveau souillé. Des mouches volettent à la surface du drap qui n'a pas été lavé depuis des mois – peut-être pour absorber le sel ou d'autres minéraux qui imprègnent les fibres.

Au centre de la cuisinière, entre les brûleurs, se trouve la bouteille « en cours » – c'est sa place attitrée. Elle est à moitié vide, il va me falloir descendre chez le marchand d'alcool de la Deuxième Avenue pour en acheter deux autres. Deux, c'est le maximum de bouteilles que je réussis à acheter à la fois. Au-delà, j'ai honte, j'ai l'impression d'être un poivrot.

Je sors le Pighead de ma poche et le range avec précaution dans le placard au-dessus de l'évier. C'est là que je conserve tout ce qui est important – certificat de naissance, passeport, la timballe en argent que ma grand-mère a donnée à ma mère le lendemain de ma naissance. Je le dépose à côté de la timballe et referme la porte. L'intérieur de ce placard est le seul endroit propre de tout l'appartement. Il est protégé de la poussière, des déchets. L'air y est rare et propre, car la porte fait écran aux odeurs de tabac et de vie en décomposition.

Je vais chez le marchand d'alcool, j'achète mes bouteilles et je rentre à la maison. Je bois. Pourquoi ne pourrais-je pas laisser le message du Pighead en or occuper le rôle qu'il lui a assigné : celui d'un simple message ? Pighead savait qu'il serait mort quand j'entrerais en sa possession. C'était pour lui le moyen de me trouver.

Pourtant, je continue de boire. Et je m'écœure moi-même de le faire.

Je m'installe devant mon ordinateur et je me perds, je picole, je fume, je m'enfonce dans les profondeurs de l'écran comme dans un abîme. Je relis d'anciens e-mails de Pighead. Il y en a des dizaines. Je les relis tous. À présent fin soûl, je cherche un détail qui m'aurait échappé.

« Tu me manques, écrit-il. Et pourtant, que puis-je dire ? C'est à croire que tu trouveras toujours que je demande trop – trop de toi. Quand je ne désire rien d'autre que ta compagnie. Aller au cinéma, passer un peu de temps avec toi. Mais tu es toujours occupé, à faire de la pub, ou à boire, ou à Dieu sait quoi, Augusten. J'en ai tellement marre. »

Une fois au lit, quand j'éteins la lumière, l'obscurité se met à pulser autour de moi. Dès que ma vision s'accommode, l'épaisseur du noir se dissout et laisse émerger quelques silhouettes dans la pièce – la bibliothèque, une pile de magazines vieux de plusieurs années. C'est alors que je vois l'araignée. Elle se déplace avec rapidité le long de la jointure du mur et du plafond. Je crois d'abord à une vision, mais elle s'arrête et change de direction. Il s'agit d'un gros spécimen, avec un corps de la grosseur d'un noyau d'abricot, et longues pattes. Elle attend. Me voit-elle ? Prudemment, je tends le bras pour rallumer ma lampe, sans la quitter des yeux. Je ne veux pas la perdre. Je vais rallumer et voir si elle détale. Sinon, j'attraperai un magazine pour l'écraser.

La lumière est rallumée, l'araignée a disparu.

C'est absolument impossible car je n'ai pas quitté des yeux une seule seconde l'endroit où elle se trouvait. J'ai cherché à tâtons l'interrupteur de ma lampe de chevet. Mais l'araignée a bel et bien disparu.

Ça défie la raison. Je me recouche.

Le lendemain soir, je recommence à boire. Je descends le premier litre de Dewar's et puis je sors le Pighead en or du placard.

Je le sens peser dans le creux de ma paume. C'est de l'or massif. Pour la première fois, je pense : *Ç'a dû lui coûter une fortune.*

Exposer le Pighead à l'air de mon appartement me fait peur. J'ai l'impression qu'il est crasseux, délétère, et qu'il risquerait de contaminer ce trésor comme je sens qu'il me contamine, moi. Je remets le Pighead à sa place, et m'installe devant mon ordinateur.

J'écris quelques mails à des amis de San Francisco, histoire de bavarder, et je me sens bien. Je termine les deux bouteilles.

Je vais me coucher. Quand j'éteins la lumière, je vois l'araignée. Ce soir, il y en a plusieurs. Le plafond en est infesté.

Je rallume et elles ont toutes disparu.

Je comprends alors que je suis victime d'hallucinations. En cure, j'ai appris que c'est le lot des alcooliques invétérés, des alcooliques au dernier degré. Voir des araignées, en fait, n'a rien d'exceptionnel.

Je m'endors, impressionné par le pouvoir de l'esprit.

Le lendemain matin, je suis malade. J'ai l'impression d'avoir la grippe. J'ai mal aux poumons. J'ai de la fièvre. Je ne peux pas bouger.

Cela fait dix heures que je suis au lit. En fait, ce n'est pas le matin, mais déjà l'après-midi. Je pose un oreiller sur mes yeux, en le relevant au-dessus de mon nez pour pouvoir respirer. Je dors.

Lorsque je me réveille de nouveau, je me sens encore plus mal. J'ai des douleurs partout, comme après un accident.

Je comprends que je ne boirai pas aujourd'hui. Que je ne fumerai pas non plus. Je suis trop malade pour boire ou pour fumer. Mon intérêt pour l'alcool ou le tabac a laissé place à la certitude de n'avoir pas peur de la mort. Je me sens comme une merde. Si je mourais, ce ne serait pas un problème. Le cliché : *L'essentiel, c'est d'avoir la santé*, est on ne peut plus vrai. Quand vous n'avez plus la santé, plus rien d'autre ne compte.

Je dors dix heures de plus. À mon réveil, je tremble comme une feuille. Quand je tends les mains devant moi, elles vibrent.

Je sens que mon état a empiré.

Mon cœur bat à se rompre. C'est ça, en fait, qui m'a réveillé. Il bat tellement fort que ça m'a tiré de mon rêve, comme quand quelqu'un frappe à la porte.

Je m'assieds contre les oreillers. Qu'est-ce que c'est ce bordel ?

Cette nuit-là, mon état ne s'améliore pas. Tout mon corps est secoué de tremblements et l'urticaire l'envahit à toute vitesse. Il a couvert mes jambes de plaques rouges qui se propagent le long de mes bras et sur ma poitrine, pour former un anneau autour de mon cou, juste au-dessus de la clavicule. J'ai un goût métallique dans la bouche. Tous les bruits – un klaxon dans la rue, quelqu'un qui crie dans le lointain – me font sursauter. Je m'étends sur le lit en me disant que je dois absolument dormir pour arrêter ça. Mais sitôt que le sommeil commence à me happer, j'ai l'impression de dégringoler et je me réveille en sursaut.

Les plaques d'urticaire sont en train de fusionner entre elles. Ce ne sont plus des plaques isolées, mais des cordes, enroulées tout autour de moi. J'ai peur.

Au milieu de la nuit, je comprends que je suis en manque, que c'est grave, et que je dois aller à l'hôpital. Mais je suis incapable de traverser l'appartement, même pour aller pisser. Je suis sobre, éveillé, et je n'ai pas d'autre choix que de pisser dans le lit. Je suis obligé de pisser dans le lit parce que je suis trop malade pour marcher. Quand je me lève, un terrible vertige me prend et je sens le black-out arriver. Mes jambes me démangent et je les ai grattées jusqu'au sang. J'ai l'impression que ma trachée s'est rétrécie. Comme si j'avais maintenant de l'urticaire à l'intérieur de la gorge. Il me semble qu'il s'est transformé en mains qui m'emprisonnent le cou.

Cela me prend trois heures pour me préparer, mais quand le matin arrive, je suis habillé et je descends les deux étages. J'entre dans le supermarché coréen en bas de chez moi qui ne ferme jamais. Je me dirige vers les casiers de bière mais j'achète du cidre brut. C'est une agonie d'attendre la monnaie de mon billet de vingt dollars, et pour finir, je pars sans attendre que le type ait terminé de répondre au téléphone qui vient de sonner.

— C'est bon, dis-je en sortant sans prendre de sac.

Une fois remonté, je débouche une bouteille et bois au goulot, comme si c'était de l'eau. Et l'effet est presque immédiat. Je descends quatre bouteilles d'affilée. Mes mains cessent de trembler et je me sens plus calme. Le cidre brut est devenu un médicament. Comme en cure de désintox, où, en cas d'alcoolisme sévère, on donne de l'alcool à faible volume pour atténuer le manque physique.

Je range les bouteilles qui restent dans le frigo et regagne ma couche répugnante. Je me tourne du côté droit, et j'essaie de dormir. Mais une fois de plus, sitôt que je commence à glisser dans le sommeil, j'ai la sensation de chuter d'une hauteur vertigineuse et je me réveille en sursaut.

Je vais mourir. Si je m'endors, mon cœur va cesser de battre et je vais mourir. Il me faut aller à l'hôpital. Tout de suite. L'alcool m'a empoisonné.

Ô mon Dieu, mais qu'est-ce que je me suis fait ? La peur me paralyse.

Quarante-huit heures plus tard, je vais mieux. L'urticaire a régressé, bien que mes jambes soient toujours couvertes de cloques – dont quelques-unes ont crevé et saignent. Mais leur nombre a régressé. Mes mains ne tremblent plus. J'ai bu les bouteilles de cidre qu'il me restait et n'ai pas avalé d'autre alcool de toute la journée. Rien que du jus de canneberges.

J'ai l'impression que je ne vais pas mourir, mais aussi d'être passé très près de la mort.

Ce n'est pas une plaisanterie, me dis-je. *Je me suis empoisonné à l'alcool. J'ai failli me tuer, putain !* Debout au milieu de l'appartement, je contemple le spectacle : la crasse, omniprésente, amoncelée, étalée, les moucherons, morts, vivants. Qui m'aurait trouvé ? Et quand ?

Je m'assieds devant mon ordinateur ; il reste un fond de Dewar's dans la tasse posée sur le carton d'emballage de l'ordinateur que j'ai acheté il y a deux ans. C'est devenu ma table. Sa surface est concave, près de céder. Je bois dans une tasse à l'effigie du Père Noël achetée deux dollars au drugstore en bas de chez moi un jour où j'en avais ras le bol des verres en plastique et où j'avais décidé que je méritais une vraie tasse.

Une pellicule de cadavres de moucherons flotte à sa surface.

Jamais plus je ne boirai un verre d'alcool de ma vie.

Je ne suis pas en position de dire ça. C'est la seule chose qu'un alcoolique ne devrait jamais dire. C'est la seule chose dont un alcoolique ne pourra jamais être certain. C'est irréaliste, et c'est en partie du déni.

Jamais plus je ne boirai.

Je vais nettoyer cet appartement, me métamorphoser, jusqu'au moindre détail, jusqu'à être méconnaissable. Je veux un moi neuf, dans une version améliorée, comme dans les pubs.

Je vais commencer tout de suite.

J'emporte la tasse dans la cuisine et je la vide dans l'évier. Mais comment me débarrasser de la tasse ? Je n'ai pas de poubelle. L'appartement tout entier est une poubelle.

Je suis tellement fatigué.

J'abandonne la tasse sur le comptoir. J'ai besoin de dormir. Je me demande si je vais y arriver.

Je retourne au lit, et cette fois, je me noue un tee-shirt en bandeau autour de la tête, sur les yeux, pour faire écran à la lumière.

Je vais dormir.

Et je ne vais pas mourir.

Un an plus tard

— Quelqu'un ici compte-t-il les jours ?

Jim lève la main, à contrecœur.

— Je m'appelle Jim et je suis un alcoolique. Aujourd'hui, c'est mon quatre-vingt-dixième jour.

Tout le monde l'applaudit, et son parrain lui lance un clin d'œil. Je lui donne un coup de coude et lui souris.

Après la réunion, Jim et moi marchons sur la Quatrième Rue Ouest.

— Merde. J'ai vraiment envie d'un verre. Je ne dis pas que je vais boire, mais j'en ai envie. L'envie ne disparaît donc jamais ? demande-t-il.

— Ben, je ne suis pas un expert. Mais non. Sans doute pas.

— Génial, dit-il en enfonçant ses mains dans ses poches.

— C'est la mauvaise nouvelle. Tu ne pourras jamais remplacer l'alcool. La bonne nouvelle, c'est que tu apprends à vivre sans. Ça te manque. Tu en as envie. Tu traînes avec une bande d'autres cinglés tenaillés par cette même envie et tu vis avec. Et quand tu parles, tu finis par t'exprimer comme un de ces foutus manuels de développement personnel – comme moi.

Nous passons devant un magasin de livres d'occasion et nous arrêtons pour admirer le globe terrestre ancien en vitrine.

— Ça semble tellement facile pour toi, dit Jim. C'est juste comme si tu ne buvais pas, point barre.

Je me souviens des mois qui ont suivi la mort de Pighead, quand je suis entré dans mon coma. Par quel autre terme le désigner ? Boire dès la minute où je me réveillais et jusqu'à sombrer dans l'inconscience. Aller dans les bars, essayer de trouver un pénis, et ne pas savoir qu'en faire ensuite. Fumer du crack avec Foster. Et puis rencontrer Serena.

Après, il y a eu ce signe de Pighead – la tête de cochon.

Puis le processus presque monastique s'est mis en branle, comme une évidence – se réveiller, prendre une douche, aller à une réunion des AA, et recommencer, encore et encore, jour après jour, jusqu'à ce que, au bout d'un certain temps, il ne s'agisse plus d'un combat mais d'une routine.

— Tu te fiches de moi, ou quoi ? je lui réponds. Ça n'a rien de facile pour moi. Ça l'a été la première fois, et regarde ce qui est arrivé. Cette fois-ci, je dois vraiment rester sur mes gardes, pour que ça ne me rattrape pas insidieusement. Cela dit, en un sens, tu as raison. Je ne bois pas, point barre.

Ce n'est pas un mal que Foster soit parti ouvrir un bar en Floride – une tentation de moins dans mon périmètre géographique.

— Et demain ? demande-t-il.

Je repère la Thaïlande sur le globe, puis Kuala Lumpur.

— Je ne sais rien de demain. La seule chose que je sais de demain, c'est que j'ai rendez-vous avec Greer pour ce truc qu'on fait en free-lance. En supposant qu'un bus en cavale n'ait pas d'autre projet en réserve pour moi.

Au début, j'ai eu peur d'avoir bien trop de temps libre en travaillant en free-lance. Mais le statut d'indépendant s'est avéré la meilleure solution. Je n'ai pas à aller tous les jours au bureau retrouver des connards de la trempe de Rick. Et les honoraires des free-lance sont exorbitants. Je peux m'acheter de superbes sous-vêtements pour rester travailler à la maison.

— C'est bien que Greer et toi vous soyez rabibochés.

— Ouais, je me doutais qu'on ne resterait pas en froid éternellement.

Greer et moi ne nous sommes plus parlé pendant au moins dix mois, puis elle a quitté l'agence et a commencé à suivre des ateliers de la New School pour apprendre à maîtriser sa colère. Elle s'est également mise à la peinture. Tous ses tableaux sont noirs.

— Nous nous entendons mieux, maintenant. Nous parlons tous les deux la langue de la guérison.

Jim entre dans le bureau de tabac à l'angle de Christopher Street et de la Septième Avenue pour acheter des cigarettes. Il ressort avec un paquet d'American Spirit et grommelle :

— Putain, on se sent tellement mal.

Une allumette s'enflamme au bout de ses doigts. Je hoche la tête.

— Je sais. J'éprouve ça, moi aussi, par moments. Il me semble que, comme je vais finir par recommencer à boire de toute façon, autant m'y mettre tout de suite. C'est atroce. Parfois, j'ai l'impression d'avoir de l'urticaire dans le cerveau, que je ne peux pas gratter.

— Que fais-tu dans ces cas-là ? demande Jim, avide d'entendre la réponse car cela décrit probablement à la perfection son état actuel.

— Tu es censé aller à une réunion, même si tu détestes ça, que tu trouves ça débile, ou que tu n'as tout simplement pas envie d'y aller. Aller à une réunion garantit que tu ne replongeras pas ce jour-là. Ça fonctionne comme un minilavage de cerveau. On te remet sur les bons rails pour un petit moment. À part ça, quand je me surprends à m'apitoyer sur mon propre sort, je me dis : « Pighead donnerait n'importe quoi pour se sentir aussi mal dans sa peau, en ce moment. » La bonne vieille méthode qui consiste à se culpabiliser fonctionne toujours.

On bifurque sur Bank Street. Comme nous passons sous un réverbère, une chose curieuse se produit : sa lueur vacille puis l'ampoule s'illumine de nouveau. Depuis un an, le système d'éclairage urbain de New York a l'air de faire l'objet de courts-circuits inopinés. J'ai maintes fois remarqué qu'un réverbère s'allumait en milieu d'après-midi sur mon passage.

— Salut, Pighead, je murmure.

— Qu'est-ce que t'as dit ?

— Rien.

Je souris, mais c'est un pâle sourire, et qui n'est destiné qu'à moi seul.

Remerciements

C'est une chance énorme d'être publié par St-Martin's Press, une chance qui doit tout, notamment, à : John Sargent, Sally Richardson, Matthew Shear, John Murphy, Gregg Sullivan, Tiffany Alvarado, Kim Cardascia, Jeff Capshew, Ken Holland, et toute l'équipe commerciale de Broadway, Lyn Kovach, Darin Keesler, Tom Siino, George Witten, Lauren Stein, Matt Baldacci, John Cunningham. Mes amitiés à Frances Coady. Je tiens également à remercier mon agent, le brillant et généreux Christopher Schelling chez Ralph M. Vicinanza, Ltd. (salut, Ralph), et à exprimer mon amitié à Lona Walburn, Jonathan Pepoon, Lawrence David, Suzanne Finnamore, Lynda Pearson, Jay DePretis, Lori Greenberg, à la superbe Sheila Cobb et à son joli dingue d'époux, Steve. De plus, lorsque j'ai eu besoin de recueillir des impressions de lecture sur *Courir avec des ciseaux*, j'ai écrit à plusieurs de mes auteurs préférés, et ils m'ont répondu. Alors, merci mille fois à : Kurt Andersen, Philip Lopate, Jay Neugeboren, Gary Krist, Tom Perrotta, A.L. Kennedy, Maxine Kumin, Jerry Stahl, Neil Pollack, David Rakoff et Haven Kimmel. Merci à Amy Sedaris, pour son incroyable soutien et ses madeleines. Je me dois aussi d'exprimer ma gratitude à l'endroit de tous les libraires qui m'ont invité à faire des lectures de *Courir avec des ciseaux*. Merci aussi à Booksense pour son soutien. Et aux milliers de lecteurs de *Courir avec des ciseaux* qui m'ont écrit par e-mail – merci. Plus que tout, je tiens à remercier Jennifer Enderlin pour avoir cru en moi dès le tout premier mot.

Augusten Burroughs

Courir avec des ciseaux

Augusten a toujours su qu'il était différent. Mais différent de qui, de quoi ? De l'Amérique des années 70 ? De sa mère, poétesse psychotique ? De son père, alcoolique, qui testerait bien le couteau à pain sur la gorge de sa femme ? De son psy et tuteur légal, qui lit l'avenir dans ses étrons, une Bible à la main ? Augusten verra bien. En attendant, il vit, tout simplement. Il pense à l'avenir. Il sera star, ou docteur, ou coiffeur. Il arrêtera de manger des croquettes pour chats. Ou pas. Récit d'une adolescence pas comme les autres dans une époque pas comme les autres.

n° 3955 – 8,60 €

Augusten Burroughs

Un loup à ma table

Pour le petit Augusten, son père est une présence fantomatique, à peine signalée par une toux ou des volutes de tabac dans l'obscurité d'une pièce. Ce géniteur dévoré de psoriasis, Auguste l'aime plus que tout et ne souhaite qu'une chose : le lui prouver. Mais ce dernier en a décidé autrement et peu à peu, l'amour se mue en une haine tenace et acerbe. Jusqu'à ce qu'entre eux deux, commencent de drôles de jeux…

n° 4376 – 7,90 €

DOMAINE ÉTRANGER, DES ROMANS D'AILLEURS ET D'AUJOURD'HUI

Cet ouvrage a été imprimé en France par

à Saint-Amand-Montrond (Cher)
en août 2011

Dépôt légal : mai 2007.
N° d'édition : 3952. — N° d'impression : 112655/4.
X04377/04